Ehrenstein
Massenanalyse

Gottfried W. Ehrenstein

Massenanalyse

Einfache Bestimmungsmethoden,
Dichtebestimmung, Feuchtigkeitsbestimmung,
Gehalt an Füll- und Verstärkungsstoffen,
Bestimmung flüchtiger Bestandteile,
Thermogravimetrie, Messunsicherheit

HANSER

Der Herausgeber:

Prof. em. Dr.-Ing. habil Dr. h. c. Gottfried Wilhelm Ehrenstein, Universität Erlangen-Nürnberg

FSC www.fsc.org
MIX
Papier aus verantwortungsvollen Quellen
FSC® C016439

Bibliografische Information der Deutschen Nationalbibliothek:

Die Deutsche Nationalbibliothek verzeichnet diese Publikation in der Deutschen Nationalbibliografie; detaillierte bibliografische Daten sind im Internet über <http://dnb.ddb.de> abrufbar.

www.hanser-fachbuch.de
Coverconcept: Marc Müller-Bremer, www.rebranding.de, München
Coverrealisierung: Max Kostopoulos
Coverbild: Max Kostopoulos, unter Verwendung von Fotovorlage von
© Dipl.-Ing (FH) Gabriela Riedel, LKT Universität Erlangen
Logo Erlanger Kunststoff-Schadensanalyse: Tobias Mattner, M. Sc.
Satz: Kösel Media GmbH, Krugzell
Druck und Bindung: Druckerei Hubert & Co GmbH und Co KG BuchPartner, Göttingen
Printed in Germany

ISBN: 978-3-446-46452-0
E-Book-ISBN: 978-3-446-46492-6

FIAT IUSTITIA ET PEREAT MUNDUS

von Martin Luther und zuvor von Papst Hadrian VI

Meiner Frau Ute Threde-Ehrenstein in Dankbarkeit!

Der Herausgeber

(Quelle: LKT Erlangen)

Prof. em. Dr.-Ing. habil. Dr. h. c. Gottfried Wilhelm Ehrenstein wurde 1937 in Danzig geboren und hat nach einem humanistischen Abitur an der Technischen Hochschule Hannover Allgemeinen Maschinenbau studiert. Nach der Promotion (Prof. Matting) arbeitete er 10 Jahre in der Anwendungstechnischen Abteilung Kunststoffe der BASF AG und war gleichzeitig Lehrbeauftragter und nach der Habilitation 1976 Privatdozent der Fakultät für Maschinenbau der Universität Karlsruhe (TH, Prof. Macherauch). Von 1977 bis 1989 war er Inhaber des Lehrstuhls für Werkstoffkunde/Kunststoffe der Universität-Gesamthochschule Kassel. Nach Rufen an die TU Harburg, die Montanuniversität Leoben und die TU Berlin war er ab 1989 Professor für Kunststofftechnik des von ihm neu eingerichteten Lehrstuhls der Universität Erlangen-Nürnberg.

Von 1987 bis 1992 war er nebenamtlich Leiter des Süddeutschen Kunststoffzentrums in Würzburg. 1992 wurde er Honorarprofessor des Chemischen Instituts der Universität Qingdao, China, und 1996 Ehrendoktor der Technischen Universität Budapest. Prof. Ehrenstein ist vereidigter Sachverständiger der IHK Nürnberg für Kunststoffe und Sonderwerkstoffe auf Kunststoffbasis und des Deutschen Instituts für Bautechnik (DIBt), Berlin.

Er ist Gründer des Wissenschaftlichen Arbeitskreises Kunststofftechnik (WAK), der Dissertationsbank und der Zeitschrift Kunststofftechnik im Rahmen von *kunststoffe.de* mit Unterstützung des Carl Hanser Verlages.

Danksagung:

Dieses Buch „Massenanalyse“ war nur möglich dank der vielfältigen Unterstützung und systematischen Analyse durch die Leiterin der Analytik des Lehrstuhls für Kunststofftechnik und ihrer Vertreterin - Frau Dipl.-Ing. (FH) Gabriela Riedel und Pia Trawiel - die nun schon fast 30 Jahre auf diesem Gebiet arbeiten, in der relativ weltweit größten anwendungstechnisch und wissenschaftlich geprägten universitären Laborgruppe der Kunststofftechnik in Erlangen.

Ebenso möchte ich Frau Nicole Zaspel lobend erwähnen, sie hat jahrelang aktiv und konstruktiv bei der Umsetzung der Manuskripte geholfen. Sie ist Gewinnerin des Harder-Förder-Preises aus Österreich für Ihre Kurzgeschichte „Südfall 1937“.

Begleitwort von Prof. Dr.-Ing. Sonja Pongratz

(privat)

Der vorliegende Band aus der Reihe „Schadensanalyse" beschäftigt sich mit der Massenanalyse, mit deren Hilfe wichtige Informationen über die chemischen und physikalischen Strukturen der Bauteile aus Kunststoff gewonnen werden. Sein Erscheinen ist der unermüdlichen Arbeit von Herrn Prof. Dr. Ehrenstein zu verdanken, der das Fachwissen vieler Experten bewertet, gebündelt und in der Reihe Schadensanalyse strukturiert verfügbar gemacht hat.

Umso stolzer bin ich, einen Beitrag zu dem vorliegenden Werk geleistet zu haben. Die Schadensanalyse an polymeren Bauteilen ist in über 20 Jahren Berufstätigkeit meine zentrale Tätigkeit. Ich empfinde jede Analyse eines Schadensfalls auf das Neue als spannend und bereichernd, was nicht zuletzt daran liegt, dass Schadensanalyse interdisziplinär ist; sie ist geprägt von der Zusammenarbeit unterschiedlicher Menschen und stets gilt es dabei, das Zusammenspiel von Analysemethode und Versagensursache im Blick zu behalten.

Schadensanalyse beginnt an der Basis, mit visuellen und einfachen Methoden, so dass der Analytiker Gefühl und Verständnis für den Schaden bekommt, daraus eine Hypothesen ableiten kann, um diese durch Spezialanalysen zu verfestigen. Das Ineinandergreifen von chemischer und physikalischer Struktur der Polymermoleküle prägt die Eigenschaft das Bauteils und im Falle der Schadensanalyse auch dessen vorzeitiges Versagen. Die chemischen und vor allem die physikalischen Strukturen werden durch den Verarbeitungsprozess bestimmt; gleichzeitig wirken sich aber auch die äußeren Einflussfaktoren wie Temperatur, UV-Licht und Chemikalien über die Alterung auf diese Strukturen aus. So sind in der Schadensanalyse Kenntnisse über die Einflussfaktoren Material – Konstruktion – Verarbeitung – Einsatzbedingungen gefordert. Diese müssen durch den Schadensanalytiker mit Hilfe der vielfältigen und teilweise sehr komplexen Analysemethoden bewertet werden. Die Massenanalyse wird oftmals übergangen und es wird zu schnell zu kostenintensiven Spezialanalysen gegriffen. Aber die einfachen Methoden – wie die Massenanalyse – helfen, den richtigen Weg einzuschlagen; man wird herausgefordert sich zunächst mit dem Schaden zu beschäftigen und nicht sofort das Bauteil einer Spezialuntersuchung im micro-Bereich zu unterziehen.

Es ist unerlässlich auf alles zu achten, jedes „Indiz" aufzugreifen und zu verfolgen, sich nicht zu schnell durch vorgefertigte Meinungen (anderer oder basierend auf der eigenen Erfahrung) auf eine Hypothese festzulegen, sondern akribisch dabei zubleiben. Diese Vorgehensweise habe ich vor allem von Prof. Dr. Ehrenstein im Rahmen des Lehrstuhls für Kunststofftechnik gelernt, der bis heute als Synonym für Schadensanalyse in der Fachwelt steht, und genauso gebe ich es in meinen Vorlesungen weiter, die ich an der Erlanger Universität halte.

Jeder Band dieser Reihe wird sowohl meine Lehrtätigkeit als auch meine praktische Arbeit bereichern und ein unerlässliches Nachschlagewerk und Hilfsmittel für alle in der Schadensanalytik Tätigen sein.

Wolfsburg, Mai 2020 *Prof. Dr.-Ing. Sonja Pongratz*

Prof. Dr.-Ing. Sonja Pongratz

Die Chemieingenieurin ist bei der Volkswagen AG in Wolfsburg in leitender Position auf dem Gebiet der Schadensanalyse von Polymeren tätig. Ihre Promotion bei Prof. Ehrenstein hat Frau Pongratz im Jahr 2000 an der Friedrich-Alexander-Universität Erlangen-Nürnberg mit Auszeichnung bestanden und für ihre Habilitation im Fachbereich Maschinenbau im Jahre 2005 zwei Wissenschaftspreise erhalten.

Die 1969 in Cham (Oberpfalz) geborene Preisträgerin des Dr.-Richard-Escales-Preises 2016 ist die einzige Universitätsprofessorin auf dem Gebiet der Kunststofftechnik in Deutschland. Ihre Lehrtätigkeit übt sie in alter Verbundenheit mit dem Lehrstuhl für Kunststofftechnik seit ihrer Zeit als wissenschaftliche Mitarbeiterin aus und wurde mehrfach für ihre Vorlesung „Schadensanalyse an Kunststoffbauteilen" im Rahmen der studentischen Lehrevaluation ausgezeichnet.

Im Carl Hanser Verlag hat sie zusammen mit Prof. Gottfried Ehrenstein 2007 den Titel „Beständigkeit von Kunststoffen" herausgegeben, einen Titel mit rund 1300 Seiten in zwei Bänden, der auch in englischer Sprache veröffentlicht wurde („Resistance and Stability of Polymers").

Frau Pongratz ist verheiratet und hat zwei Kinder.

Inhalt

1 Einfache Bestimmungsmöglichkeiten

Für die Schadensanalyse ist es von großer Bedeutung, das Material zunächst zu identifizieren, um Rückschlüsse auf Ursachen oder Versagensmuster treffen zu können.

Mittels einfacher Bestimmungsmethoden ist es möglich, ohne großen apparativen Aufwand und mit nur wenig chemischen Vorkenntnissen eine Identifizierung durchzuführen, um Rückschlüsse auf Ursache oder Versagensmuster treffen zu können.

Weitreichendere Informationen liefert die Kenntnis der Dichte eines Werkstoffes. Mit Hilfe von Dichtemessungen sind neben der Identifizierung von Reinmaterialien Aussagen über Verarbeitungsfehler und Füllstoffgehalte möglich.

1.1 Einleitung

Einfache Methoden zur Kunststoffbestimmung gestatten es, nur thermoplastische Kunststoffe in reiner Form zu identifizieren. Zusatzstoffe, wie Füll- und Verstärkungsstoffe, Weichmacher und Stabilisatoren, können dagegen meist nicht erkannt werden, bzw. sogar das Ergebnis verfälschen. Außerdem sind Aussagen über Polymermischungen (Blends) wie z. B. ASA/PC oder PBT/PC nur bedingt möglich. Auch können artverwandte Kunststoffe, wie z. B. ABS und ASA, die sich nur durch die Kautschukkomponente unterscheiden, oder PA 6 und PA 66, die unterschiedliche Monomerbausteine besitzen, mit diesen einfachen Methoden nicht differenziert werden.

1.1.1 Einfache Bestimmungsmöglichkeiten – Vorsortierung

In der Praxis der Schadensaufklärung ist es häufig ausreichend, einen Kunststoff einer bestimmten Gruppe, z. B. den Polyolefinen oder Polyamiden, zuordnen zu können. In einem ersten Schritt reichen oftmals wenige, leicht durchzuführende Prüfungen und die Berücksichtigung weniger, eindeutiger Merkmale aus, den Kreis der möglichen Kunststoffe einzuengen und die Kunststoffklasse zu bestimmen.

Die Prüfungen werden in folgender Reihenfolge vorgenommen:

Mit Hilfe einfacher Bestimmungsmethoden ist es möglich, ohne großen apparativen Aufwand und mit nur wenig chemischen Vorkenntnissen eine grobe Identifizierung von Kunststoffen durchzuführen. Zu den einfachen Bestimmungsmethoden gehören:

- Schwimm-Sink-Verfahren,
- Verhalten beim Erhitzen im Glühröhrchen (Schmelzverhalten, Reaktion der Zersetzungsschwaden)
- Brandverhalten (Reaktion der Zersetzungsschwaden, Brandverhalten außerhalb der Flamme, Geruch der Brandschwaden),
- Lösemitteltest,
- Beilsteinprobe,
- Fingernageltest zur Unterscheidung von PE und PP,
- Bruchprobe zur Unterscheidung schlagzähmodifizierter Werkstoffe von nicht modifizierten.

Nach Durchführung dieser Prüfungen steht in vielen Fällen bereits fest, um welche Kunststoffgruppe es sich handelt.

Der Einsatz einfacher Bestimmungsmethoden in der Kunststoff-Schadensanalyse ist begrenzt. Sie können v. a. bei Vorterminen sinnvoll sein, um eine grobe Einschätzung über den eingesetzten Werkstoff zu erhalten. Eine Absicherung des Ergebnisses durch weitere Analysen im Labor im Anschluss ist zwingend erforderlich.

Schwimmprobe

Das Verhalten in Wasser unterscheidet Kunststoffe mit einer Dichte größer oder kleiner 1. Polyolefine (PE und PP) haben eine geringere Dichte als Wasser (kleiner 1 g/cm^3) und schwimmen somit auf dem Wasser, alle anderen Kunststoffe sinken im Wasser. Das Wasser muss evtl. mit einem Netzmittel entspannt werden.

Durch Füll- und Verstärkungsstoffe (Glasfasern, Kreide, Treibmittelzusätze usw.) verändert sich die Dichte des Ausgangsmaterials. Bei besonders dickwandigen

Formteilen können eventuell vorhandene Lunker das Ergebnis verfälschen. In diesem Fall empfiehlt es sich, einen Span abzutrennen.

Brennprobe

Die Kunststoffprobe wird mit einem Feuerzeug oder Streichholz entzündet und das Brennverhalten beobachtet. Das charakteristische Brennverhalten verschiedener Kunststoffe wird im Folgenden noch ausführlich beschrieben.

Lösemitteltest

Bei der Durchführung des Lösemitteltests ergeben sich häufig überraschende Ergebnisse, da die physikalischen Bindungen besonders bei Thermoplasten durch physikalisch wirkende Lösemittel gelöst werden können.

Beilsteinprobe

Die Beilsteinprobe dient zur Identifizierung von halogenhaltigen Kunststoffen. Dazu berührt man die Kunststoffprobe mit einem glühenden Kupferdraht und hält diesen anschließend wieder in die Flamme. Bei Anwesenheit von Halogenverbindungen leuchtet die Flamme deutlich grün. Damit lässt sich PVC gut identifizieren. Es zeigen auch Kunststoffe mit einem halogenhaltigen Brandschutzmittel dieses Verhalten.

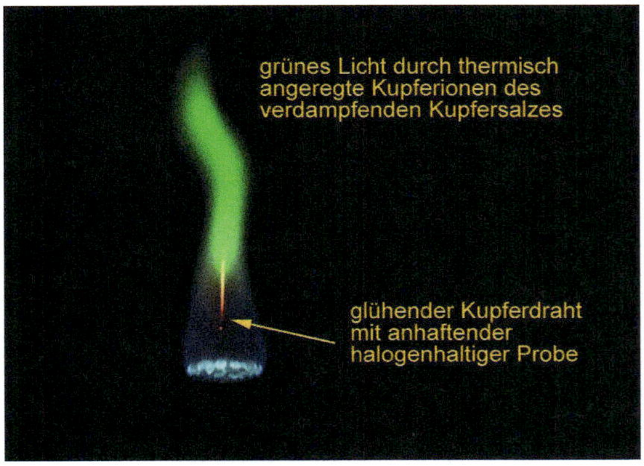

Bild 1.1
Beilsteinprobe an PVC (LKT)

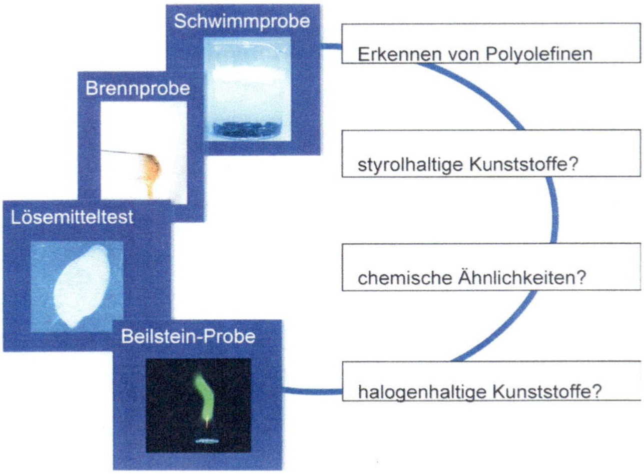

Bild 1.2 Einfache Bestimmungsmethoden – Vorsortierung

1.1.1.1 Fingernageltest zur Unterscheidung von PE und PP

Kratzt man mit dem Fingernagel über die Oberfläche von PE, sind deutliche Spuren sichtbar, während beim PP meist nur schwache Eindruckstellen entstehen.

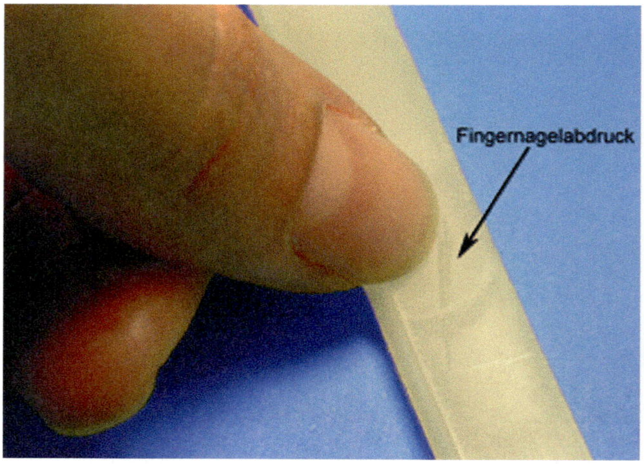

Bild 1.3 Fingernageltest an PE (LKT)

Zur Klärung, ob am Rand die Isochromaten eine Zug- oder Druck(eigen)spannung anzeigen eignet sich die Nagelprobe. Mit einem spitzen Gegenstand drückt man auf den Rand und beobachtet die randnahen Isochromaten. Wandern sie dem Druckpunkt zu und wird ihre Zahl kleiner, liegt Druck vor; wird ihre Zahl größer und wandern sie von Druckpunkt weg, herrscht Zugspannung.

1.1.1.2 Bruchprobe

Anhand der Bruchprobe können die kautschukhaltigen Styrolpolymere von den nicht kautschukhaltigen abgegrenzt werden. PS und SAN zeigen ein glasartiges Bruchverhalten (Sprödbruch), während kautschukhaltige schlagfeste Polystyrol-Typen (SB, ABS, ASA) ein zähes Bruchverhalten (Weißbruch) zeigen.

1.1.1.3 Lösemitteltest

Bei der Einwirkung von organischen Lösemitteln auf Kunststoffe werden diese entweder gelöst, gequollen oder überhaupt nicht angegriffen. Ausgehärtete Duroplaste werden meist nicht angegriffen und nur in Einzelfällen angequollen. Für die meisten Thermoplaste kennt man dagegen organische Flüssigkeiten, die sie lösen. Für orientierende Untersuchungen werden häufig die in Tabelle 1.1 angegebenen Lösemittel eingesetzt.

Bei der Durchführung des Lösemitteltests genügt es meist, einen Tropfen des Lösemittels auf die Probe zu bringen und mit einem Spatel zu verreiben. Beobachtet wird die Reaktion des Kunststoffes im Kontakt mit dem Lösemittel.

Häufig eingesetzte Lösemittel sind Perchlorethylen und Ethylacetat.

Perchlorethylen:

- PS und SB sind in Perchlorethylen löslich, nach kurzem Kontakt klebt die Oberfläche. Die acrylnitrilhaltigen Styrolcopolymerisate SAN, ABS, ASA werden dagegen nicht angelöst.
- PC wird zwar nicht angelöst, reagiert aber mit einer spontanen Spannungsrissbildung.
- PPO bzw. PPE ist in Perchlorethylen teilweise löslich, die Oberfläche wird angegriffen.

Ethylacetat:

- Alle Styrolpolymerisate und Styrolcopolymerisate (PS, SB, SAN, ABS, ASA) und PPO, PPE und CAB sind in Ethylacetat löslich, die Oberfläche klebt nach Kontakt mit dem Lösemittel.

Tabelle 1.1 Löslichkeitsverhalten verschiedener Kunststoffe

Werkstoff	Löslichkeit in			
	Benzol	Methylenchlorid	Ethylacetat	Aceton
ABS	q	q	l	l
CA	u	q	l-u	l
CAB	q	l	l	l
EP	u	q	q	q
MF	u	u	u	u

Tabelle 1.1 Löslichkeitsverhalten verschiedener Kunststoffe *(Fortsetzung)*

Werkstoff	Löslichkeit in			
PA	u	u	u	u
PC	q	l	q	q
PE	u-q	u-q	u-q	u-q
PET	u	q	q	u
PF	u	u	u	u
PMMA	l	l	l	l
POM	u	u	u	u
PP	u-q	u-q	u-q	u
PPO	l	l	q	u
PS	l	l	l	q
PSO	l	l	q	q
PTFE	u	u	u	u
PUR	u	l	u	l
PVC-P	q	q	q	q
PVC-U	q	q	q	q
SAN	q	q	l	l
SB	l	l	l	q
UF	u	u	u	u
UP/CUP	u	q	q	q

Löslichkeit: u: unlöslich, q: quellbar, l: löslich

Bei der Prüfung der Löslichkeit von Kunststoffen werden etwa 0,1 g eines möglichst fein verteilten Kunststoffes in einem Reagenzglas mit 5 - 10 ml Lösemittel angesetzt. Im Laufe einiger Stunden wird der Ansatz mehrfach geschüttelt und auf Quell- oder Auflösungserscheinungen hin beobachtet. Beschleunigend kann eine sanfte Erwärmung mittels Bunsenbrenner oder Wasserbad wirken [1].

Vorsicht wegen plötzlichen Aufsiedens oder Herausspritzens, besonders von organischen Lösemitteln, deren Dämpfe meist brennbar sind.

Es kann auch sinnvoll sein, den Lösemittelansatz zu dekantieren, das Lösemittel zu verdampfen und möglichen Rest zu analysieren.

Die Einsatztemperaturen von HT-Thermoplasten liegen bis doppelt so hoch wie die der normalen Thermoplaste. Auch sie lassen sich häufig mit Lösemitteln lösen bzw. sind zumindest quellbar, Tabelle 1.2.

Tabelle 1.2 Lösetemperatur verschiedener Lösemittel bei HT-Thermoplasten in °C

Lösemittel HF-Themor-plast	Chlo-roform	Tetra-hydro-furan	p-Xylol	Dichlor-methan	Dime-thyl-forma-mid	m-Kre-sol	Essig-säure-ethyl-ester	Tri-chlor-ben-zol	Methyl-ethyl-keton	Toluol
PA 6-3-T	u	u	u	u	30	60	u	20	u	u
PAR	25	25	u	20	111	40	u	30	u	u
PEEK	u	u	u	u	u	q	u	u	u	u
PEEK (amorph)	25	25	u	20	138	40	u	30	u	u
PEI	25	q	u	20	45	58	u	110	u	u
PESU	25	u	u	20	20	40	u	u	u	u
PPS	u	u	u	u	u	u	u	u	u	u

u = unlöslich, q = quellbar

1.1.1.4 Schwimm-Sink-Verfahren

Das Verhalten in Flüssigkeiten kann zu einer Trennung von Kunststoffen herangezogen werden. Zum Beispiel können mit Wasser Kunststoffe mit einer Dichte größer oder kleiner 1 getrennt werden. Unverstärkte Polyolefine (PE und PP) haben eine geringere Dichte als Wasser (kleiner 1 g/cm^3) und schwimmen somit in Wasser auf, alle anderen Kunststoffe sinken im Wasser. Das Wasser muss evtl. mit einem Netzmittel entspannt werden.

Neben Wasser können weitere Flüssigkeiten bekannter Dichte zur Trennung verwendet werden. Als Prüfflüssigkeiten können, die in Tabelle 1.3, aufgeführten Salzlösungen und organischen Flüssigkeiten verwendet werden.

Tabelle 1.3 Prüfflüssigkeiten zur Dichtebestimmung

Prüfflüssigkeit	Dichte ρ [g/cm^3]
Wasser	1,00
ges. Natriumchloridlösung (~ 26 Gew.-%)	1,20
Glycerin	1,26
ges. Magnesiumchloridlösung (~ 32 Gew.-%)	1,34
Trichlorethylen	1,47
Perchlorethylen	1,62
ges. Zinkchloridlösung (~ 61 Gew.-%)	2,01
Dijodmethan	3,33

Bei Verdünnungsreihen wird mit Prüfflüssigkeiten begonnen, die eine deutlich geringere Dichte als die Proben aufweisen. Dabei sinken die Proben in der Flüssigkeit ab. Bei Zugabe einer schwereren Flüssigkeit steigen die Proben nach oben.

Bild 1.4 Schwimm-Sink-Probe in Wasser an PP/PA-Granulatmischung (LKT)

Bei der Messung können Fehler durch mangelhafte Benetzung sowie am Prüfobjekt haftende Luftblasen auftreten. Durch Füll- und Verstärkungsstoffe (Glasfasern, Kreide, Treibmittelzusätze usw.) verändert sich die Dichte des Ausgangsmaterials. Lunker im Bauteilinneren oder in Granulatkörnern können das Ergebnis verfälschen. Durch Trennen der Probe kann das Innere hinsichtlich vorhandener Lunker bewertet werden. Sollten Lunker vorhanden sein, empfiehlt es sich, einen Span abzutrennen.

1.1.2 Thermische Bestimmungsmöglichkeiten

1.1.2.1 Erhitzen im Glühröhrchen

Beim Erwärmen von Kunststoffen lässt sich deren Schmelz- bzw. Zersetzungsverhalten beobachten. In ein Glühröhrchen wird eine kleine Probe von ca. 0,1 g eingegeben, in oder über der Sparflamme des Bunsenbrenners langsam erhitzt mit vom Prüfer abgewandtem offenen Ende des Röhrchens, Bild 1.4. In dieses offene Ende hält man ein angefeuchtetes Lackmuspapier oder ein etwas empfindlicheres pH-Papier zur Messung des pH-Werts oder wedelt der Nase mit der Hand die Schwaden zum Prüfen des Geruchs zu.

Die hierbei auftretenden Zersetzungsschwaden können auf ihre chemische Reaktion gegenüber Säure-Base-Indikatoren untersucht werden. Nach ihrem Schmelz- bzw. Zersetzungsverhalten können die Kunststoffe in folgende Kategorien eingeteilt werden [1]:

- **Schmelzen ohne Zersetzung**. Es tritt keine Verfärbung oder höchstens eine geringe Gelbfärbung der Schmelze auf (natürlich nur bei nicht eingefärbten Stoffen).
- **Schmelzen mit Zersetzung**. Es bildet sich eine braun bis schwarz gefärbte Schmelze.
- **Zersetzung ohne Bildung von Schmelze**. Die Probe verfärbt sich, behält aber weitgehend ihre Form (es kann jedoch eine Erweichung eintreten).
- **Verdampfen der Probe ohne nennenswerten Rückstand**. Die Kunststoffe werden durch Erwärmung zu verdampfenden Stoffen abgebaut (z. T. zu Monomeren).
- **Keine erhebliche Veränderung, außer geringfügiger Verformung und Verfärbung**. Bei zu starker Erwärmung kann auch in diesen Fällen Verdampfung bzw. Zersetzung auftreten.

1.1.2.2 Reaktion der Zersetzungsschwaden

Nach der Reaktion der Zersetzungsschwaden können die Kunststoffe zusätzlich den folgenden Gruppen zugeordnet werden:

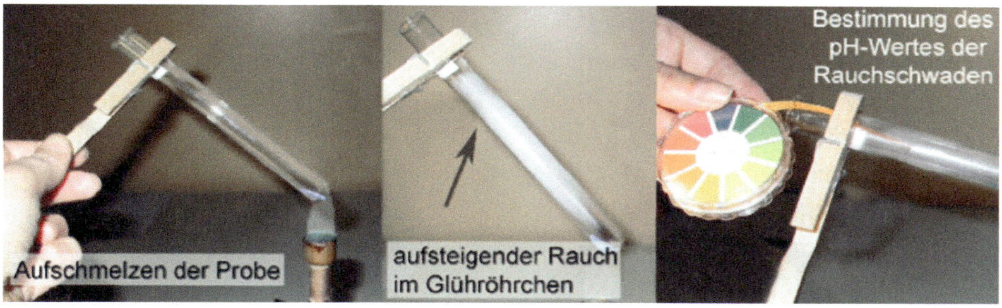

Bild 1.5 Glühröhrchentest mit anschließender pH-Wert-Messung mit Indikatorpapier (LKT)

- Schwaden reagieren alkalisch: pH-Wert über 7
- Schwaden reagieren neutral: pH-Wert rund 7
- Schwaden reagieren schwach sauer: pH-Wert etwa 2,5 bis 5
- Schwaden reagieren stark sauer: pH-Wert unter 2,5

Alkalische Schwaden treten bei stickstoffhaltigen Kunststoffen (außer PUR und Salpetersäureestern) infolge der Abgabe von NH_3 bzw. Aminen auf. Schwach saure Schwaden deuten in vielen Fällen auf den Gehalt schwacher Säuren (z. B. Essigsäure, Propionsäure, Buttersäure oder CO_2) bzw. deren Ester hin, z. B. bei CA, CAB. Stark saure Schwaden entstehen durch flüchtige Mineralsäuren (HCl, HF, HNO_3, HNO_2, H_2SO_4).

Als Reagenzpapiere sind geeignet: Universalindikatorpapier von pH 1 bis rd. 10, rotes und blaues Lackmus-Papier, Kongorot-Papier für stark saure Schwaden oder andere pH-Papiere mit Farbvergleichs-Skala. Die Zersetzungsschwaden sind meist brennbar. Man vermeide, dass sich die Schwaden an der Wärmequelle entzünden. Zur Auswertung siehe Tabelle 1.4.

Tabelle 1.4 Reaktion der Zersetzungsschwaden im Glühröhrchen

pH-Wert		
0,5 – 4,0	5,0 – 5,5	8,0 – 9,5
CA, CAB PCTFE PET, PBT PTFE, PETFE PUR-Elastomer PVC UP VF	EP PE, PP, PIB PMMA, POM, PC PS, SAN PVA PVAC PUR	ABS PA PAN PF, CF UF, MF
Lackmus: rot	kaum verändert	blau

1.1.3 Brandverhalten

Die Kunststoffprobe wird mit einem Feuerzeug oder Streichholz entzündet und das Brennverhalten beobachtet. Hierbei werden das Brandverhalten außerhalb der Flamme, die Rußbildung, das Abtropfverhalten und die Art und Farbe der Flamme sowie die Reaktion der Zersetzungsschwaden und der Geruch der Brandschwaden bewertet.

1.1.3.1 Brandverhalten außerhalb der Flamme

Nach dem Brandverhalten außerhalb der Flamme werden Kunststoffen grob in vier Gruppen unterteilt:

- der Kunststoff ist nicht brennbar (z. B. PTFE, Duroplaste);
- der Kunststoff entzündet sich schwer in der Flamme und erlischt außerhalb (z. B. PVC, PC);
- der Kunststoff entzündet sich in der Flamme, brennt nach Entfernen der Zündquelle weiter (w PE, PP, PS, PA);
- der Kunststoff entzündet sich in der Flamme und brennt heftig oder verpufft.

Die Kunststoffprobe wird mit einer Pinzette oder sonstigem Greifgerät gehalten und mit einem Feuerzeug, der Sparflamme eines Bunsenbrenners oder Streichholz entzündet und das Brennverhalten beobachtet, Bild 1.5.

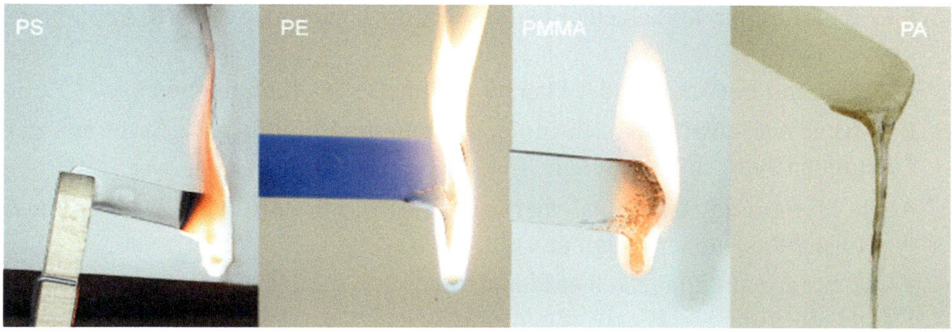

Bild 1.6 Brennverhalten verschiedener Kunststoffe außerhalb der Flamme (LKT)

Hierbei werden das Brandverhalten außerhalb der Flamme, die Rußbildung, das Abtropfverhalten und die Art und Farbe der Flamme sowie die Reaktion der Zersetzungsschwaden und der Geruch der Brandschwaden bewertet. Nach dem Brandverhalten außerhalb der Flamme werden Kunststoffe grob in drei Gruppen unterteilt:

1. Der Kunststoff entzündet sich in der Flamme, brennt jedoch nach Wegnahme der Zündquelle nicht oder nur kurz weiter, selbstverlöschend.
   - PVC brennt rußend in der Flamme unter Koksbildung und erlischt sofort außerhalb der Flamme (wie alle halogenhaltigen Kunststoffe).
   - PC, reines PPO und PPE brennen unter Koksbildung rußend kurz weiter und verlöschen dann, wobei PC eine leuchtende Flamme und eine blasige Schmelze zeigt. Beim modifizierten PPO bzw. PPE entscheidet der Anteil der zweiten Blendkomponente über das Brandverhalten (phenolhaltige Kunststoffe).
   - PES zeigt ähnliches Verhalten, nach dem Verlöschen entwickelt sich weißer Rauch.
   - Zu den selbstverlöschenden Kunststoffen gehören alle mit Flammschutz ausgerüsteten Kunststoffe.
2. Der Kunststoff entzündet sich in der Flamme, brennt nach Entfernen der Zündquelle rußend weiter.
   - Polyolefine (PE und PP) brennen mit gelber Flamme mit blauem Kern und tropfen brennend ab.
   - PMMA brennt mit leuchtender Flamme mit blauem Kern, knistert beim Verbrennen.
   - PA brennt mit einer Flamme, die einen bläulich-gelben Rand hat, blasige Schmelze tropft brennend ab und zieht Fäden.
   - POM brennt mit blauer, fast nicht sichtbarer Flamme, Schmelze tropft brennend ab.

- CAB brennt mit dunkelgelber Flamme schwach rußend, Schmelze tropft brennend ab.
- PBT brennt mit leuchtender Flamme, Schmelze tropft brennend ab.

3. Der Kunststoff entzündet sich in der Flamme und brennt nach Entfernen der Zündquelle stark rußend weiter.
   - Alle Styrol- und Styrolcopolymerisate (wie PS, SB, SAN, ABS, ASA) brennen mit leuchtend gelber Flamme.
   - CAB brennt mit dunkelgelber Flamme schwach rußend, Schmelze tropft brennend ab.
   - PBT brennt mit leuchtender Flamme, Schmelze tropft brennend ab.
   - Alle Styrol- und Styrolpolymerisate (wie PS, SB, SAN, ABS, ASA) brennen mit leuchtend gelber Flamme.

1.1.3.2 Brennverhalten von Kunststoffen

Der Kunststoff wird beim Verbrennen zum Teil depolymerisiert bzw. zu anderen Stoffen zersetzt. Die dabei entstehenden Monomere haben einen charakteristischen Geruch.

Für die Charakterisierung der Kunststoffe nach ihrem Brandverhalten ist auch Tabelle 1.5 sehr hilfreich.

Tabelle 1.5 Verhalten von Kunststoffen bei der Brennprobe

Brennbarkeit	Flamme	Geruch der Dämpfe	Kunststoff
nicht brennbar	-	stechend nach Flusssäure	Si, PTFE, PCTFE, PI
schwer entzündbar, erlischt außerhalb der Flamme	hell, rußend hellgelb grünlich	Phenol, Formaldehyd, Ammoniak, Amine, Formaldehyd Chlorwasserstoff	PF, CF UF PVC, PVDC (ohne brennbare Weichmacher)
erlischt außerhalb der Flamme	leuchtend rußend gelb, grauer Rauch gelborange, blauer Rauch; dunkelgelb, rußend	 Horn, Haar Essigsäure	PC Si PA CA
brennt in der Flamme, erlischt außerhalb langsam oder gar nicht	gelb, leuchtend, Zersetzung gelborange gelb, blauer Rauch, gelb, blauer Kern leuchtend rußend	Phenol, verbranntes Papier, kratzend verbrannter Gummi süßlich, aromatisch stechend, Paraffin scharf	PF-Schichtstoffe PVAL CR PET PUR PE, PP UP-GF

Brennbarkeit	Flamme	Geruch der Dämpfe	Kunststoff
leicht entzündbar, brennt außerhalb der Flamme weiter	leuchtend, rußend dunkelgelb, schwach rußend dunkelgelb rußend schwach rußend hellgrüne Funken gelborange hell, heftig	süßlich, Stadtgas (Styrol), Essigsäure verbrannter Gummi Essigsäure und Buttersäure verbranntes Papier Stickoxide	PS PVA SBR CA CA CN

Auch bei HT-Thermoplasten kann das Brennverhalten Hinweise auf die Identität geben [1]. Für HT-Thermoplaste gibt Braun [1] für die Pyrolysedämpfe von PPS, PESU und PAR einen sauren pH-Wertbereich von 0 – 5 an, für teilkristallines und amorphes PEEK einen neutralen pH-Wertbereich von 6 – 7 und für PEI und PA 6-3-T einen basischen pH-Wertbereich von 8 – 12.

Tabelle 1.6 Brennverhalten von HT-Thermoplasten

Polymer	Brennbarkeit	Flamme	Geruch der Schwaden	Hinweis auf
PA 6-3-T	erlischt nach kurzer Zeit außerhalb der Flamme	blauer Flammensaum, stark rußend	verbranntes Horn	Stickstoff (Armide)
PAR	erlischt sofort außerhalb der Flamme	gelb, schäumt auf	nach Phenol	Phenol
PEEK	erlischt nach kurzer Zeit außerhalb der Flamme	leicht gelblich, leichte Rauchentwicklung	schwach nach Phenol	Phenol
PEEK (amorph)	erlischt sofort außerhalb der Flamme	gelb, schäumt auf	nach Phenol	Phenol
PEI	erlischt nach kurzer Zeit außerhalb der Flamme	leicht gelblich, schäumt auf	verbranntes Horn	Stickstoff (Armide, Imide)
PESU	erlischt sofort außerhalb der Flamme	gelb, schäumt auf	stechend nach Schwefeldioxid	Schwefel
PPS	erlischt sofort außerhalb der Flamme	stark rußend	stark nach Schwefelwasserstoff	Schwefel

Eine besondere Problematik ergibt sich bei Polymerblends und Polymermischungen, so auch besonders bei Rezyklaten. Neben gezielt eingebrachten Komponenten können Zusatzstoffe, Verträglichkeitsvermittler und Füllstoffe Schwierigkeiten bei der Analyse bringen, Tabelle 1.7.

Tabelle 1.7 Brennverhalten von Polymerblends

Polymeres	Brennbarkeit	Flamme	Geruch der Schwaden	Hinweis auf
ABS/PC	brennt außerhalb der Flamme weiter	leuchtend, stark rußend	schwach nach Styrol und verbranntem Gummi	Styrol-Copolymere
PBT/PC	brennt außerhalb der Flamme weiter	leuchtend, stark rußend	süßlich stechend	Polycarbonat
PBT/PET	brennt außerhalb der Flamme weiter	leuchtend, stark rußend	süßlich kratzend	Terephtalat
PE/PP	brennt außerhalb der Flamme weiter	leicht gelblich, blauer Flammensaum	paraffinartig, schwach nach verbranntem Gummi	Polyolefine
PVC-Blends	erlischt außerhalb der Flamme sofort	grüner Flammensaum	stechend nach Salzsäure	Chlor

Eine weitere Zusammenstellung zum Schmelz- und Brennverhalten zeigt Tabelle 1.8. Bei den Versuchen ist zu berücksichtigen, dass nur unvernetzte Thermoplaste schmelzen. Dabei können diese Kunststoffe schon vor dem Erweichungs- oder Fließbeginn thermisch geschädigt werden und somit ihre Konsistenz ändern.

Tabelle 1.8 Schmelz- und Brennverhalten verschiedener Kunststoffe [2]

Werkstoff	Brennverhalten (außerhalb der Flamme)			Verhalten im Glühröhrchen		Reaktion und Geruch der Schwaden	
			Art und Farbe der Flamme				
ABS	II	stark rußend (Flocken)	gelb leuchtend und flackernd	III	schwarz	n (a, s)	süßlich (Styrol) und Zimt
Aramid	0			V	schmilzt nicht	(s)	Nitrobenzol
ASA	II	stark rußend (Flocken)	gelb leuchtend und flackernd	II	schwarzer Rückstand	n (a, s)	süßlich (Styrol) und Blausäure
CA	II/III	tropft und sprüht Funken	gelbgrün	II	schwarz	s	Essigsäure
CAB	II/III	tropft und sprüht Funken	gelbgrün	II	schwarz	s	leicht ranzig (Essigsäure, Buttersäure)
EP	II	rußend	gelb	II	dunkel	a, n	undefiniert, je nach Härter
MF	0/I	verkohlt, weiße Kanten	hellgelb, erlischt	III	springt	a	verbrannte Milch; fischig; Ammoniak; Amine; Formaldehyd

Werkstoff	Brennverhalten (außerhalb der Flamme)			Verhalten im Glühröhrchen		Reaktion und Geruch der Schwaden	
			Art und Farbe der Flamme				
MP	0/I	verkohlt, weiße Kanten	erlischt	III	aufblähend, dunkel	a	fischig, widerlich
PA	II	schwer anzündbar, tropft brennend ab und zieht Fäden	bläulich, gelber Rand	II	blasige Schmelze; wird erst klar, dann braun	a	verbranntes Haar, Horn
PB	II	tropft brennend ab	gelb, blauer Kern	I	wird klar, wenig sichtbare Dämpfe	n	paraffinartig, (Kerze)
PBT	II	rußend, Schmelze tropft ab	leuchtend	II		s	süßlich, kratzend
PC	I/II	rußend unter Koksbildung	leuchtend	I/II	blasig, zäh, braun	n (s)	phenolartig
PCTFE	0			V		ss	stechend, Flusssäure
PE	II	tropft brennend ab	gelb, blauer Kern	I	wird klar, wenig sichtbare Dämpfe	n	paraffinartig (Kerze)
PEEK	I	leichte Rauchentwicklung, schäumt auf (amorph)	leicht gelblich			n	schwach nach Phenol
PEI	I	schäumt auf	leicht gelblich			a	verbranntes Horn
PES PSU	I/II	schwer anzündbar, rußend	gelb	I	braun	s	schwach, faule Eier (H_2S)
PET	II	rußend, Schmelze tropft ab	leuchtend	II	dunkelbraun	s	schwach fruchtig, aromatisch, süßlich, kratzend
PF	0/I	rußend	gelb, erlischt	III	springt	a	phenolartig
PI	0	glüht auf		III	schmilzt nicht, braun	a	schwach nach Phenol

Tabelle 1.9 Schmelz- und Brennverhalten verschiedener Kunststoffe [2] *(Fortsetzung)*

Werkstoff	Brennverhalten (außerhalb der Flamme)			Verhalten im Glühröhrchen		Reaktion und Geruch der Schwaden	
			Art und Farbe der Flamme				
PMMA	II	knisternd	leuchtend, blauer Kern	III	erweicht, bläht auf	n	intensiv fruchtig
POM	II	Schmelze tropft brennend ab	bläulich, fast nicht sichtbar	II	vergast	n	stark stechend (Formaldehyd)
PP	II	tropft brennend ab	gelb, blauer Kern	I	wird klar, wenig sichtbare Dämpfe	n	paraffinartig (Kerze), schwach esterartig
PPO PPO mod	I/II	schwer anzündbar, rußend unter Koksbildung	hell	II	schwarz	a, n	schwach phenolartig, Styrol
PPS	I	stark rußend	erlischt sofort	III	schwarz, weiße Dämpfe	s	stark nach Schwefelwasserstoff, Schwefel, Styrol
PS	II	stark rußend (Flocken)	gelb leuchtend und flackernd	IV	vergast	n	süßlich (Styrol)
PTFE	0	verkohlt		V	schmilzt nicht, wird klar	ss	bei Rotglut stechend, nach Flusssäure
PUR	II	schäumt	leuchtend gelb	II	dunkel	s-n	erstickend stechend (Isocyanat)
PVC-P	I/II	rußend unter Koksbildung	gelb leuchtend grüner Saum	III	erweicht, wird schwarzbraun	ss	stechend, Salzsäure
PVC-U	I	rußend unter Koksbildung	gelb leuchtend, grüner Saum	III	erweicht, wird schwarzbraun	ss	stechend, Salzsäure, brenzlich
PVDC	I		grüner Saum			ss	stechend, Salzsäure
PVDF	0	verkohlt		I		ss	stechend sauer
SAN	II	stark rußend (Flocken)	gelb leuchtend und flackernd	II	gelb	a	süßlich (Styrol) und Blausäure
SB	II	stark rußend (Flocken)	gelb leuchtend und flackernd	II	wird gelblich	n	süßlich (Styrol) und Gummi

Werkstoff	Brennverhalten (außerhalb der Flamme)			Verhalten im Glühröhrchen		Reaktion und Geruch der Schwaden	
			Art und Farbe der Flamme				
UF	0/I	verkohlt, weiße Kanten	erlischt	III	springt	a	stechend, verbrannte Milch, fischig
UP/ CUP	II	rußend	leuchtend gelb	III	springt, dunkel	s, n	stechend, süßlich (Styrol), scharf

Schmelzverhalten: I: Schmelzen ohne Zersetzen; II: Schmelzen mit Zersetzen; III: Zersetzen ohne Schmelzen; IV: Zersetzen unter Verdampfen; V: kaum Veränderung
Brennverhalten (außerhalb der Flamme): 0: nicht brennbar, kaum anzündbar; I: brennt in der Flamme, erlischt außerhalb der Flamme; II: brennt in der Flamme, brennt außerhalb weiter; III: brennt heftig oder verpufft
Reaktion der Schwaden: ss: stark sauer; s: sauer; n: neutral; a: alkalisch

1.2 Erkennungsgang

1.2.1 Thermoplaste (nach BASF)

Die Anwendung der einfachen Bestimmungsmethoden ermöglicht eine relativ genaue Bestimmung der verschiedenen Kunststoffe nach Tabelle 1.10.

Tabelle 1.10 Erkennen von thermoplastischen Kunststoffen (BASF)

	Polymerisate													
	PE	PP	PS	SB	SAN	ABS	ASA	PVC	PMMA	PA	PC	POM	PBT	PES
Verhalten im Wasser														
schwimmt	PE	PP												
sinkt								PVC	PMMA	PA	PC	POM	PBT	PES
Brandverhalten außerhalb der Flamme														
nicht rußend, gelb mit blauem Kern, tropft	PE	PP												
stark rußend (Rußflocken), gelb leuchtend			PS	SB	SAN	ABS	ASA							
rußend, verlöscht, Koksbildung								PVC						

Tabelle 1.9 Erkennen von thermoplastischen Kunststoffen (BASF) *(Fortsetzung)*

	Polymerisate												
	PE	PP	PS	SB	SAN	ABS	ASA	PVC	PMMA	PA	PC	POM	PBT	PES
nicht rußend, blauer Kern, leuchtend, knisternd									PMMA					
nicht rußend, bläulich-gelber Rand, tropft										PA				
rußend, leuchtend, blasig, verkohlt											PC			
nicht rußend, blau, tropft, Flamme fast nicht												POM		
rußend, leuchtend, tropft ab													PBT	
rußend, Koksbildung, verlöscht, bildet weißen														PES
schwach rußend, dunkelgelb, tropft brennend ab														
Geruch der Schwaden nach Verlöschung														
nach brennender Kerze (paraffinartig)	PE	PP												
süßlich, Leuchtgas, Styrol			PS	SB	SAN	ABS	ASA							

	Polymerisate													
	PE	PP	PS	SB	SAN	ABS	ASA	PVC	PMMA	PA	PC	POM	PBT	PES
unangenehm stechend								PVC				POM		
süßlich, fruchtig, blumig									PMMA					
nach verbranntem Horn (Haar)										PA				
phenolartig											PC			
uncharakteristisch, etwas süßlich													PBT	PES
Essigsäure, Buttersäure (ranzige Butter)														
Beilstein -														
- positiv														
- negativ	PE	PP	PS	SB	SAN	ABS	ASA							
Perchlorethylen														
- klebt			PS	SB										
- klebt nicht	PE	PP			SAN	ABS	ASA	PVC	PMMA	PA	PC*	POM	PBT	PES
Essigester (Ethylacetat)														
- klebt			PS	SB	SAN	ABS	ASA		PMMA		PC			
- klebt nicht	PE	PP						PVC		PA		POM	PBT	PES
Sprödbruch (glasartig)			PS		SAN				PMMA					PES
Weißbruch (zäh)				SB		ABS	ASA							
Kratzspuren														
- sichtbar	PE							*wird zerstört ohne anzulösen						
- nicht sichtbar	PP													

1.2.2 Löslichkeit – Schmelzverhalten – Brennverhalten nach *Dietrich Braun* [1]

Zur Prüfung der Löslichkeit gibt man etwa 0,1 g des möglichst feinverteilten Kunststoffes in ein Reagenzglas und setzt 5 bis 10 ml des Lösemittels zu. Man schüttelt im Verlauf von einigen Stunden mehrfach gründlich und beobachtet auch etwaiges Quellen der Probe, was unter Umständen recht lange dauern kann. Gegebenenfalls erhitzt man das Glas mit der Probe unter ständigem, leichtem Schütteln langsam über der Flamme eines Bunsenbrenners oder besser im siedenden Wasserbad (Schutzbrille!); dabei ist äußerste Vorsicht nötig, um plötzliches Aufsieden und Herausspritzen zu vermeiden, da die meisten organischen Lösemittel oder ihre brennbar sind.

Nur unvernetzte Kunststoffe erweichen und schmelzen, wobei die Erweichungs- und Schmelzbereiche nicht bei allen Kunststoffen oberhalb der Grenze der thermischen Stabilität liegen. Vernetzte Kunststoffe schmelzen nicht und zeigen weitgehend kein Erweichen vor Beginn eines chemischen Abbaus.

Zum Prüfen des Verhaltens in der Flamme hält man eine kleine Probe des Kunststoffes mit einer Pinzette oder auf einem Spatel in eine kleine Flamme (Sparflamme des Bunsenbrenners). Man beobachtet das Brennverhalten innerhalb und außerhalb der Flamme, das Abtropfen brennender oder geschmolzener Teile sowie den Geruch nach dem Verlöschen. Die Arbeitsfläche unter dem Brenner wird zum Auffangen von abtropfenden Substanzen mit einer Aluminiumfolie abgedeckt.

Tabelle 1.11 Löslichkeit, Schmelz- und Brennverhalten verschiedener Kunststoffe

Werkstoff	Löslichkeit in				Schmelz-verhalten	Reaktion der Schwaden	Brenn-verhalten	Geruch der Schwaden
	Bzl	MC	EA	AC				
PE	u-q	u-q	u-q	u-q	I	n	IIb	paraffinartig, Kerze
PP	u-q	u-q	u-q	u	I	n	IIb	Mineralöl
PS	l	l	l	q	II	n	IIa+	Styrol, süßlich
SB	l	l	l	q	III	n	IIa+	Styrol, süßlich
SAN	q	q	l	l	III	a	IIa+	Styrol, süßlich
ABS	q	q	l	l	III	n (a, s)	IIa+	Styrol, süßlich
PVC-hart	q	q	q	q	III	ss	I	stechend, Salzsäure
PVC-w.	q	q	q	q	III	ss	I-II	stechend, Salzsäure
PTFE	u	u	u	u	V	ss	0	bei Rotglut stechend, HF

Werkstoff	Löslichkeit in				Schmelz-verhalten	Reaktion der Schwaden	Brenn-verhalten	Geruch der Schwaden
	Bzl	MC	EA	AC				
PMMA	l	l	l	l	IV	n	IIa	intensiv fruchtig
PC	q	l	q	q	I-II	n (s)	I	phenolartig
PET	u	q	q	u	II	s	IIb+	schwach fruchtig
CA	u	q	l-u	l	II	s	IIb	verbranntes Papier
CAB	q	l	l	l	II	s	IIb	leicht ranzig
POM	u	u	u	u	II	n	IIa	stark stechend
PPO	l	l	q	u	III	n	IIa	phenolartig-aromatisch
PA	u	u	u	u	II	a	IIb	verbranntes Haar, Horn
PUR	u	l	u	l	II	s	IIb	erstickend stechend
PSO	l	l	q	q	II	ss	I	phenolartig
PF	u	u	u	u	III	a (n)	0-I	phenolartig, süßlich
UF	u	u	u	u	III	a	0	stechend, nach Fisch
MF	u	u	u	u	III	a	0	nach verbrannter Milch
UP/CUP	u	q	q	q	II	n	IIa+	stechend, süßlich
EP	u	q	q	q	II	a od. n	IIa	fruchtig, frisch, phenolartig

Löslichkeit:
u: unlöslich
q: quellbar
l: löslich

Schmelzverhalten:
I: Schmelzen ohne Zersetzen
II: Schmelzen mit Zersetzen
III: Zersetzen ohne Schmelzen
IV: Zersetzen unter Verdampfen
V: kaum Veränderung

1.3 Beispiel

Bild 1.7 zeigt eine aus geschäumtem Polystyrol (EPS) gefertigte Dämmung eines Turnhallendaches. Zwischen der Dämmung und der PVC-Abdeckung des Daches sollte sich eine Polyethylen-Folie befinden, die den direkten Kontakt des geschäumten Polystyrols mit der PVC-Abdeckung verhindern soll, da Weichmacher des PVC zu einer Schädigung des geschäumten Polystyrols führen können. An einem Ortstermin soll geklärt werden, ob diese Polyethylen-Folie vorhanden ist oder nicht.

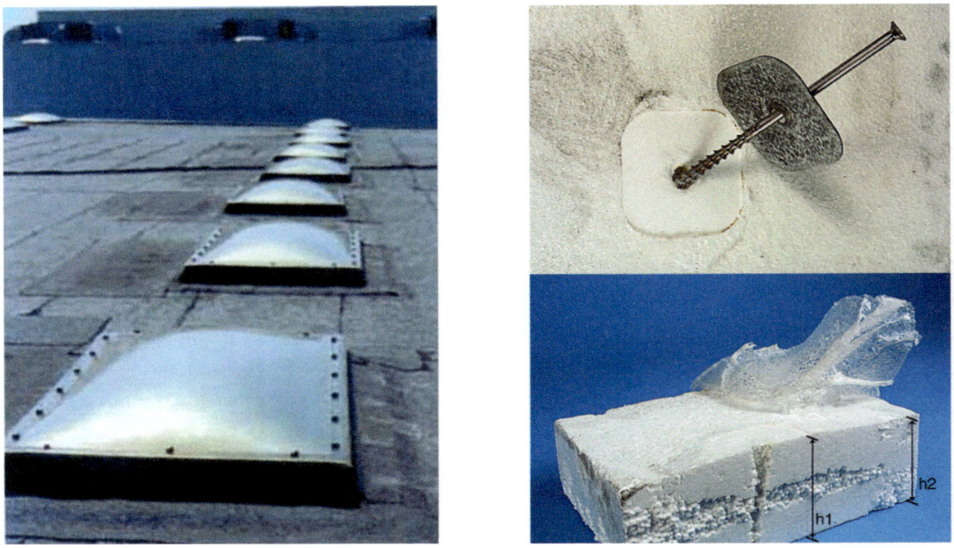

Bild 1.7 Dämmung eines Turnhallendaches (LKT)

1.4 Normen

ASTM D 3171 (2015)
Bestimmung des Fasermassenanteils bei Harzbinder-Verbundstoffen durch Matrixzersetzung.

DIN 28871
Luft- und Raumfahrt; Unidirektionalgelege-Prepreg aus Kohlenstofffaser und Epoxidharz; Technische Lieferbedingungen

DIN EN ISO 1172 (1998)
Textilglasverstärkte Kunststoffe – Prepregs, Formmassen und Laminate – Bestimmung des Textilglas- und Mineralfüllstoffgehalts; Kalzinierungsverfahren

DIN EN ISO 1183-1 (2013)
Kunststoffe – Verfahren zur Bestimmung der Dichte von nicht verschäumten Kunststoffen – Teil 1: Eintauchverfahren, Verfahren mit Flüssigkeitspyknometer und Titrationsverfahren

DIN EN ISO 1183-2 (2004)
Kunststoffe – Verfahren zur Bestimmung der Dichte von nicht verschäumten Kunststoffen – Teil 2: Verfahren mit Dichtegradienten-Säule

DIN EN ISO 1183-3 (2000)
Kunststoffe – Verfahren zur Bestimmung der Dichte von nicht verschäumten Kunststoffen – Teil 3 Gas-Pyknometer-Verfahren

DIN EN ISO 845 (2009)
Schaumstoffe aus Kautschuk und Kunstoffen – Bestimmung der Rohdichte

DIN EN ISO 5659-2 (2016)
Kunststoffe – Rauchentwicklung – Teil 2: Bestimmung der optischen Dichte durch Einkammerprüfung

DIN EN ISO 13927 (2015)
Kunststoffe – Einfache Prüfung der Wärmefreisetzung unter Anwendung eines kegelförmigen Strahlungsheizkörpers und einer Thermosäule als Detektor

DIN EN ISO 15970 (2014)
Erdgas – Messung der Eigenschaften – Volumetrische Eigenschaften: Dichte, Druck, Temperatur und Kompressibilitätsfaktor

DIN EN ISO 10093 (1999)
Kunststoffe – Brandprüfungen – Standard-Zündquellen

DIN EN ISO 15512 (2014)
Kunststoffe – Bestimmung des Wassergehaltes

DIN EN ISO 4589-2 (2016)
Kunststoffe – Bestimmung des Brennverhaltens durch den Sauerstoff-Index – Teil 2: Prüfung bei Umgebungstemperatur

DIN EN ISO 4589-3 (2016)
Kunststoffe – Bestimmung des Brennverhaltens durch den Sauerstoff-Index – Teil 3: Prüfung bei erhöhter Temperatur

1.5 Verwendete Literatur

[1] Braun, D.	Erkennen von Kunststoffen – Qualitative Kunststoffanalyse mit einfachen Mitteln; 5. Aufl. Carl Hanser Verlag, München, 2012
[2] Hellerich, W. Harsch, G.	Werkstoff-Führer Kunststoffe, 9. Aufl. Carl Hanser Verlag, München, 2004
▪ Krause, A. Lange, A.	Kunststoff-Bestimmungsmöglichkeiten, Carl Hanser Verlag, München 1972
▪ N.N.	Einfache Möglichkeiten der Kunststoffbestimmung, Informationsschnitt, BASF Ludwigshafen 1989
▪ Riedel, G.	Einfache Bestimmungsmethoden von Kunststoffen, 23. Seminar Schadensanalyse an Kunststoffen, LKT Universität Erlangen, 2016

2 Dichtebestimmung

2.1 Einleitung

Unter der Dichte versteht man den Quotienten aus der Masse und dem, durch die äußeren Konturen des zu untersuchenden Körpers begrenzten, Volumen. Die Einheit ist kg/m^3, meist wird aber g/cm^3 angegeben.

Diese Definition beinhaltet die in Kunststoffen häufig vorhandenen Inhomogenitäten, z. B. Hohlräume, Poren und andere Fehlstellen. Mit den vergleichsweise einfachen und kostengünstig durchführbaren Dichtebestimmungsverfahren lassen sich für folgende Bereiche der Kunststofftechnik wertvolle Aussagen treffen:

- **Schadensanalyse** (Verarbeitungsfehler, Identifizierung der Kunststoffart, Füll- und Verstärkungsstoffe, Unterschiede im Kristallisationsgrad, Poren und Lunker)
- **Qualitätssicherung** (Granulate, Schäume, Bauteile)
- **Recycling** (Identifizierung, Trennung unterschiedlicher Kunststoffe)

Die **Dichte** von Kunststoffen ist abhängig von:

- chemischem Aufbau
- strukturellem Aufbau, Lunkern
- Zuschlagstoffen und Additiven
- Verarbeitungsbedingungen
- Temperatur
- Druck

Methoden:

- Schwimmverfahren
- Dichte aus Masse und Volumen (DIN 53420 für Schaumstoffe)
- Dichte nach dem Auftriebsverfahren (DIN 53479, Verfahren A)
- Dichte mit dem Pyknometer (DIN 53479, Verfahren B)
- Schwebeverfahren (DIN 53479, Verfahren C)
- Dichte mit dem Dichtegradienten-Verfahren (DIN 53479, Verfahren D)

Thermoplaste werden in der Schmelze verarbeitet und schwinden beim Abkühlen aufgrund von Phasenumwandlungen und thermischer Volumenkontraktion. Teilkristalline Thermoplaste (z. B. Polyolefine, Polyamide) kristallisieren und zeigen bei der drucklosen Verarbeitung einen hohen Volumenschrumpf von ca. 20 %, amorphe Thermoplaste (z. B. PS, PMMA, PC) gehen nach Unterschreiten der Glasübergangstemperatur in den glasartigen Zustand über und schrumpfen ca. 8 %. In der Schmelze hängt die Dichte zudem deutlich vom Druck ab. Reaktionsharze zeigen einen Volumenschrumpf bei der Aushärtung, aufgeteilt in einen chemischen Anteil aufgrund der Vernetzung der Moleküle und einen physikalischen Anteil aufgrund der Kontraktion bei der Abkühlung (Reaktionsschrumpf ca. 5 bis 9 % für UP-Harze, ca. 2 bis 3 % für EP-Harze).

Dabei ist zwischen der **Reindichte** oder Feststoffdichte ρ_F des Kunststoffes und der Rohdichte ρ_R eines Formteiles zu unterscheiden. Die Rohdichte, auch scheinbare, geometrische Dichte oder Raumgewicht genannt, ist die Dichte eines porösen Festkörpers basierend auf dem Volumen einschließlich der Porenräume. Das Gegenstück zur Rohdichte ist die Reindichte. Reindichte und Rohdichte nichtporöser Körper sind gleich. Der Quotient aus Roh- und Reindichte ist die **Porosität** ϕ (die relative Dichte ρ_{rel}). Die relative Dichte wird auch als Verdichtungsgrad in „Prozent der theoretischen Dichte" bezeichnet und findet sowohl bei Pulvern und Granulaten als auch bei der Beurteilung von Sinterprozessen von Keramiken Einsatz.

Als **Schüttdichte** ρ_{Sch}, umgangssprachlich auch Schüttgewicht, bezeichnet man die Dichte eines Gemenges aus einem körnigen Feststoff (z. B. Pulver) und einem kontinuierlichen Fluid, welches die Hohlräume zwischen den Partikeln ausfüllt. Dabei dürfen sich die einzelnen Komponenten nicht ineinander lösen. Das Fluid kann auch Luft sein. Die unterschiedlich definierten Dichten eines gegebenen Materials stehen in folgender Größenrelation:

Feststoffdichte ρ_F > Rohdichte ρ_R > Schüttdichte ρ_{Sch}

Mit Hilfe der **Rohdichte** lassen sich durch fehlerhafte **Verarbeitungsbedingungen** entstandene, von außen am Formteil nicht sichtbare Hohlräume (Lunker, Poren), sowie eine ungenügende Verdichtung der Formmasse nachweisen. Es können auch Konstruktionsfehler sowohl des Bauteils als auch des Werkzeugs vorliegen, die eine lunkerfreie Bauteilherstellung erschweren. Ferner wird die Rohdichte zur **Identifizierung** einer Kunststoffart herangezogen, wobei zu berücksichtigen ist, dass sie durch Zuschlagstoffe erheblich verändert sein kann.

Andererseits kann bei bekannten Kunststoffen durch die Dichtebestimmung auf den **Gehalt von Füllstoffen** und Verstärkungsmitteln geschlossen werden. Die Dichte errechnet sich additiv aus den Volumenanteilen und Einzeldichten der Mischungspartner. Für technische Kunststoffe sind Füllgrade mit Füll- und Verstärkungsstoffen von ca. 10 bis 60 Gew.-% üblich. Im Verpackungsbereich werden oft nur geringe Anteile an Füllstoffen zugesetzt, die die Dichte nur wenig verändern. Werden Kunststoffe gemischt (z.B. Blends wie PC/ABS, PC/PBT), kann die Dichte aufgrund von Mischungseffekten, z.B. einer Beeinflussung des Kristallisationsgrades, nicht additiv aus den Einzeldichten bestimmt werden. Näherungsweise Bestimmungen der Mischungszusammensetzungen mit Hilfe von Kalibriermessreihen sind möglich.

Die Eigenschaften von **Schäumen**, wie z.B. Steifigkeit, Wärmeleitung, Rückstellvermögen, werden neben der Porenform von deren Dichte, d.h. dem Porenanteil, bestimmt. Die Dichte wird hier mit physikalischen oder chemischen Treibmitteln eingestellt.

Die Dichte von Thermoplasten, besonders den teilkristallinen, hängt deutlich von den **Verarbeitungsparametern** ab, vor allem von der Werkzeug- und der Massetemperatur. Rasche Abkühlung führt zu einer Erhöhung des freien Volumens und zu einer Behinderung der Kristallisation bei teilkristallinen Thermoplasten, d.h. zu einer Erhöhung der weniger geordneten, amorphen Anteile mit geringerer Dichte. Wegen des Zusammenhangs zwischen **Kristallisationsgrad** und Rohdichte kann die Dichte als Maß für die Kristallinität eines Materials herangezogen werden. Eine absolute Angabe des Kristallisationsgrades ist schwierig, da nur für wenige Thermoplaste die Einzeldichten der kristallinen und amorphen Anteile veröffentlicht wurden.

In folgender Tabelle 2.1 sind einige bekannte Werte exemplarisch angegeben.

Tabelle 2.1 Übliche Kristallisationsgrade und Dichten im vollständig kristallinen, amorphen und üblichen teilkristallinen Zustand verschiedener Thermoplaste

Werkstoff	üblicher Kristallisationsgrad [%]	Dichte ρ [g/cm^3]			
		kristallin	amorph	$\Delta\rho$	~üblich
PA 6	30 - 40	1,23	1,08	0,15	1,14
PA 66	35 - 45	1,24	1,07	0,17	1,15
PBT	40 - 50	-	-	-	1,31
PET	30 - 40	1,455	1,335	0,12	1,39
PE-HD	60 - 80	1,00	0,85	0,15	0,95
PE-LD	40 - 55	1,00	0,85	0,15	0,92
PP ataktisch	50 - 60	0,95	0,85	0,10	0,896
PP isotaktisch	70 - 80	0,95	0,85	0,10	0,905
POM-H	70 - 80	1,54	1,25	0,29	1,41
PTFE	60 - 80	2,35	2,00	0,35	2,10
PC	-	1,30	1,200	0,10	1,22
PS	-	1,11	1,050	0,06	1,05

Die Dichte ist daher auch nicht konstant über den Querschnitt eines Bauteils, sondern kann u. U. an den schneller abgekühlten Randbereichen deutlich geringer als im Bauteilinneren sein. Dieser Umstand kann zu inneren Spannungen im Bauteil oder ungenügenden Oberflächeneigenschaften führen. Der Kristallisationsgrad frisch hergestellter Bauteile erhöht sich bei der Lagerung (Nachkristallisation), bzw. kann durch nachträgliche Lagerung bei erhöhten Temperaturen noch weiter gesteigert werden (Tempern).

Ebenso können im Granulat Fehler wie z. B. Lufteinschlüsse aufgrund schlechter Entgasung oder bei der Compoundierung durch falsche Füllstoffanteile mit Hilfe von Dichtemessungen erkannt werden.

Für Fragestellungen des Recyclings sind neben der Entgasungsqualität bei der Granulierung vor allem Bestimmungen des Verunreinigungsgrades im Mahlgut von Bedeutung. Mit der Dichtetrennung können Gemische einzelner Kunststoffpartikel aufgetrennt werden.

■ 2.2 Dichtebestimmung verschiedener Formen

Bei einfach geformten oder aus Block-, Rund- bzw. Tafelmaterial geschnittenen Prüfobjekten ermittelt man das Volumen aus den Probenabmessungen, bei unregelmäßig geformten Teilen durch Flüssigkeitsverdrängung (Formel 2.1).

$$\rho = \frac{m}{V} \qquad (2.1)$$

ρ Dichte der untersuchten Probe [g/cm^3]
m Masse der Probe [g]
V Volumen der Probe [cm^3]

Erforderliche Geräte

- Analysewaage
- Längenmessgerät (Messschieber)
- ggf. Pyknometer zur Volumenbestimmung

Die Probengröße richtet sich nach Art und Größe des Formteils und dem gewünschten Dichtemessverfahren. Bei allen Verfahren ist auf eine sorgfältige Präparation und Lunkerfreiheit zu achten.

Probekörper, deren Dichte sich bei der Prüfung (z. B. durch Wasseraufnahme) so stark verändert, dass die Veränderung größer als die erforderliche Genauigkeit ist, müssen vor der Messung nach der entsprechenden Produktspezifikation konditioniert werden.

Neben der konstanten Temperatur während der Dichtemessung sind an der Probenoberfläche anhaftende Luftbläschen die größten Einflussfaktoren. Eine Luftblase von ~ 2 mm Durchmesser verursacht bereits einen Auftrieb von ~ 0,42 g. Luftblasen müssen aus diesem Grunde durch Verdrängung mit einem Stäbchen oder durch Anlegen eines Unterdruckes z. B. in einem Exsikkator mit einer Wasserstrahlpumpe beseitigt werden. Eine Temperaturänderung um 1 °C verursacht bei Schaumstoffen eine Dichteänderung um 0,02 % bei Wasser und von 0,1 % bei Iso-Propanol.

Granulat

Bei transparenten Granulaten werden lunkerfreie Körner verwendet. Bei undurchsichtigen Granulaten oder solchen mit sichtbaren Lunkern wird das zu prüfende Granulatkorn mit Hilfe eines scharfen Messers (Rasierklinge, Skalpell) zunächst längs halbiert und unter Verwendung einer Lupe oder des Mikroskops auf Lunkerfreiheit überprüft. Aufgrund des hohen Aufwandes und der Unsicherheiten bei Granulaten mit Hohlräumen kann ein zusätzlicher Verarbeitungsschritt in Form von Aufschmelzen mit anschließender definierter Abkühlung (z. B. im Laborextruder) in Betracht gezogen werden. Es ist jedoch nachzuprüfen, ob diese zusätzliche Vorbehandlung die Dichte des Materials beeinflusst.

Bei glasfaserverstärkten und gefüllten Kunststoffen ist die Dichte wegen des schwankenden Füllstoffgehalts mit einer höheren Streuung verbunden.

Formteile

Das Formteil wird in kleine Abschnitte zerteilt, ohne die Trennfläche dabei zu erwärmen. Die Probekörper müssen eine geeignete Größe haben, damit sich ein ausreichender Abstand zwischen Probekörper und Eintauchbehälter ergibt. Die Masse sollte mindestens 1 g betragen.

Bei Spritzgussteilen kann es sinnvoll sein, die Dichte an der Oberflächenschicht und im Kern getrennt zu bestimmen, insbesondere wenn die Teile mit kaltem Werkzeug gespritzt wurden. Bei dünnwandigen Teilen ist es jedoch schwierig, zwischen Kern- und Oberflächenschichten zu unterscheiden.

Schaumstoffe

Die Rohdichte von Schäumen wird vorzugsweise über das Gewicht eines geometrisch einfachen Körpers mit bekanntem Volumen bestimmt. Der Probekörper ist so zuzuschneiden, dass die ursprüngliche Zellstruktur des Werkstoffes nicht verformt wird. Der Probekörper sollte unter Berücksichtigung des vorhandenen Messgerätes so groß wie möglich sein und in der äußeren Form dem Ausgangsmaterial entsprechen. Für harte Schaumstoffe soll die Gesamtoberfläche des Probekörpers mindestens 100 cm^2 betragen. Für halbharte und weiche Schaumstoffe soll das Probekörpervolumen mindestens 100 cm^3 betragen. Wird an harten Schaumstoffen die Stoffdichte an Probekörpern bestimmt, die aus einem großen Muster herausgeschnitten wurden, dann muss das Verhältnis von der mit einer Schmelzhaut behafteten Fläche zum Gesamtvolumen bei Probekörper und Muster gleich sein.

Flüssigkeiten

Flüssigkeiten müssen vor der Messung auf eingeschlossene Blasen hin untersucht werden. Beim Entfernen von evtl. vorhandenen Luftblasen und einem Anlegen eines Unterdrucks ist der dadurch verringerte Siedepunkt der Prüfflüssigkeit zu beachten.

Folien

Als Proben dienen Abschnitte der Größe ca. 4 x 4 mm, die mit einer Pinzette in die Prüfflüssigkeit getaucht werden. Zur besseren Erkennbarkeit sollten sie markiert, oder durch unterschiedliche Formen differenziert werden.

2.3 Bestimmungsverfahren der Rohdichte

Die meisten Verfahren der Dichtebestimmung beruhen auf dem **Archimedischen Prinzip**, welches bereits vor über 2000 Jahren von dem griechischen Gelehrten Archimedes entdeckt wurde. Es besagt, dass die Auftriebskraft eines Körpers in einem Medium genauso groß ist wie die Gewichtskraft des vom Körper verdrängten Mediums. Das Archimedische Prinzip gilt in allen Fluiden, d. h. in Flüssigkeiten und Gasen.

Neben einer ersten Orientierung mittels des Schwimmverfahrens sind in DIN EN ISO 1183 die für Kunststoffe allgemein bzw. in DIN EN ISO 845 für Schaumstoffe geltenden Prüfmethoden zur Dichtebestimmung beschrieben. Eine Zusammenfassung der im Weiteren vorgestellten Messverfahren für verschiedene Proben ist in folgender Tabelle 2.2 dargestellt:

Tabelle 2.2 Vergleich von Dichtemessverfahren

1) *Wiederholbarkeit = Quantitative Abweichung von Messwerten, die unter wiederholbaren und definierten Bedingungen ermittelt wurden*

2) *in DIN EN ISO – Teil 3 angenommener Wert aufgrund fehlender Rundversuche*

Proben	Verfahren	Wiederholbarkeit 1) [g/cm³]	Bemerkung	Norm
Festkörper/Bauteile	Eintauchverfahren	0,005	schnelle Methode	DIN EN ISO 1183-1 Verfahren A
	Titrationsverfahren	(0,1%) 2)	kostengünstig	DIN EN ISO 1183-1 Verfahren C
	Gaspyknometer	(1,7%)	gut geeignet für raue Oberflächen	DIN EN ISO 1183-3
	Volumenmessung	-	kein Luftblasenproblem kostengünstig, schnell	-
Folien	Gradientensäule	0,0005	sehr genau, nur kleine Probenstücke (~ 15 mm) verwendbar	DIN EN ISO 1183-2
	Titrationsverfahren	0,005	kostengünstig	DIN EN ISO 1183-1 Verfahren C
	Eintauchverfahren	(0,1%) 2)	Schnelle Methode, Probenmengen von mind. 1 g notwendig	DIN EN ISO 1183-1 Verfahren A
	Gaspyknometer	0,001	mind. 2/3 des Kammervolumens sollten von der Probe ausgefüllt sein	DIN EN ISO 1183-3
	Flüssigpyknometer	-	variabel durch verschiedene Pyknometergrößen, aufwendig	DIN EN ISO 1183-1 Verfahren B
Granulate/Pulver	Flüssigpyknometer	0,001	bei Lufteinschlüssen im Granulat, ggf. aufschneiden → dann aber besser Gaspyknometer	DIN EN ISO 1183-1 Verfahren B
	Gaspyknometer	(0,1%) 2)	Vorteil: Registrierung der Dichteverteilung untereinander möglich	DIN EN ISO 1183-3

Tabelle 2.2 Vergleich von Dichtemessverfahren *(Fortsetzung)*

Proben	Verfahren	Wiederholbarkeit [1)] [g/cm³]	Bemerkung	Norm
	Titrationsverfahren	0,005	einfach, u. U. erhebliches Luftblasenproblem	DIN EN ISO 1183-1 Verfahren C
	Gradientensäule	0,0005	Luftblasen, Vorteil: Dichtevergleich untereinander	DIN EN ISO 1183-2
	Schüttdichte	–	Angabe in g/ml, oft Probleme mit statischer Aufladung	DIN EN ISO 60
	Stopfdichte	–	Angabe in g/ml, für Formmassen, die nicht geschüttet werden können	DIN EN ISO 61
Schaumstoffe	Volumenmessung	(1,7 %)	kostengünstig, schlecht reproduzierbar	DIN EN ISO 845
Flüssigkeiten	Tauchkörper	0,002	schnell, unkompliziert	DIN EN ISO 53217-3
	Flüssigpyknometer	0,001	sehr genau	DIN EN ISO 1183-1, Verfahren B

2.3.1 Schwimmverfahren – Orientierungsmethode

Zur ersten Orientierung dient das Schwimmverfahren in einem hohen Becherglas (ca. 50 ml). Dazu wird die Probe in verschiedene Flüssigkeiten bekannter Dichte eingelegt und beobachtet, ob sie auf der Flüssigkeit schwimmt oder sinkt. Als Prüfflüssigkeiten können die in Tabelle 2.3 aufgeführten Salzlösungen und organischen Flüssigkeiten verwendet werden.

Tabelle 2.3 Prüfflüssigkeiten zur näherungsweisen Bestimmung der Dichte

Prüfflüssigkeiten	Dichte ρ [g/cm³]
Aceton	0,721
Ethanol	0,79
Isopropanol	0,79
Wasser	1,00
Methylenchlorid	1,34
gesättigte Magnesiumchloridlösung, ca. 32 % Gew.-%	1,34

Prüfflüssigkeiten	Dichte ρ [g/cm³]
gesättigte Natriumchloridlösung (= Kochsalzlösung), ca. 26 % Gew.-%	1,2
gesättigte Natriumbromidlösung	1,41
gesättigte Calciumnitratlösung	1,60
Trichlorethylen	1,47
Chloroform	1,50
Perchlorethylen	1,62
gesättigte Zinkchloridlösung, 61 Gew.-%	2,01
Dijodmethan	3,33

Zu beachten ist, dass Chlorkohlenwasserstoffe viele Kunststoffe anquellen oder auflösen. Deshalb sollte die Probe sofort nach Eingabe in die Prüfflüssigkeit beobachtet werden. Zur Herstellung einer gesättigten Lösung bringt man chemisch reines Z_nCl_2 oder $MgCl_2$ portionsweise unter Schütteln oder Rühren in destilliertes Wasser, bis es sich bei weiterer Zugabe nicht mehr löst und am Boden absetzt. Man beachte, dass der Lösevorgang relativ langsam stattfindet und die gesättigten Lösungen dickflüssig werden.

Für die Herstellung von einem Liter gesättigter Lösung benötigt man etwa 1575 g $ZnCl_2$ bzw. 475 g $MgCl_2$. Beide Lösungen sind hygroskopisch, so dass sie in verschlossenen Flaschen aufbewahrt werden sollten.

Bei der Messung können Fehler durch mangelhafte Benetzung, besonders bei pulvrigen, körnigen Formmassen und am Prüfobjekt haftenden Luftblasen (die unbedingt entfernt werden müssen) auftreten. Bei Messungen an solchen Schüttgütern kann durch Anlegen von Vakuum (aus einer Wasserstrahlpumpe an einen Exsikkator, in dem das Probengefäß steht) die anhaftenden Gasblasen entfernt werden. Bei Verdünnungsreihen wird mit Prüfflüssigkeiten begonnen, die eine deutlich geringere Dichte aufweisen, so dass die Proben in der Flüssigkeit absinken. Bei Zugabe der schwereren Flüssigkeit steigen die Proben nach oben.

Zur Kontrolle der Flüssigkeitsdichten werden Aräometer eingesetzt. Im Allgemeinen benutzt man Aräometer im Bereich zwischen 0,63 und 2,00 g/cm³. Die Messunsicherheit beträgt je nach Spindel typischerweise 1×10^{-3} g/cm³ bis bestenfalls 1×10^{-4} g/cm³.

Offenporige Schaumstoffe saugen sich mit Flüssigkeit voll. Es ist weiterhin zu beachten, dass die Dichte z. B. aufgrund lokal unterschiedlichen Füllstoffgehalts oder eines differierenden Kristallisationsgrades gewissen Schwankungen unterworfen ist.

Die Beachtung der Vorschriften für den Umgang mit organischen Lösemitteln und Schwermetallsalzen ist selbstverständlich. Die Abfälle müssen ordnungsgerecht entsorgt werden. Unschädliche Lösemittel wie z. B. Kochsalzlösungen oder Ethanol-Wasser-Gemische sollten bevorzugt eingesetzt werden.

2.3.2 Bestimmung der Flüssigkeitsdichte mit Tauchkörperverfahren [DIN EN ISO 2811-2]

Für die Bestimmung der Dichte von Flüssigkeiten werden auch Tauchkörper (Kugeln oder andere rotationssymmetrische Körper) verwendet. Vor allem aufgrund der einfachen Reinigung ist dieses Verfahren für sehr zähflüssige, schwer zu reinigende Proben oder für Duroplaste geeignet. Ein Gefäß wird mit dem zu prüfenden Erzeugnis gefüllt und auf eine oberschalige Waage gestellt. Aus der Masse vor und nach dem Eintauchen des Tauchkörpers wird die Dichte berechnet, Bild 2.1.

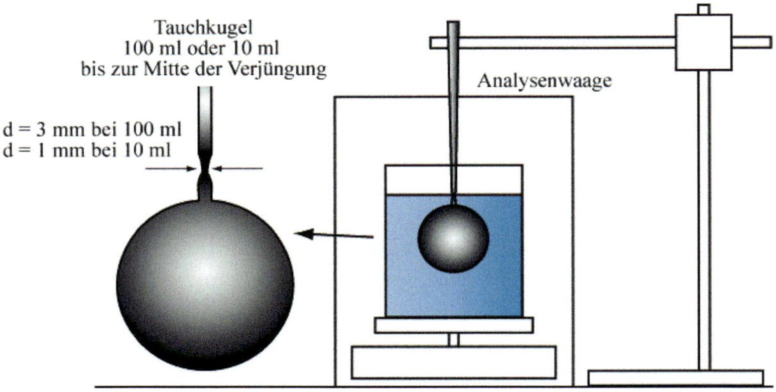

Bild 2.1 Bestimmung der Dichte nach dem Tauchkörperverfahren

Es sind Tauchkörper aus einem gegen die Prüfflüssigkeit beständigen Metall, z. B. aus einer Kupfer-Zink-Legierung (Messing), nicht rostendem, austenitischem Stahl oder Aluminium, mit dem Bezugsvolumen 100 ml oder 10 ml zweckmäßig. Das Volumen des Tauchkörpers ist regelmäßig zu kalibrieren. Nach Korrektur des Volumenausdehnungskoeffizienten des Tauchkörpers kann dieses Verfahren auch bei anderen Temperaturen eingesetzt werden.

Die Dichte einer Flüssigkeitsprobe in g/ml wird bei der Prüftemperatur T nach folgender Gleichung berechnet:

$$\rho = \frac{W_1 - W_2}{V} + \rho_L \qquad (2.2)$$

ρ Dichte der Flüssigkeit [g/ml]
W_1 Wägewert des mit der Probe gefüllten Messgefäßes vor dem Eintauchen des Tauchkörpers [g]
W_2 Wägewert des mit der Probe gefüllten Messgefäßes nach dem Eintauchen des Tauchkörpers [g]
V Volumen des Tauchkörpers bis zur Mitte der Verjüngung des Haltestabes [ml]
ρ_L Dichte der Luft, ρ_L = 0,0012 g/ml

2.3.3 Trennung von Kunststoffgemischen mit dem Schwimm-Sink-Verfahren [DIN EN ISO 1183-1]

Das Verhalten in Flüssigkeiten kann zu einer Trennung von Kunststoffen herangezogen werden. Zum Beispiel können mit Wasser Kunststoffe mit einer Dichte größer oder kleiner 1 getrennt werden. Unverstärkte Polyolefine (PE und PP) haben eine geringere Dichte als Wasser (kleiner 1 g/cm^3) und schwimmen somit in Wasser auf, alle anderen Kunststoffe sinken im Wasser. Das Wasser muss evtl. mit einem Netzmittel entspannt werden.

Neben Wasser können weitere Flüssigkeiten bekannter Dichte zur Trennung verwendet werden. Als Prüfflüssigkeiten können die in Tabelle 2.4 aufgeführten Salzlösungen und organischen Flüssigkeiten verwendet werden.

Tabelle 2.4 Prüfflüssigkeiten zur Dichtebestimmung

Prüfflüssigkeit	Dichte ρ [g/cm^3]
Wasser	1,00
ges. Natriumchloridlösung (~26 Gew.-%)	1,20
Glycerin	1,26
ges. Magnesiumchloridlösung (~32 Gew.-%)	1,34
Trichlorethylen	1,47
Perchlorethylen	1,62
ges. Zinkchloridlösung (~61 Gew.-%)	2,01
Dijodmethan	3,33

Bei Verdünnungsreihen wird mit Prüfflüssigkeiten begonnen, die eine deutlich geringere Dichte als die Proben aufweisen. Dabei sinken die Proben in der Flüssigkeit ab. Bei Zugabe einer schwereren Flüssigkeit steigen die Proben nach oben (siehe auch Bild 1.6 in Kapitel „Einfache Bestimmungsmethoden").

Bei der Erfassung können Fehler durch mangelhafte Benetzung und am Prüfobjekt haftende Luftblasen auftreten. Durch Füll- und Verstärkungsstoffe (Glasfasern, Kreide, Treibmittelzusätze usw.) verändert sich die Dichte des Ausgangsmaterials. Lunker im Bauteilinneren oder in Granulatkörnern können das Ergebnis verfälschen. Durch Trennen der Probe kann das Innere hinsichtlich vorhandener Lunker bewertet werden. Sollten Lunker vorhanden sein, empfiehlt es sich, einen Span abzutrennen.

Zur ersten Orientierung bzw. Erkennung von Verunreinigungen und zur Ermittlung der Mischungszusammensetzung von Schüttgütern (z. B. Anteil PP im PE-HD-Mahlgut) dient das „Schwimmverfahren" in einem hohen Becherglas (ca. 100 ml) oder schlanken Messzylinder. Dazu wird die Probe in Flüssigkeiten unterschiedlicher, bekannter Dichte eingelegt und beobachtet, ob sie auf der Flüssigkeit schwimmt oder sinkt oder ob schwerere oder leichtere Anteile enthalten sind.

Beispiel: Die aus dem „Gelben Sack" aussortierte Becherfraktion (PP oder PS) wird in einer Waschschneidmühle zerkleinert, in einer Schwimm-Sink-Anlage in eine PS- und eine PP-Fraktion aufgeteilt, von Fremdstoffen wie zerkleinerten Aluminiumdeckelchen, PVC- und PET-Anteilen getrennt und zu einem Granulat aufbereitet. Zur Auslegung der Trennanlage, des Schmelzefilters und zur Bestimmung der Qualität will nun der Aufbereiter wissen, wie viele Verunreinigungen im Ausgangsmahlgut vorhanden sind. Die Vorgehensweise und Ergebnisse sind in Bild 2.2 dargestellt.

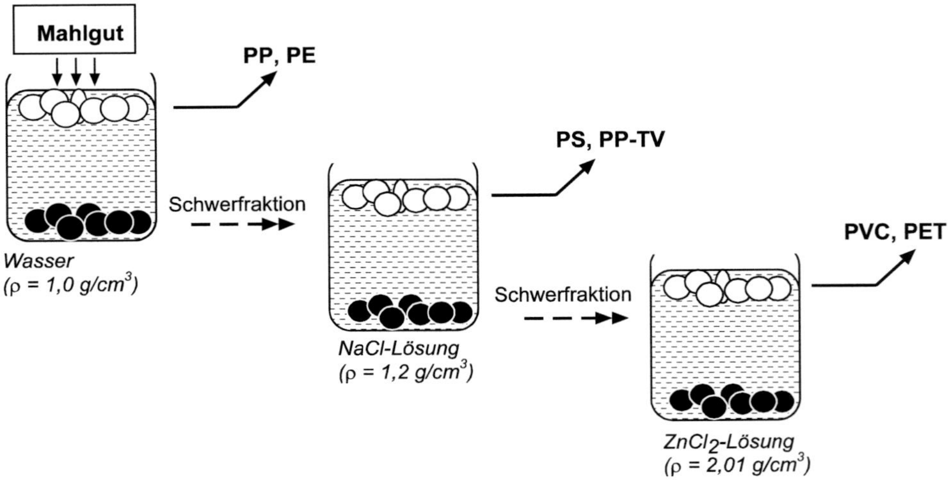

Bild 2.2 Analyse der Zusammensetzung einer sortierten PP-Becherfraktion mit Hilfe des Schwimm-Sink-Verfahrens (Gelber Sack, DSD)

Das Mahlgut wird mit Wasser, das ein wenig Spülmittel enthält, versetzt. Es muss immer in ausreichend großen Behältern und mit so viel Flüssigkeit gearbeitet werden, dass sich nur eine dünne Mahlgutschicht am Boden und an der Oberfläche des Gefäßes befindet, um so ein Absinken oder Aufsteigen nicht zu verhindern. Die an der Wasseroberfläche schwimmende Fraktion besteht aus PE und PP (Dichte < 1 g/cm³).

Der am Boden des Wassergefäßes zurückgebliebene Rückstand wird ebenfalls abgetrennt und in eine gesättigte Kochsalzlösung (Dichte = 1,2 g/cm³) überführt. Die Dichte kann mit einem Aräometer genau bestimmt werden. Die Mahlgutpartikel aus größtenteils PS und wenig PP-TV schwimmen an der Oberfläche der Flüssigkeit, und nur die schwereren PVC- und PET-Anteile sowie Al-Verunreinigungen sinken ab. Durch Verbrennen und Analyse der Verbrennungsgase mit einem feuchten Indikatorpapier wurde festgestellt, dass es sich um eine Mischung aus PVC und PET handelt (PVC: saure Reaktion der Brandgase, PET: neutrale Reaktion). Der abgesunkene Anteil wird abgetrennt und ausgewogen. Die Menge der Aluminiumdeckel wird bestimmt, indem der Rückstand in einer ausreichenden Menge an gesättigter $ZnCl_2$-Lösung (oder anderen Lösungen mit einer Dichte > 1,5 g/cm³) eingerührt wird. Die schweren Al-Partikel sinken ab und werden abgetrennt.

Störende Verunreinigungen sind Textilfasern, beschichtete Kunststoffe, Werkstoffverbunde, geschäumte Kunststoffe usw., die aufgrund anhaftender Luftblasen oder unbekannter Dichten nicht eindeutig bestimmten Fraktionen zugeordnet werden können.

2.3.4 Bestimmung der Rohdichte nach dem Auftriebsverfahren [DIN EN ISO 1183-1]

Die folgenden Methoden beruhen auf dem Archimedes-Gesetz, das besagt, dass die scheinbare Masse eines Körpers in einer Flüssigkeit um so viel kleiner ist, als die Masse der verdrängten Flüssigkeit.

Die Methode nach dem Auftriebsverfahren eignet sich für **Halbzeuge und Fertigteile**.

Die Probe wird zunächst an Luft (m_L) gewogen, dann an einem dünnen Draht hängend in der Flüssigkeit (m_F). Die Dichte der Prüfflüssigkeit (ρ_F) wird mit einem Aräometer bestimmt und ist vor jeder Messung zu überprüfen: da die Dichte deutlich von der Temperatur abhängt. Auf anhaftende Luftblasen muss besonders geachtet werden.

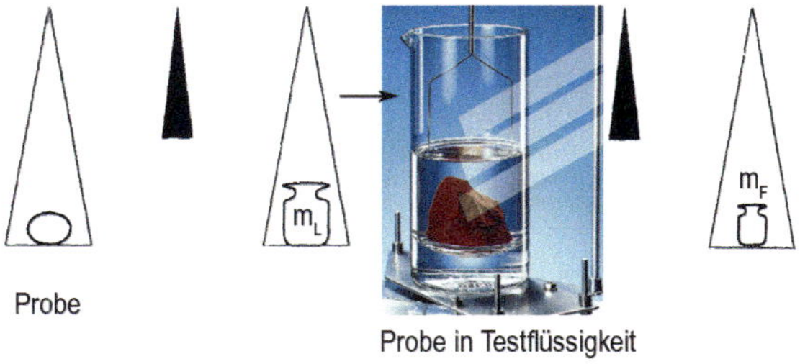

Bild 2.3 Bestimmung der Dichte nach dem Auftriebsverfahren [Halbzeuge, Fertigteile (Wiederholbarkeit 0,002 g/cm³)] (Hydrostatisches Wiegen)

Differenz m_L - m_F = Masse der verdrängten Testflüssigkeit

Die Dichte der untersuchten Probe wird nach folgender Formel berechnet:

$$\rho_K = \frac{m_L}{m_L - m_F} + \rho_F \tag{2.3}$$

ρ_K Dichte der untersuchten Probe [g/cm³]
m_L Masse der Probe in der Luft [g]
m_F Masse der Probe in der Flüssigkeit [g]
ρ_F Dichte der verwendeten Flüssigkeit [g/cm³]

Die Temperatur der Prüfflüssigkeit beträgt (20 +/- 0, 1) °C oder (23 +/- 0, 1) °C. Ist die Genauigkeit des Ergebnisses auf drei wertanzeigende Ziffern ausreichend, so ist eine Temperierung der Prüfflüssigkeit auf +/-1 °C ausreichend.

Die Dichte der Probe kann nicht genauer bestimmt werden als die Genauigkeit, mit der die Dichte der Flüssigkeit angegeben wird. Die Wiederholbarkeit liegt bei 0,002 g/cm³.

Erforderliche Geräte:

- Analysewaage, Fehlergrenze 0,0001 g
- Aräometer, Skalenwert 0,0005 g/cm³
- Prüfflüssigkeit

2.3.4.1 Bestimmung der Rohdichte mit dem Flüssigkeitspyknometer [DIN EN ISO 1183-1]

Mit einem Pyknometer wird die Dichte von beliebig geformten Festkörpern und Flüssigkeiten bestimmt.

2.3.4.2 Messprinzip des Pyknometers

Durch genaue Bestimmung des Volumens und des Gewichts der Prüflinge unter Verwendung eines Pyknometers, dessen Volumen konstant und Gewicht bekannt ist, kann die Dichte von Flüssigkeiten und Festkörpern bestimmt werden. Dabei wird im Prinzip wie folgt vorgegangen, Bild 2.4.

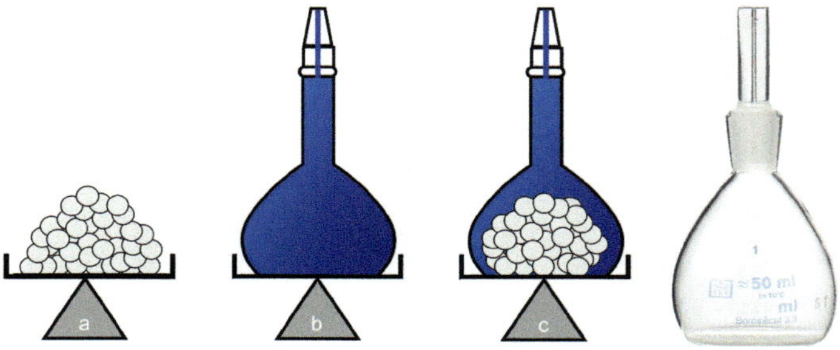

Bild 2.4 Bestimmung der Dichte mit einem Pyknometer mit definiertem Inhalt [Granulate, Pulver (Wiederholbarkeit 0,005 g/cm³)]

Zunächst wird das saubere und trockene Pyknometer leer gewogen. Anschließend wird die Probe in das Pyknometer eingebracht und beide zusammen gewogen. Dann wird das Pyknometer mit den Proben mit der definierten Prüfflüssigkeit bis zur Ringmessmarke aufgefüllt und wieder gewogen. Danach wird das Pyknometer geleert, gesäubert und ganz mit der Prüfflüssigkeit gefüllt und gewogen.

Dabei ist zu berücksichtigen:

- das Pyknometer muss bei seiner Benutzung völlig sauber sein;
- seine Leermasse und sein Leervolumen müssen bekannt sein, ggf. bestimmt werden;
- das Pyknometer muss so voll sein, dass die blasenfreie Mess- oder Prüfflüssigkeit beim Einsetzen des Stopfens durch die Kapillare nach außen dringt;
- das Pyknometer mit Inhalt wird äußerlich gereinigt und in einem Wasserbad bis zur gewünschten Temperatur gleichmäßig erwärmt;
- nach dem Entfernen aus dem Bad wird das Pyknometer äußerlich gereinigt und ggf. gewogen.

Die Temperatur der Prüfflüssigkeit beträgt besonders bei Messungen nach Norm (20 +/− 0,1) °C oder (23 +/− 0,1) °C. Ist die Genauigkeit des Ergebnisses auf drei wertanzeigende Ziffern ausreichend, so ist eine Temperierung der Prüfflüssigkeit auf +/−1 °C genügend.

Die Prüfung wird mindestens dreimal durchgeführt und es wird ein Mittelwert mit drei Dezimalstellen errechnet. Die Dichte der Probe kann nicht genauer bestimmt werden als die Genauigkeit, mit der die Dichte der Flüssigkeit angegeben wird. Die Wiederholbarkeit liegt bei 0,005 g/cm^3.

Nach der Methode nach DIN EN ISO 1183 – Teil 1 – Verfahren B – Verfahren mit Flüssigkeitspyknometer, wird die Masse der untersuchten Probe durch Wiegen, das Volumen mit Hilfe eines Flüssigkeitspyknometers bestimmt. Das Flüssigkeitspyknometer ist ein meist birnenförmiges Wäge-Fläschchen mit Schliffstopfen, der mit einer Kapillarbohrung versehen ist. Der genau definierte Rauminhalt, 10, 25 oder 50 cm^3, wird mit der zu prüfenden Flüssigkeit bis zum Ende der Kapillare bei der bestimmten Temperatur zugefüllt und dann gewogen. Während Aräometer vorwiegend zu Übersichtsmessungen dienen, werden mit Pyknometern höhere Genauigkeiten erreicht.

Dieses Verfahren eignet sich für die Messung von Flüssigkeiten und Proben in Form von Pulver, Granulat oder Flocken. Zum Wiegen ist eine Analysenwaage mit einer Genauigkeit von mind. 0,1 mg notwendig.

2.3.4.3 Probenpräparation

Die Probengröße wird durch deren Art und Größe, deren Handhabbarkeit und die Größe des Pyknometers bestimmt. Es ist auf eine materialschonende und sorgfältige Präparation, bei der Bestimmung der Reindichte auf Lunkerfreiheit zu achten.

Probekörper, deren Dichte sich bei der Prüfung (z. B. durch Wasseraufnahme) so stark verändert, dass die Veränderung größer als die erforderliche Genauigkeit ist, müssen vor der Messung nach der entsprechenden Produktspezifikation konditioniert werden.

Neben der konstanten Temperatur während der Dichtemessung sind an der Probenoberfläche anhaftende Luftbläschen die größten Einflussfaktoren. Eine Luftblase von ~ 2 mm Durchmesser verursacht bereits einen Auftrieb von ~ 0,42 g. Luftblasen müssen aus diesem Grunde durch Verdrängung mit einem Stäbchen oder durch Anlegen eines Unterdruckes, z. B. in einem Exsikkator, mit einer Wasserstrahlpumpe beseitigt werden. Eine Temperaturänderung um 1 °C verursacht eine Dichteänderung um 0,02 % bei Wasser und von 0,1 % bei Iso-Propanol.

2.3.4.4 Messung

Prüfflüssigkeit, Volumen und Gewicht

- das leere, trockene Pyknometer wird mit dem Stopfen gewogen, m_0;
- das Pyknometer wird bis zum Überlaufen mit Wasser gefüllt;
- das Pyknometer wird ohne Stopfen temperiert – der Flüssigkeitstand eingehalten;
- der Stopfen wird aufgesetzt, die aus der Kapillare austretende Flüssigkeit entfernt, das gesamte System gewogen als m_1;
- aus m_0 und m_1 ergibt sich das Gewicht des Wassers, $m_W = m_1 - m_0$;
- daraus ergibt sich das genaue Volumen des Pyknometers V_P:
  $V_P = (m_1 - m_0) / \rho_W$;
- $\rho_W = 0{,}9982\ g/cm^3$ *[Dichte des Wassers bei 20 °C]*
- das Pyknometer wird mit flüchtigem Lösemittel (Ethanol; Methanol; Aceton) ausgespült und Pressluft ausgeblasen;
- das Pyknometer wird bis zum Überlaufen mit der vorgesehenen Prüfflüssigkeit gefüllt und temperiert;
- der Stopfen wird aufgesetzt mit überlaufender Prüfflüssigkeit;
- das System wird gewogen, m_2;
- aus der Differenz m_2 und dem leeren Pyknometer m_0 ergibt sich das Gewicht der Prüfflüssigkeit m_P, die durch das Pyknometervolumen V_P dividiert die Dichte ρ_P der Prüfflüssigkeit ergibt.

Feste Kunststoffproben

- In das trockene, leere und gewogene Pyknometer werden die festen gewogenen Kunststoffproben, m_S, eingegeben und das gesamte System gewogen;
- die Prüfflüssigkeit mit der Dichte ρ_P, wird eingefüllt, Luftbläschen evtl. im evakuierten Exsikkator entfernt;
- das System wird im Flüssigbad temperiert und ggf. nachgefüllt.

Die Dichte der Kunststoffproben beträgt dann:

$$\rho_S = m_S \cdot \rho_P / (m_1 - m_2) \tag{2.4}$$

ρ_S Dichte der Kunststoffproben
m_S Gewicht Pyknometer incl. Kunststoffproben
ρ_P Dichte Prüfflüssigkeit
m_1 Gewicht Pyknometer + Wasser gef.
m_2 Gewicht Pyknometer + Prüfflüssigkeit

Erforderliche Geräte:

- Analysewaage, Fehlergrenze 0,0001 g
- Pyknometer, geeicht
- Prüfflüssigkeit

2.3.5 Bestimmung der Rohdichte nach dem Titrationsverfahren [DIN EN ISO 1183-1]

Zwei Flüssigkeiten verschiedener Dichte werden so gemischt, dass die Probe im Flüssigkeitsgemisch schwebt. Die Dichte des Gemisches wird mit einem Aräometer bestimmt. Sie ist gleich der Dichte ρ_R der Probe.

Von der Eintauchflüssigkeit mit der niedrigeren Dichte werden mit einem Messkolben 100 ml abgemessen und in einem Flüssigkeitsbad auf 25 °C ± 0,5 °C temperiert. Danach werden die Probekörperstücke zugegeben und sollten auf den Boden des Messgefäßes fallen. Auch hier ist wieder auf Blasenfreiheit zu achten. Nun wird die Flüssigkeit höherer Dichte mit einer Bürette tropfenweise zugegeben. Mit einem Glasstab muss die Dichte des Gemisches langsam gerührt werden, wobei die Bildung von Luftblasen zu vermeiden ist.

Die zugegebene Menge Flüssigkeit höherer Dichte wird abgelesen, wenn der Prüfkörper nach dem Rühren innerhalb 1 min schwebend in einer Position verharrt.

In DIN EN ISO 1183-1 Anhang A vorgeschlagene Flüssigkeitspaarungen sind in Tabelle 2.5 aufgeführt. Prüfflüssigkeiten für Kunststoffe mit $\rho_R < 1{,}0$ g/cm^3 sind Ethanol-Wasser-Gemische; mit $\rho_R > 1{,}0$ g/cm^3 wässrige Zinkchlorid-, Magnesiumchlorid- oder Kochsalzlösungen.

Tabelle 2.5 Flüssigkeitspaare für Verfahren C (Teil 1) und Dichtegradienten-Säule (Teil 2) nach DIN EN ISO 1183-1 und -2

	Flüssigkeitspaarung	Dichtebereich [g/cm^3]
Teil 1 - Titration	Methanol/Benzylalkohol	0,79 bis 1,05
	Isopropanol/Wasser	0,79 bis 1,00
	Isopropanol/Diethylenglykol	0,79 bis 1,11
	Ethanol/Wasser	0,79 bis 1,00
	Toluol/Kohlenstofftetrachlorid	0,87 bis 1,60
	Wasser/wässrige Natriumbromidlösung	1,00 bis 1,41
	Wasser/wässrige Calciumnitratlösung	1,00 bis 1,60
Teil 2 - Dichte-gradient	Ethanol/wässrige Zinkchloridlösung	0,79 bis 1,70
	Kohlenstofftetrachlorid/1,3-Dibrompropan	1,60 bis 1,99
	1,3-Dibrompropan/Ethylenbromid	1,99 bis 2,18
	Ethylenbromid/Bromoform	2,18 bis 2,89
	Kohlenstofftetrachlorid/Bromoform	1,60 bis 2,89
	Isopropanol/Methylglykolacetat	0,79 bis 1,00

Während einer Titration kann die Dichte mehrerer Proben bestimmt werden, sofern sie in Form oder Farbe zu unterscheiden sind.

Bei jedem Flüssigkeitspaar muss der funktionelle Zusammenhang zwischen Menge der Flüssigkeit mit der höheren Dichte und der Dichte festgestellt und graphisch dargestellt werden. Dabei gilt:

$$\rho_{ges} = \frac{(\rho_1 \cdot V_1) + (\rho_2 \cdot V_2)}{V_1 + V_2} \tag{2.5}$$

ρ_{ges} Dichte des Flüssigkeitsgemisches [g/cm$_3$]
ρ_1 Dichte der Flüssigkeit 1 [g/cm^3]
ρ_2 Dichte der Flüssigkeit 2 [g/cm^3]
V_1 Volumen der Flüssigkeit 1 [cm^3; ml]
V_2 Volumen der Flüssigkeit 2 [cm^3; ml]

Anhand dieser Darstellung kann über die Ermittlung der Dichte des titrierten Flüssigkeitsgemisches die Dichte des Prüfkörpers abgelesen werden.

Als Beispiel sei die Messung der Dichte von Polyamid mit einer Tetrachlorkohlenstoff-Toluol-Mischung beschrieben. 20,0 ml Tetrachlorkohlenstoff (1,594 g/cm^3) werden in einem Erlenmeyer-Kolben vorgelegt und 3 Proben Polyamid zugegeben. Dazu lässt man die Hauptmenge des erwarteten Toluolanteils (0,864 g/cm^3) zulaufen. Bei Proben mit unbekannter Dichte wird der Toluolverbrauch in einem Vorversuch näherungsgrößenweise ermittelt. Danach wird es in kleinen Portionen, jeweils 5 bis 10 Tropfen, zugegeben und der Ansatz gut durchgemischt.

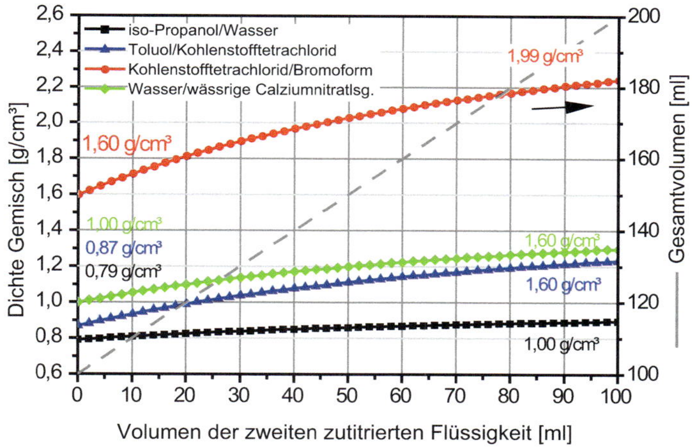

Bild 2.5 Darstellung des Dichte-Volumen-Zusammenhangs verschiedener Flüssigkeitspaarungen

Nähert sich die Dichte der Lösemittelmischung derjenigen der Proben, verstärkt sich deren Neigung zum Untertauchen. Die Mischung hat die Dichte der Probe dann erreicht, wenn die Proben in der Flüssigkeit zu schweben beginnen. Häufig ist bei Erreichen des Endpunktes eine Probe zum Boden abgesunken, die zweite in das Gemisch eingetaucht, während die dritte noch schwimmt. Schweben die Proben, lässt sich die Dichte der Prüflinge wie folgt berechnen:

$$\rho_R = \frac{(1{,}594 \cdot ml\ Tetrachlorkohlenstoff) + (0{,}864 \cdot ml\,Toluol)}{ml\,Tetrachlorkohlenstof + ml\,Toluol} \qquad (2.6)$$

Während einer Titration kann die Dichte mehrerer Proben bestimmt werden, sofern sie in Form oder Farbe zu unterscheiden sind. Zur besseren Übersichtlichkeit können die jeweils untertauchenden Proben nach dem Ablesen des Toluolverbrauchs mit einer Pinzette entnommen werden. Die Titration ist nach dem Untertauchen der letzten Probe beendet.

Zur Ermittlung der Dichte dient eine Kalibrierkurve, Bild 2.6, die die Abhängigkeit der Dichte vom Toluolverbrauch bei einer Vorlage von 20 ml Tetrachlorkohlenstoff darstellt.

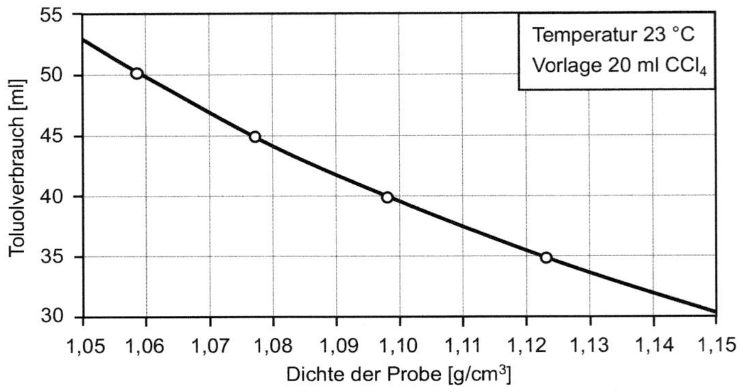

Bild 2.6 Dichtebestimmung nach der Titrationsmethode bei einer Mischung von 20 ml Tetrachlorkohlenstoff und unterschiedlichen Mengen Toluol [Granulate, Folien (Lösemittel)]

2.3.6 Bestimmung der Dichte nach dem Dichtegradienten-Verfahren [DIN EN ISO 1183-2]

Dichtegradienten-Säulen sind Säulen, die ein Gemisch von zwei Flüssigkeiten enthalten, in denen die Dichte gleichmäßig vom oberen Teil der Säule zum Boden zunimmt. Das Verfahren eignet sich für Folien, Granulate und kleine Formteilausschnitte (∅ < 5 mm).

Die Dichtegradienten-Säule besteht aus einer doppelwandigen Glassäule, die zur Temperierung an einen Flüssigthermostat mit einer Genauigkeit von mind. ±0,5 °C angeschlossen wird. Der Dichtegradient wird im gewünschten Dichtebereich durch Wahl geeigneter, mischbarer Flüssigkeiten unterschiedlicher Dichten hergestellt, die längs einer Säule kontinuierlich miteinander vermischt sind, Tabelle 2.5 und Bild 2.7. Bringt man eine Kunststoffprobe in die Gradientensäule ein, so sinkt sie bis zu der Höhe, die dem Gleichgewichtszustand ihrer Dichte entspricht.

Zur Herstellung des Dichtegradienten sind 2 Verfahren in DIN EN ISO 1183-2 beschrieben: die Befüllung der Säule von unten oder oben. Bild 2.7 zeigt die Apparatur zur Vorbereitung eines Dichtegradienten-Rohres von unten. Sie besteht aus den Behältern A (Flüssigkeit niedriger Dichte) und B (höhere Dichte) zum Mischen zweier Flüssigkeiten.

Beim Mischvorgang muss Flüssigkeit vom Behälter B zum Behälter A befördert und gut homogenisiert werden. Das sich in seiner Zusammensetzung ständig verändernde Gemisch (Erhöhung der Dichte) gelangt dann über das Einfüllrohr in die thermostatisierte Säule und drückt das dort vorhandene Gemisch niedriger Dichte nach oben.

Tabelle 2.6 Flüssigkeitspaare für das Dichtegradienten-Verfahren und die Titrationsmethode (Beispiele)

Prüfflüssigkeiten	Dichtebereich [g/cm³]
Isopropanol - Wasser	0,79 bis 1,00
Ethanol - Wasser	0,79 bis 1,00
Isopropanol - Diethylenglykol	0,79 bis 1,119
Ethanol - Tetrachlorkohlenstoff	0,79 bis 1,59
ethanolische Zinkchlorid-Lösung - Wasser	0,80 bis 1,70
Toluol - Tetrachlorkohlenstoff	0,87 bis 1,59
Wasser - Zucker	1,00 bis 1,13
Wasser - Natriumchlorid (Kochsalz)	1,00 bis 1,20
Wasser - Calciumnitrat	1,00 bis 1,60
Tetrachlorkohlenstoff - 1,3-Dibrompropan	1,60 bis 1,99
Tetrachlorkohlenstoff - Tribrommethan	1,60 bis 289
1,3-Dibrompropan - Ethylenbromid	1,99 bis 2,18
Ethylenbromid - Tribrommethan	2,18 bis 2,89

Die Schwebehöhe der Proben sollte nicht **vor 1,5 h nach Eingabe** in die Gradientensäule abgelesen werden. Eine weitere Kontrolle auf Veränderung der Schwebehöhe nach einigen Stunden ist ratsam.

Die **Haltbarkeit einer Gradientensäule** beträgt mehrere Wochen, wird jedoch durch große Probenanzahl oder häufige Nutzung deutlich verringert. Eine Kontrolle der Kalibrierkurve ist daher ratsam.

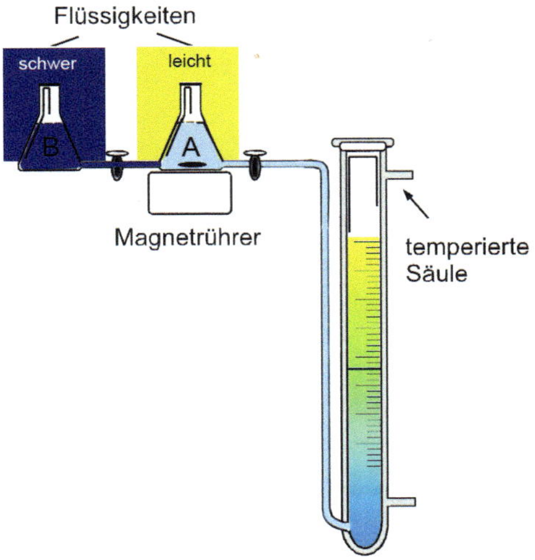

Bild 2.7 Aufbau zur Befüllung eines Dichtegradienten-Rohres [Folien 0,00001 g/cm³]

Bild 2.7 zeigt die Apparatur zur Vorbereitung eines Dichtegradienten-Rohres. Sie besteht aus den Behältern A und B zum Mischen beider Flüssigkeiten und einer thermostatisierten Säule. Beim Mischvorgang muss Flüssigkeit vom Behälter B zum Behälter A befördert werden. Dies kann durch hydrostatischen Druck erfolgen. Mittels eines Magnetrührers werden die beiden Flüssigkeiten intensiv gemischt. Daher dürfen keine Luftblasen in die Flüssigkeit eindringen. Das sich in seiner Zusammensetzung ständig verändernde Gemisch gelangt dann über das Einfüllrohr in die thermostatisierte Säule. Die Füllung des Gradienten-Rohres dauert mindestens eine Stunde, um einen möglichst linearen Dichtegradienten zu gewährleisten.

Der Dichteverlauf über die Höhe der Gradientensäule wird mit geeichten Glashohlkügelchen (Glasschwimmern) bestimmt. Diese werden vorsichtig mit der weniger dichten Flüssigkeit benetzt eingetaucht; nach 24 h werden die eingenommenen Höhen im Gradienten-Rohr gegenüber ihren Dichten graphisch aufgetragen. Die Linearität der Geraden ist meistens so gut, dass in der Auftragung der Schwebehöhen gegen die Schwebekörperdichte die Messpunkte im Rahmen der Zeichengenauigkeit stets auf einer Geraden liegen, Bild 2.8. Sollte dies nicht der Fall sein, so muss das Rohr neu gefüllt werden. Probleme können sich auch durch Luftblasen ergeben.

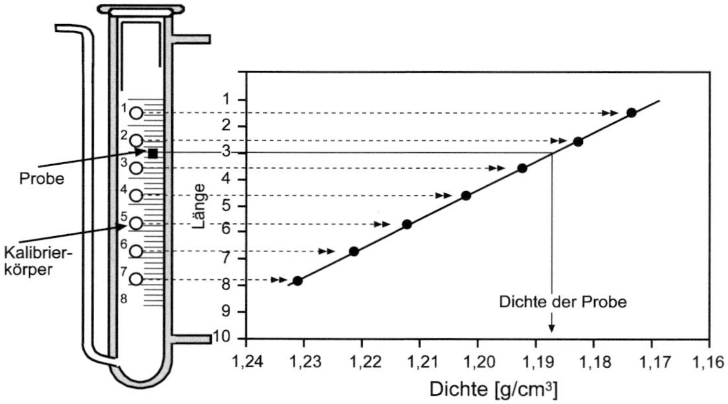

Bild 2.8 Kalibrierung einer Gradientensäule [Folien 0,00001 g/cm³]

Die rechnerisch ermittelte relative Unsicherheit der Steigung der Eichgeraden liegt bei einer statistischen Sicherheit von 95 % unter 1 %. Das bedeutet, dass bei einem Dichtegefälle im Rohr von $2 \cdot 10^{-4}$ g/cm³ pro mm Säulenhöhe die Genauigkeit bei ca. 0,00001 g/cm³ liegt.

Sowohl die Kalibrierkörper als auch die untersuchten Proben werden aus dem Gradienten-Rohr mittels eines kleinen Körbchens, das sich von Anfang an am Boden des Gradienten-Rohres befindet, langsam herausgeholt. Die Haltbarkeit einer Gradientensäule beträgt mehrere Wochen, doch ist bei starker Ausnutzung eine häufige Erneuerung notwendig.

Erforderliche Geräte:

- Dichtegradienten-Rohr mit Rundumgradierung (Länge ca. 1 m; Innendurchmesser: ca. 40 mm)
- Glasschwimmer auf 0,0001 g/cm^3 kalibriert bei (23 +/- 0,1) °C
- Wasser-Thermostat (23 +/- 0,1) °C
- Prüfflüssigkeiten

2.3.7 Bestimmung der Dichte nach dem Gaspyknometer-Verfahren [DIN EN ISO 1183-3]

Das Archimedische Prinzip wird bei diesem Verfahren durch die Ermittlung des durch einen Festkörper verdrängten Gasvolumens verfolgt. In der Regel wird indirekt durch die Bestimmung der Druckänderung in einem Pyknometer definierten Volumens gemessen und das verdrängte Gasvolumen durch die Anwendung des Boyle-Mariotteschen Gesetzes berechnet. Robert Boyle (1662) und Edme Mariotte (1676) entdeckten, dass das Produkt aus Druck p und Volumen V bei unveränderter Temperatur konstant ist.

Dieses Verfahren ist für Granulate, Pasten, nicht flüchtige Flüssigkeiten, Formteile und vor allem für Messungen an Probekörpern mit rauen Oberflächen geeignet.

Das Gaspyknometer besteht aus einer Mess- und Expansionskammer, einem Gaseinlassventil (V_1), Gasauslassventil (V_3) und einem Ventil zum Trennen beider Kammern (V_2) sowie einem Drucksensor, der sich an der Messkammer befindet, Bild 2.9. Das Volumen einer Probe wird aus der Druckänderung des Gases beim Expandieren vom Proben- in den Expansionsraum bestimmt. Die beiden Kammervolumina werden durch eine Kalibrierung ermittelt. Durch Eingabe der vorher durch Wägung ermittelten Masse wird die Feststoffdichte bestimmt.

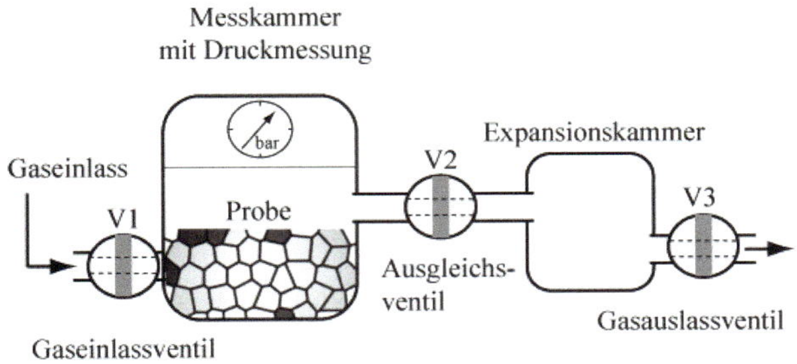

Bild 2.9 Aufbau eines Gaspyknometers [Festkörper, Pulver, Pasten (Wiederholbarkeit 0,001 g/cm^3)]

Vorzugsweise sollten Gase mit geringer Adsorptionsneigung an der Probenoberfläche verwendet werden. Je kleiner die Moleküle des verwendeten Gases sind, desto geringer können die Poren sein, in die das Gas einzudringen vermag. Die Einhaltung des Boyle-Mariotteschen Gesetzes bestimmt wesentlich die Genauigkeit der Messgeräte mit Druckmessung. Aus diesem Grund ist diese Methode nur eingeschränkt für geschlossenporige Materialien geeignet. Die Messgenauigkeit kann durch eine möglichst gute Ausfüllung (mind. 2/3) des Probenraumes erhöht werden.

In die steife Messkammer wird die Probe mit dem Volumen V_F eingegeben und die Messkammer fest verschlossen. Durch das Ventil V_1 wird das Messgas (meist Helium) in die Messkammer eingegeben. Nach Erreichen des gewünschten Messdrucks p_A wird das Ventil V_1 wieder verschlossen und das Ventil V_2 geöffnet. Durch die Expansion des Messgases in die Expansionskammer mit dem Volumen V_Z erfolgt ein Druckabfall und es stellt sich in beiden Kammern ein Gleichgewichtsdruck p_E ein. Ist dieser erreicht, wird auch das Ventil V_3 geöffnet. Es stellt sich der Umgebungsdruck ein. Damit ergibt sich das Probenvolumen V_F zu:

$$V_F = V_K - P_E/(P_A - P_E) \cdot V_Z \tag{2.7}$$

Erforderliche Geräte:

- Analysenwaage, Fehlergrenze 0,0001 g
- Gaspyknometer
- Gas (z. B. Helium)

Dichten wichtiger Kunststoffe sind in Tabelle 2.7 und Tabelle 2.8 zusammengestellt.

Tabelle 2.7 Dichten verschiedener unverstärkter Kunststoffe

Dichte [g/cm³]	Abkürzung	Kunststoff
0,8	Si	Silikongummi
0,85 - 0,92	PP	Polypropylen
0,93 - 0,98	PE-LD	Polyethylen niedriger Dichte
0,91 - 0,92	PB	Polybuten-1
0,91 - 0,94	PE-LLD	lineares Polyethylen niedriger Dichte
0,92 - 1,00	NR	Naturkautschuk
0,94 - 0,98	PE-HD	Polyethylen hoher Dichte
1,01 - 1,04	PA 12	Polyamid 12
1,03 - 1,05	PA 11	Polyamid 11
1,03 - 1,05	SB	schlagfestes Polystyrol
1,04 - 1,06	ABS	Acrylnitril-Butadien-Styrol-Copolymer

Dichte [g/cm³]	Abkürzung	Kunststoff
1.05 - 1,08	PS	Polystyrol
1,05 - 1,07	PPO	Polyphenylenoxid
1,06 - 1,10	SAN	Styrol-Acrylnitril-Copolymer
1,07 - 1,09	PA 610	Polyamid 610
1,12 - 1,15	PA 6	Polyamid 6
1,13 - 1,16	PA 66	Polyamid 66
1,10 - 1,40	EP, UP	Epoxidharz, ungesättigtes Polyesterharz
1,14 - 1,17	PAN	Polyacrylnitril
1,15 - 1,25	CAB	Celluloseacetobutyrat
1,16 - 1,20	PMMA	Polymethylmethacrylat
1,17 - 1,20	PVAC	Polyvinylacetat
1,18 - 1,24	CP	Cellulosepropionat
1,19 - 1,35	PVC	Polyvinylchlorid, weich (ca. 40%)
1,20 - 1,22	PC	Polycarbonat
1,20 - 1,26	PUR	vernetztes Polyurethan
1,20 - 1,31	PBT	Polybutylenterephthalat
1,24	PSU	Polysulfon
1,26 - 1,28	PF	Phenol-Formaldehyd-Harz
1,21 - 1,31	PVAL	Polyvinylalkohol
1,25 - 1,35	CA	Celluloseacetat
1,27	PEI	Polyetherimid
1,3	PEK	Polyetherketon
1.26 - 1,32	PEEK	Polyetheretherketon
1,34 - 1,36	PPS	Polyphenylensulfid
1,37	PES	Polyethersulfon
1,38 - 1,41	PVC	Polyvinylchlorid
1,34 - 1,40	CN	Cellulosenitrat
1,38 - 1,41	PET	Polyethylenterephthalat
1,4	PAI	Polyamidimid
1,41 - 1,43	POM	Polyoxymethylen
2,10 - 2,30	PTFE	Polytetrafluorethylen

Tabelle 2.8 Dichten verschiedener gefüllter und verstärkter Kunststoffe sowie von Füllstoffen
TV: Talkum, GF: Glasfaser, CF: Kohlenstofffaser, FR: Flammschutz,
TSG: Thermoplast-Schaumguss

Dichte [g/cm^3]	Abkürzung	Kunststoff
0,85 - 0,92	PP	Polypropylen
0,98	PP-TV10	PP mit 10 % Talkum
1,06	PP-TV20	PP mit 20 % Talkum
1,04	PP-GF20	PP mit 20 % Glasfasern
0,93 - 1,58	PP-FR	PP mit Brandschutz
1,20 - 1,22	PC	Polycarbonat
1,20 - 1,35	PC-FR	PC mit Brandschutz
1,25 - 1,43	PC-GF, FR	PC mit Glasfasern und Brandschutz
0,85 - 1,20	PC-TSG	PC, Thermoplast-Schaumguss
1,01 - 1,04	PA 12	Polyamid 12
1,08	PA 12-CF15	PA 12 mit 15 % Kohlenstofffasern
1,12	PA 12-GF15	PA 12 mit 15 % Glasfasern
1,13	PA 6	Polyamid 6
1,35	PA 6-GF30	PA 6 mit 30 % Glasfasern
1,35	PA 6-MV30	PA 6 mit 30 % Kreide
2,8	Talkum	
2,7	Kreide	
2,4	Aluminiumhydroxid	
0,15 - 0,7	Holzmehl	
2,5 - 2,6	Glasfasern	
0,15 - 0,3	Hohlglaskugeln	
1,6 - 2,0	Kohlenstofffasern	

2.3.8 Schaumstoffe – Bestimmung der Dichte aus Masse und Volumen [DIN EN ISO 845]

Die Bestimmung der Rohdichte von Festkörpern wird vor allem für offenporige Kunststoffe und stark quellende Werkstoffe verwendet. In DIN EN ISO 845 ist die Bestimmung der Rohdichte für Schaumstoffe aus Kautschuk und Kunststoffen beschrieben. Es wird zwischen vier Dichten eines Schaumstoffes unterschieden:

- **Stoffdichte**: die Masse pro Volumeneinheit einer Probe einschließlich aller beim Formen gebildeten Außenhäute,
- **Materialdichte**: die Masse pro Volumeneinheit einer Probe nach dem Entfernen jeglicher Außenhäute,

- **Rohdichte**: die Masse pro Volumeneinheit eines Materials, das unter bestimmten Bedingungen geprüft wird und in dem sowohl permeable als auch nicht permeable Hohlräume vorhanden sind,
- **Schüttdichte** beschreibt die Masse je Volumeneinheit von Formmassen aus Pulvern oder Körnern, die durch einen gegebenen Trichter abfließen können.

Bei einfach geformten oder aus Block-, Rund- bzw. Tafelmaterial geschnittenen Prüfobjekten wird das Volumen aus den Probenabmessungen ermittelt. Bei weichen Schaumstoffen sind mindestens drei Probekörper und bei harten Schaumstoffen mindestens fünf Probekörper zu prüfen. Zwischen der Fertigung des Produktes und dem Herausschneiden der Probekörper sollte mindestens eine Zeitspanne von 72 h liegen. Zur Bestimmung der Masse wird eine Waage mit einer Genauigkeit von 0,5 % der Probenmasse verwendet.

2.3.9 Scheinbare Dichte von Pulvern – Schüttdichte, Stopfdichte [DIN EN ISO 60 und 61]

Die Bestimmung der Stopfdichte von Formmassen, die nicht durch einen gegebenen Trichter abfließen können, ist in Bild 2.10 dargestellt.

Für die Durchführung der Bestimmung der Schüttdichte nach DIN EN ISO 60 sind ein Messzylinder mit polierter Innenfläche, z. B. aus Metall, mit einem Volumen von 100 ml ± 0,5 ml und einem Innendurchmesser von 45 mm ± 5 mm, ein Trichter mit Abschluss der unteren Öffnung (siehe Bild 2.10 links) und eine Analysenwaage mit einer Messunsicherheit von 0,1 g notwendig.

Der Trichter wird vertikal in einer Achse über dem Messzylinder mit einem Abstand von ca. 20 mm befestigt. Die untere Öffnung ist durch eine Abschlussplatte geschlossen. Das Pulver, ca. 110 bis 120 ml, wird vor der Untersuchung gut gemischt und in den Trichter gefüllt. Der Abschluss des Trichters wird danach geöffnet, so dass das Pulver ungehindert in den Messzylinder abfließen kann. Wenn nötig darf das Auslaufen mit einem Stäbchen unterstützt werden. Falls die Formmasse wegen elektrostatischer Ladung nicht abfließt, sollte der Versuch wiederholt werden, indem man eine kleine Menge Aluminiumoxid der Gamma-Modifikation oder Ruß oder Ethanol in kleinen Mengen beifügt. Der Überschuss der Formmasse wird mit einem Stab vom Messzylinder abgestreift und gewogen. Es werden zwei Prüfungen durchgeführt.

Die Bestimmung der Stopfdichte von nicht gestampften Formmassen, die nicht durch einen genormten Trichter durchfließen, ist in DIN EN ISO 61 beschrieben.

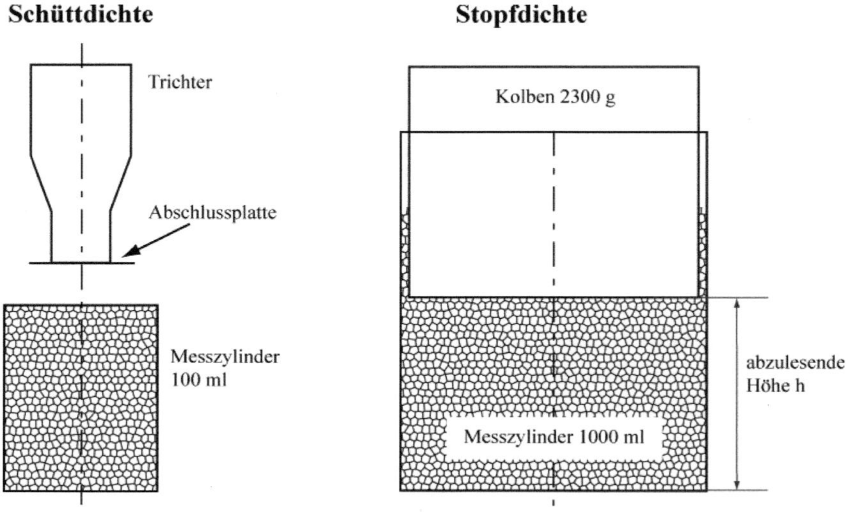

Bild 2.10 Messaufbauten zur Bestimmung der Schüttdichte (links) und der Stopfdichte (rechts)

Die Formmasse (60 g ± 0,2 g) wird locker in einen polierten Messzylinder mit einem Volumen von 1000 ml (± 20 ml) und einem Innendurchmesser von 90 mm (± 2 mm) eingefüllt, so dass eine möglichst ebene Oberfläche entsteht. Danach wird ein Kolben (geschlossener Hohlzylinder mit einer Masse von 2300 g ± 20 g) in die Formmasse abgesenkt, bis er von der Probe getragen wird. Nach einer Minute ist die Höhe der Formmasse unter dem Kolben auf 1 mm zu messen, Bild 2.10 rechts. Es sind jeweils 3 Prüfungen durchzuführen. Die Angabe der Stopfdichte wird nach folgender Formel in g/ml angegeben:

$$\rho_{Stopfdichte} = \frac{m}{A \cdot h} \tag{2.8}$$

$\rho_{Stopfdichte}$ Stopfdichte der Formmasse [g/ml]
m Masse der Formmasse im Messzylinder [g]
ρ innere Querschnittsfläche des Messzylinders [cm^2]
h Höhe der Formmasse im Messzylinder unter dem Kolben [cm]

2.3.10 Anwendungen der Dichtemessung

Füll- und Verstärkungsstoffe

Die Reindichte eines Werkstoffes und die Rohdichte des aus ihm hergestellten Formteiles werden durch eine Vielzahl von Einflussfaktoren bestimmt. So lassen sich durch Dichtemessungen z. B. Strukturänderungen, Füll- und Verstärkungsstoffe sowie Lunker und Fehlstellen nachweisen.

Die genannten Einflussfaktoren können allerdings auch Fehlerquellen darstellen. So bedingt die Berechnung des Füllstoffgehalts aus Dichtewerten eine Probe, die nicht durch weitere Einflüsse wie Lunker und Fehlstellen in ihrer Dichte verändert ist.

Sind Dichten von Füll- und Verstärkungsstoffen bekannt (siehe Kapitel: *Bestimmung des Gehalts an Füll- und Verstärkungsstoffen*), so kann der Gehalt an diesen Zusatzstoffen über folgenden Zusammenhang bestimmt werden:

$$G_F = \frac{\rho_F \cdot (\rho_P - \rho)}{\rho_P \cdot (\rho_F - \rho)} \cdot G_P \quad \Rightarrow M_{Füllstoff} = \frac{G_F \cdot 100}{G_P} \tag{2.9}$$

G_P Gewicht der Formteilprobe [g]
G_F Gewicht des Faser- oder Füllstoffes [g]
ρ Dichte des ungefüllten Kunststoffes [g/cm^3]
ρ_F Dichte des Faser- oder Füllstoffes [g/cm^3]
ρ_P Dichte des gefüllten Kunststoffes [g/cm^3]
$M_{Füllstoff}$ Füllstoffgehalt [Gew.-%]

Kristallisationsgrad aus Dichtewerten

Unterschiede im Kristallisationsgrad können zu erheblichen Unterschieden in der Dichte führen, z. B. eine Dichte von 0,8908 g/cm^3 entspricht bei PP einem Kristallisationsgrad von 40 %, eine Dichte von 0,9214 g/cm^3 einem Wert von 70 %. Berechnung des Kristallisationsgrades aus Dichtewerten setzt die Kenntnis von Dichtewerten rein amorpher und rein kristalliner Werkstoffe voraus. Sind diese bekannt, kann der Kristallisationsgrad wie folgt berechnet werden:

$$K_W = \left(1 - \frac{\rho_k - \rho_{Probe}}{\rho_k - \rho_a}\right) \cdot 100 \tag{2.10}$$

K_W Kristallisationsgrad [Gew.-%]
ρ_k Dichte 100 % kristallin [g/cm^3]
ρ_{Probe} Dichte der Probe [g/cm^3]
ρ_a Dichte 100 % amorph [g/cm^3]

Üblicherweise werden die Kristallisationsgrade gewichtsbezogen angegeben. Die meisten Auswertungen von Kennwerten des Kristallisationsgrades für teilkristalline Thermoplaste gehen von einem 2-Phasen-Modell aus, nach dem es perfekte kristalline und ebenso eindeutige amorphe Bereiche gibt. In Wirklichkeit dürften aber unterschiedliche Gittereffekte, Fehlstellen und Übergänge amorph/kristallin bis zu einigen Prozent betragen. Eine scharfe Trennung ist daher eine vereinfachte Annahme.

2.4 Normen

DIN EN ISO 1183-1 (2013)	Kunststoffe – Verfahren zur Bestimmung der Dichte von nicht verschäumten Kunststoffen – Teil 1: Eintauchverfahren, Verfahren mit Flüssigkeitspyknometer und Titrationsverfahren
DIN EN ISO 1183-2 (2004)	Kunststoffe – Verfahren zur Bestimmung der Dichte von nicht verschäumten Kunststoffen – Teil 2: Verfahren mit Dichtegradienten-Säule
DIN EN ISO 1183-3 (2000)	Kunststoffe – Bestimmung der Dichte von nicht verschäumten Kunststoffen – Teil 3: Gas-Pyknometer-Verfahren
DIN EN ISO 845 (2009)	Schaumstoffe aus Kautschuk und Kunststoffen – Bestimmung der Rohdichte
DIN EN ISO 60 (2000)	Kunststoffe – Bestimmung der scheinbaren Dichte von Formmassen, die durch einen genormten Trichter abfließen können (Schüttdichte)
DIN EN ISO 61 (2000)	Kunststoffe – Bestimmung der scheinbaren Dichte von Formmassen, die nicht durch einen gegebenen Trichter abfließen können (Stopfdichte)
DIN EN ISO 787-10 (1995)	Allgemeine Prüfverfahren für Pigmente und Füllstoffe – Teil 10: Bestimmung der Dichte; Pyknometerverfahren
DIN EN ISO 787-11 (1995)	Allgemeine Prüfverfahren für Pigmente und Füllstoffe – Teil 11: Bestimmung des Stampfvolumens und der Stampfdichte
DIN EN ISO 787-23 (1995)	Allgemeine Prüfverfahren für Pigmente und Füllstoffe – Teil 23: Bestimmung der Dichte
DIN EN ISO 1675 (1998)	Kunststoffe – Flüssige Harze – Bestimmung der Dichte nach dem Pyknometer-Verfahren
DIN EN 542 (2003)	Klebstoffe – Bestimmung der Dichte
DIN EN ISO 2811-2 (2011)	Beschichtungsstoffe – Bestimmung der Dichte – Teil 2: Tauchkörper-Verfahren
DIN 66137 (2003)	Bestimmung der Dichte fester Stoffe – Teil 1 – Grundlagen
DIN 66137 – 2:2004	Bestimmung der Dichte fester Stoffe – Teil 2 – Gaspyknometrie
DIN 66137 – 3:2005	Bestimmung der Dichte fester Stoffe – Teil 3 – Gasauftriebsverfahren

ASTM D 1505 (2003)	Standard Test Method for Density of Plastics by the Density-Gradient Technique
DIN EN ISO 3521 (1999)	Ungesättigte Polyester- und Epoxidharze – Bestimmung der Gesamtvolumenschwindung

■ 2.5 Verwendete Literatur

Braun, D.	Erkennen von Kunststoffen, 5. Aufl., Carl Hanser Verlag, München, 2012
Krause, A., Lange, A.	Kunststoff-Bestimmungsmöglichkeiten, Carl Hanser Verlag, München, 1972
N. N.	Einfache Möglichkeiten der Kunststoffbestimmung, Informationsschrift, BASF Ludwigshafen 1989
Pongratz, S.	Schadensanalyse an Kunststoffbauteilen, Vorlesung WS 2015/16, Universität Erlangen
Riedel, G.	Einfache Bestimmungsmethoden von Kunststoffen, 23. Hochschulseminar Schadensanalyse an Kunststoffen, Lehrstuhl für Kunststofftechnik, Universität Erlangen 2016
Schiebisch, J.	Die Dichte zur Charakterisierung von Kunststoffen und Verarbeitungseinflüssen, Hochschulpraktikum, Kunststoffschadensanalyse (1997)
Grellmann, W., Seidler, S.	Kunststoffprüfung, 2. Auflage, Carl Hanser Verlag, München, 2011

3 Feuchtigkeit in Kunststoffen – Analyseverfahren

Mit Dr. K. Dreblow

3.1 Feuchtigkeit in Kunststoffen

Feuchtigkeit ist generell ein Problem in vielen Industriebereichen. Für dessen Bestimmung gibt es unterschiedliche Messtechniken. Hier haben sich thermogravimetrische Methoden, wie beispielsweise das IR-Trocknen und weitere, etabliert.

Die Feuchtigkeit (kurz Feuchte) ist eine Erscheinung, die die Eigenschaften der Kunststoffe erheblich beeinflussen kann. Während im festen Zustand besonders auch in Fertigteilen der Feuchtigkeitsgehalt einigermaßen zuverlässig gemessen werden und bei relativ langsamer Änderung auch in seiner Wirkung abgeschätzt werden kann, ist eine Messung bei sich relativ schnell ändernden Umgebungsbedingungen wie z. B. bei der Trocknung des Granulats nur begrenzt genau durchzuführen.

Obwohl fast alle Kunststoffe, besonders aber die Thermoplaste, über die schmelzflüssige Phase verarbeitet werden, gibt es kaum ein vernünftiges Messverfahren, den Feuchtegehalt und seine Auswirkung im Verarbeitungsprozess im schmelzflüssigen Zustand innerhalb des Verarbeitungsgeräts zu messen, besonders wegen des sich relativ schnell ändernden Feuchtegehalts, bzw. des nicht statischen Materialzustands.

Feuchte ist aber im Prinzip alles, was bei Wärmeeinwirkung aus einer Probe verdampfen kann. Darunter zählen neben Wasser auch Fette, Alkohole, verschiedene Komponenten und andere Bestandteile.

Wasser ist im engeren Sinne auch eine Art Feuchte. Für die spezifische Bestimmung von Wasser gibt es vergleichsweise weniger Methoden als für die Bestimmung anderer Feuchtigkeitsstoffe. Es ist daher darauf zu achten, dass neben Wasser nicht andere flüchtige Substanzen die Messergebnisse beeinflussen.

3.2 Wirkung von Wasser

Flüssigkeiten, Gase und sonstige mobile Stoffe als solche oder Bestandteile von ihnen können in das Kunststoffgefüge bis zur Erreichung eines Gleichgewichtszustandes eindringen und dadurch die intermolekularen Bindungskräfte reduzieren und die Beweglichkeit der Moleküle steigern. Die Folgen sind: Absinken des Elastizitätsmoduls, der Härte, der Festigkeit, Erniedrigung der Glasübergangstemperatur = Verschiebung der Zustandsbereiche, Beeinflussung elektrischer und physikalischer Eigenschaften. Diese Vorgänge sind physikalischer Natur und meist reversibel, sofern aus dem Kunststoff keine Bestandteile herausgelöst werden oder sich die Struktur, z. B. durch Sekundärkristallisation, nicht ändert.

Nach Vogel ist es oft schwer zu vermitteln, dass die chemische Wirksamkeit von inkludiertem Wasser bei Polymeren, die Heteroatome in der Hauptkette enthalten wie PA, PET, PBT, PC, TPU oder in der Seitenkette wie PVAC, PMMA ganz entscheidend beeinflusst wird von der Temperatur. Während unterhalb der Glasübergangstemperatur keine oder nur eine äußerst geringe Spaltung durch Wasser vorliegt, ist bei darüber liegenden Temperaturen, insbesondere oberhalb der Schmelztemperatur, eine hydrolytische Spaltung unvermeidlich. Diese wird, da die Ketten nicht vom Ende her zu Monomeren abgebaut werden, zu erheblichem Abbau der Molmasse selbst bei geringer Wasseraufnahme führen. Damit geht eine tiefgreifende Veränderung insbesondere der mechanischen Eigenschaften einher.

So werden z. B. die hydrolyseanfälligen Polyamide vom Hersteller in Aluminium kaschierten, verschweißten Gebinden geliefert, damit sie den Verarbeiter im trockenen Zustand erreichen. Nach dem Öffnen nehmen die Granulatkörner je nach Luftfeuchtigkeit und Umgebungstemperatur sehr schnell die Wassermoleküle aus der Luft auf, die sie dann nur deutlich langsamer wieder abzugeben bereit sind, denn das inkludierte Wasser wird durch die starken zwischenmolekularen Wasserstoff-Brückenbindungskräfte im Polymeren festgehalten.

Bei thermoplastischem Polyester PET sowie bei thermoplastischen Polyurethanen TPU, deren Wasseraufnahme vergleichsweise gering sind, ist eine Vortrocknung unmittelbar vor dem Aufschmelzen, also durch eine direkte dem Einfülltrichter der Maschine vorgeschaltete Trockenlufttrockung unerlässlich, will man den die mechanischen Eigenschaften so stark veränderten hydrolytischen Abbau der Molekülketten vermeiden.

3.2.1 Feste Kunststoffe

Die Wasserabsorption ist eine Funktion der relativen Luftfeuchtigkeit, der Temperatur, der Einwirkzeit, des Kristallisationsgrades, der Dicke der Probe (bzw. Verhältnis Oberfläche zu Masse) oder der Korngröße des Granulats bzw. Pulvers. Die Intensität der Wasseraufnahme ist unabhängig vom Molekulargewicht, kann aber neben der Glasübergangstemperatur auch die Rekristallisationstemperatur (PET) senken.

Besonders für die Polyamide ist die Aufnahme von Wasser oder Luftfeuchtigkeit von großer Bedeutung. Die physikalischen Eigenschaften der Polyamide können nur bewertet werden, wenn gleichzeitig der Wassergehalt bekannt ist. Aus diesem Grund werden Kennwerte im Allgemeinen bei drei verschiedenen, reproduzierbaren Feuchtigkeitseinstellungen (Gleichgewichtszustände) festgelegt:

- trocken: 0 % rel. Feuchte (z. B. spritzfrisch gegossener Zustand),
- luftfeucht: Lagerung bei 23 °C/50 % rel. Feuchte bis zur Gewichtskonstanz (z. B. im Normklima oder Klimaschrank),
- nass: Lagerung bei 100 % rel. Feuchte (Wasserlagerung) bis zur Gewichtskonstanz.

Die häufig verbreitete Meinung, amorphe Kunststoffe nehmen gegenüber teilkristallinen Kunststoffen erheblich schneller und mehr Wasser auf, gilt nicht generell. Teilkristalline Proben erreichen auch bei Wasserlagerung nicht die vergleichbaren Feuchtigkeitsgrade, die amorphe Proben bei Luftfeuchtigkeit erreichen, Bild 3.1. Das gilt für das hier dargestellte PET, jedoch nicht allgemein. Das amorphe Standardpolystyrol PS nimmt so gut wie kein Wasser auf, auch nicht das amorphe PVC.

Amorphe Kunststoffe nehmen gegenüber teilkristallinen Kunststoffen erheblich schneller und mehr Wasser auf. Teilkristalline Proben erreichen auch bei Wasserlagerung nicht die vergleichbaren Feuchtigkeitsgrade, die amorphe Proben bei Luftfeuchtigkeit erreichen, Bild 3.1.

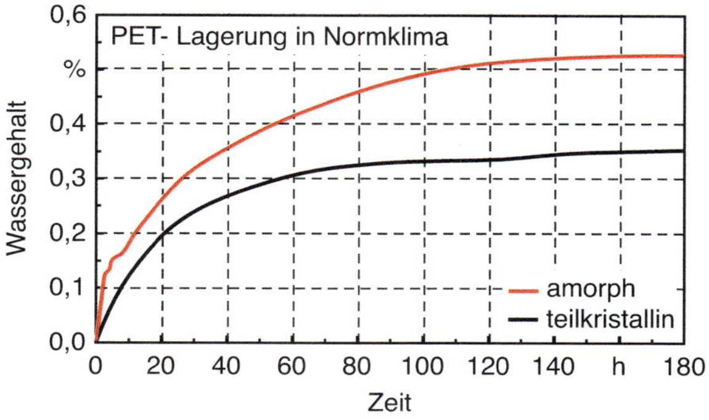

Bild 3.1 Wasseraufnahme von amorphem und teilkristallinem PET in Normklima.

Wasser kann sowohl den Kunststoff selbst als auch die darin enthaltenen Zuschlagstoffe beeinflussen. Das Wasser kann dabei nicht nur im direkten Kontakt, sondern auch in Form von Luftfeuchtigkeit und Wasserdampf mit dem Kunststoff in Kontakt kommen. Wasserlösliche Zusatz- und Abbaustoffe können besonders die atmosphärische Alterung beeinflussen und Oxidationsvorgänge beschleunigen.

Hydrolysierbare Gruppen in der Hauptkette können durch Wasser, besonders in Kombination mit katalytisch wirkenden Säuren und Basen, zu einem Molmassenabbau führen. Zu nennen sind hier Polykondensate wie PA, PET, PC und PUR. Erhöhte Temperaturen fördern diese Vorgänge, was besonders bei der Verarbeitung über den hochtemperaturgeführten Schmelze-Zustand zu berücksichtigen ist. Um dieses zu vermeiden, sind Kunststoffe bei der Verarbeitung sorgfältig zu trocknen und Spuren von alkalischen und sauren Reagenzien sowie Metallionen zu vermeiden.

Die Hydrolyse läuft an normalen unbelasteten Bauteilen sehr langsam ab. Risse und Fehlstellen können die Hydrolyse beschleunigen. Andere Schäden aufgrund von Wasserdampfbildung können eine Schlieren- und Blasenbildung sein. Bei einigen Kunststoffen, besonders bei Polyamid, stellt sich die Frage, ob ein geringer Wassergehalt überhaupt hydrolytisch wirkt.

Die physikalische Wirkung einer Wasseraufnahme beruht überwiegend in einer weichmachenden Wirkung verbunden mit einer Quellung. Da der Wassergehalt selten gleichmäßig und konstant ist, können so unterschiedliche Wassergehalte zu unterschiedlichen Verformungen und somit zu variablen Spannungen führen. Da das Eindringen des Wassers stark von dem Diffusionskoeffizienten und somit von der Wanddicke und dem Oberflächen-Volumen-Verhältnis abhängt, sind unterschiedliche Feuchtigkeitsgehalte keine Seltenheit. So wird bei den meisten Prüfungen des Wassergehalts, da sie im Wesentlichen Kurzzeitprüfungen sind, ein Gleichgewichtszustand der Feuchtigkeit bzw. ein gleichmäßiger Feuchtigkeitsgehalt praktisch nicht erreicht.

Die Wasseraufnahme hängt bei teilkristallinen Thermoplasten deutlich vom Kristallisationsgrad ab, nicht aber vom Molekulargewicht. Wasser dringt in die amorphen Bereiche, nicht in die Lamellen. Dieses ist aber von den Temperatur- und Druckbedingungen in der abkühlenden Schmelze abhängig und praktisch niemals über einen ganzen Materialquerschnitt konstant. Grundsätzlich führt ein Feuchtigkeitsgehalt in einem Kunststoff zu:

- Absinken von Festigkeit und Steifigkeit und somit auch der Härte,
- Erhöhung der Zähigkeit und Verformbarkeit,
- Erniedrigung der Glasübergangstemperatur,
- Beeinflussung der elektrischen/dielektrischen Eigenschaften,
- Ausdehnung und Quellung.

Ein weiterer wichtiger Gesichtspunkt für die Kenntnis des Wassergehalts von Granulaten vor der Verarbeitung ist die Hydrolyseempfindlichkeit einiger Kunststoffe, z.B. Polyester. So können bereits geringste Wassergehalte im Granulat bei der Verarbeitung zu Schlieren, Blasen und Molekülkettenabbau führen, Bild 3.2. Die hydrolytische Spaltung von PET während der Verarbeitung kann nur durch vorheriges Trocknen des Granulates auf eine Restfeuchtigkeit von 0,02% oder kleiner vermieden werden. Blasen und Schlieren sind nicht auf hydrolytischen Abbau zurückzuführen.

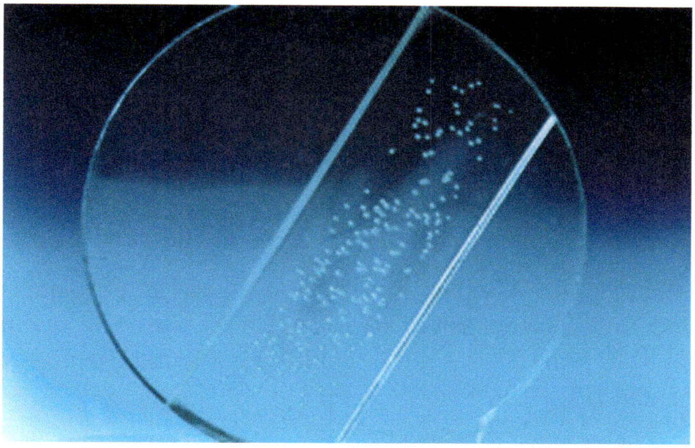

Bild 3.2 Blasen innerhalb von PC infolge zu hoher Feuchtigkeit beim Spritzgießen von nicht ausreichend getrockneten Kunststoffen (Bayer AG).

Bei der Verarbeitung zeigt sich Feuchtigkeit im Material durch feine Bläschen im Massestrang oder Massekuchen. Bei sehr feuchtem Material ist der Massestrang schaumig und hat eine matte, schlierige Oberfläche, Bild 3.3.

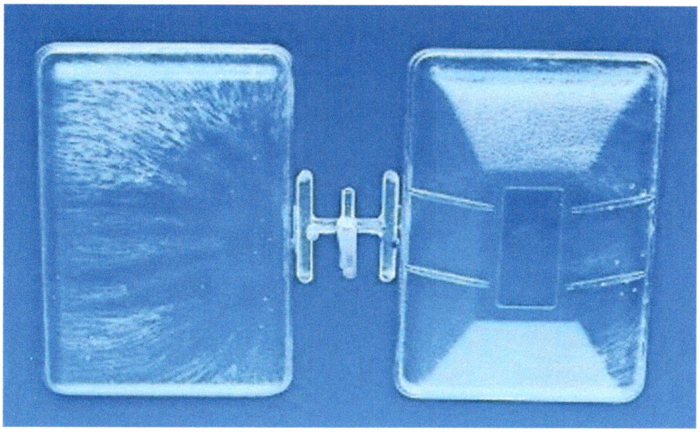

Bild 3.3 Formteil aus feucht verarbeitetem Material (PC) [Bayer PCS-1141d]

Bild 3.4 Silbrige Feuchteschlieren beim Spritzgießen von CDs aus PC

Neben der Bildung von Bläschen und Schlieren kann ein Molekülkettenabbau stattfinden, der äußerlich optisch nicht erkennbar ist, aber z. B. zu einer Versprödung des Materials führt. Dieses gilt besonders für PC und entsprechende Blends mit ABS, PBT und TPU.

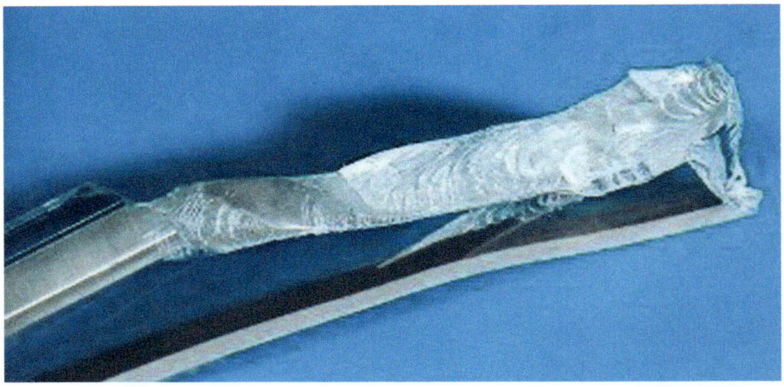

Bild 3.5 Durch hydrolytischen Abbau versprödetes Formteil aus PC (TI Bayer Material Science, 2008)

Tabelle 3.1 Wasseraufnahme im Normalklima und bei Wasserlagerung 23 °C [nach: Johannaber]

Kunststoff	Wasseraufnahme [%] (Richtwert)	
	Normklima (23 °C/50 % rel. Feuchte)	Wasserlagerung (23 °C)
PE-LD, PE-HD	< 0,1	0,002 bis 0,2
PP, PP-GF, PP-M	< 0,1	0,002 bis 0,2
ABS	0,22	0,8
PS	< 0,1	0,2 bis 0,3
SAN	< 0,1	0,2
E-PVC	ca. 0,18	0,5 bis 3,5 (60 °C)
S-PVC	–	0,3 (60 °C)
PEEK	< 0,1	0,5
PEEK-GF 30	< 0,1	0,11
PEEK-CF 30	< 0,1	0,06
PEI	< 0,7	1,25
PES	0,15	2,1
PI	1,2	3
PMMA	0,6	1,6 bis 2
POM-C	0,2	0,8
POM-H	0,22	0,9
PPE + PS	–	0,15
PPE + PS-GF	ca. 0,03	0,15
PPS-GF 40	0,01	0,02
PSU	0,22	1,0
PCDF	0,01	0,05
PBT	0,45	0,45
PBT-GF 33	0,1 bis 0,2	0,1 bis 0,2
PC	0,2	0,4
PET	0,35	0,5 bis 0,7
PET-GF 33	0,2	0,25
PSU	0,25	0,6
PA 6	2,8 bis 3,6	9 bis 10
PA 11	0,8 bis 1,2	ca. 1,8
PA 12	0,7 bis 1,1	1,3 bis 1,9
PA 66	2,5 bis 3,5	7,5 bis 9
PA 610	1,5 bis 2	3 bis 4
PA 612	1,3 bis 2	2,5 bis 2,8
PA 6-3-T	2,6 bis 3	6,2 bis 7

Kunststoff	Wasseraufnahme [%] (Richtwert)	
	Normklima (23 °C/50 % rel. Feuchte)	Wasserlagerung (23 °C)
PA-Guss	2,3 bis 2,7	7 bis 8
PA 6-GF 30	1,5 bis 2	ca. 6
PA 66-GF 30	1 bis 1,5	ca. 5,5
PA 11-GF 30	ca. 0,54	ca. 1,2
PA 12-GF 30	ca. 0,45	ca. 1,1
CA		3,8 bis 5
CAB		2 bis 2,5
CP		2,3 bis 2,7
UP		ca. 0,4
UP-GF		0,5 bis 2,5
EP	0,5 bis 0,8	0,7 bis 1,5
EP-GF 55	0,3 bis 0,5	ca. 0,8

3.2.1.1 Mechanische Eigenschaften von Polyamid

3.2.1.1.2 Wasseraufnahme

Die Wasseraufnahme (engl.: water absorption) ist besonders bei Polyamiden zu berücksichtigen, die als bevorzugte Werkstoffe für Maschinenelemente und thermisch und mechanisch hoch belastete Teile im Automobilbereich und der Elektronik verwendet werden.

Wassermoleküle diffundieren in Polyamide ein und lagern sich überwiegend in den weniger dicht gepackten amorphen Bereichen, begünstigt durch die Wasserstoffbrücken, an. Es sind drei Konditionierungszustände trocken, luftfeucht und nass definiert.

Tabelle 3.2 Einfluss des Wassergehalts auf die Glasübergangstemperatur bei PA 6 und PA 66

Zustand	Umgebung	Wassergehalt PA 6/PA 66 [Gew.-%]	Glasübergangstemperatur PA 6/PA 66 [°C]	Schmelztemperatur PA 6/PA 66 [°C]
trocken	keine	< 0,2 Feuchte	78/90	223/264
luftfeucht	23 °C/50 % rel. Feuchte	3/2,7	28/39	
nass	Wasser	8/7,2	-8/-6	

Diese Zustände ergeben sich, wenn das Material bis zur Gewichtskonstanz (d. h. es findet keine Änderung des Wassergehalts mehr statt) in einer definierten Umgebung gelagert wird. Ein trockenes Teil mit 2 mm Wanddicke nimmt in normaler

Umgebung innerhalb von Monaten deren Feuchtegehalt an. Bei erhöhten Temperaturen wird der Vorgang erheblich beschleunigt. Kurzfristige, auch Tage dauernde Schwankungen der Feuchtigkeit in der Umgebung, z.B. in den Nutzungsphasen, führen nur zu geringen Änderungen im Wassergehalt und damit den mechanischen Eigenschaften von Polyamid-Formteilen.

Die Feuchtigkeitsaufnahme ist mit einer Quellung verbunden. Die Längenänderung ε in % (Bild 3.7 u. 3.8) ergibt sich ungefähr als 1/4 der Gewichtsänderung in %. Eine weitere Besonderheit ergibt sich dadurch, dass während der Feuchtigkeitsänderung die mechanischen Eigenschaften über den Querschnitten variieren.

Da die Feuchtigkeit nur langsam in die Formteile eindringt, sind Maßänderungen und Verzug fast unvermeidlich.

Deutlich erkennbar tritt durch die Aufnahme von Wasser eine Verschiebung der Glasübergangstemperatur zu tieferen Temperaturwerten ein. Während die Glasübergangstemperatur für trockenes PA 6 bei +78 °C festgestellt wird, beträgt sie nach einer Wasseraufnahme von 3 % bereits +28 °C und von 8 % nur noch -8 °C, Bild 3.6.

Die Änderung von T_g mit der Wasseraufnahme gerade im Bereich der normalen Umgebungstemperatur macht sich auch in unterschiedlichen Formen der Spannungs-Dehnungs-Kurven und damit der Steifigkeit und Festigkeit für diese Feuchtezustände bemerkbar, Bild 3.7.

Im Gegensatz zur Festigkeit und Steifigkeit nimmt die Zähigkeit mit dem Wassergehalt zumindest bis zum luftfeuchten Zustand zu. Kennwerte von Polyamiden müssen daher immer einen Hinweis auf den Feuchtigkeitsgehalt enthalten.

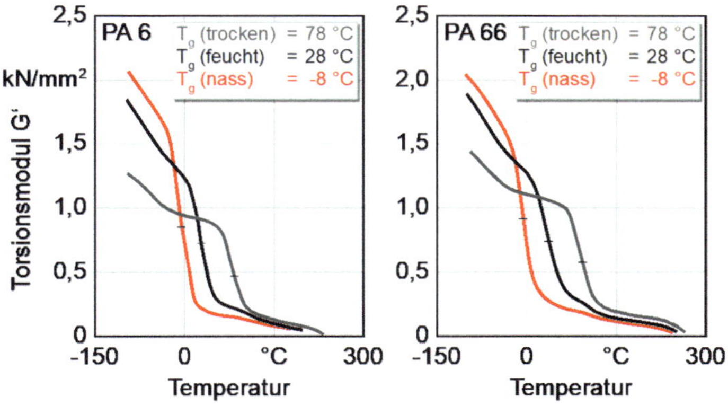

Bild 3.6 Dynamischer Torsionsmodul (geringe Belastung) von PA 6 und PA 66 mit Angabe der Glasübergangstemperatur im trockenen, luftfeuchten und nassen Zustand.

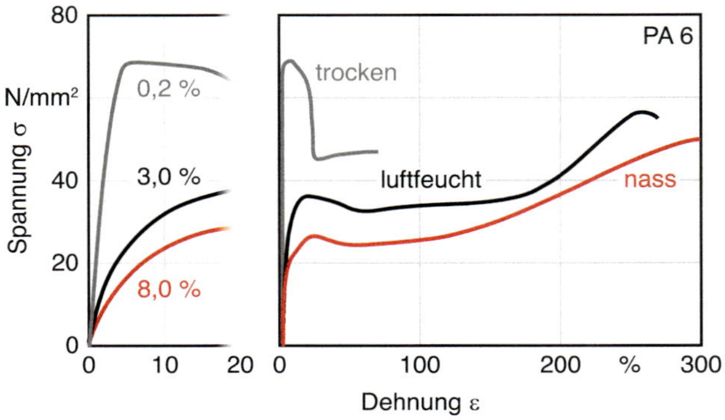

Bild 3.7 Spannungs-Dehnungs-Diagramme von trockenem, luftfeuchtem und nassem PA 6

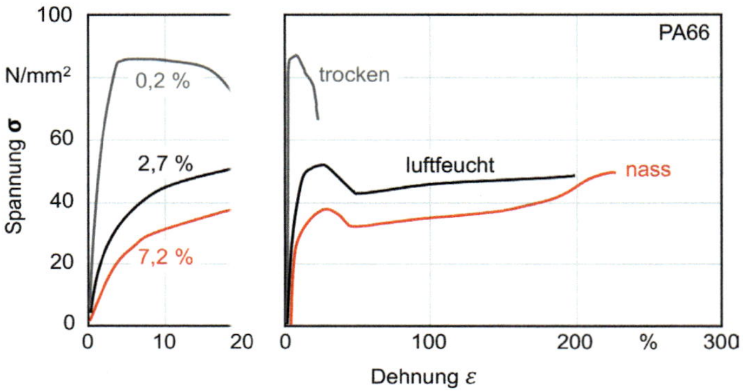

Bild 3.8 Spannungs-Dehnungs-Diagramme von trockenem, luftfeuchtem und nassem PA 66

Die Wasseraufnahme von Polyamiden hängt vom Verhältnis der CH_2-Gruppen zu den Polyamid-charakteristischen Carbonamid-CONH-Gruppen ab. Je geringer der relative Anteil dieser Gruppen ist, umso geringer ist die Wasseraufnahme. Einen Überblick über die Wasseraufnahme bei 23 °C und 50 % rel. Luftfeuchte und bei Sättigung nach Wasserlagerung zeigt Tabelle 3.3. Es ist zu berücksichtigen, dass die Wasseraufnahme von der kristallinen Struktur und der Molekülorientierung abhängt. Senkrecht zur Fließrichtung kann die Wasseraufnahme durchaus doppelt so hoch sein wie in Fließrichtung.

Tabelle 3.3 Wasseraufnahme von Polyamidteilen bei 23 °C/50 % rel. Feuchte und bei Lagerung im Wasser bei 23 °C.

Polyamid	Wasseraufnahme in Gew.-%	
	23 °C/50 % rel. Feuchte	Sättigung in Wasser
PA 6	≈ 3 %	≈ 9,9 %
PA 66	≈ 2,7 %	≈ 8,8 %

Polyamid	Wasseraufnahme in Gew.-%	
	23 °C/50 % rel. Feuchte	Sättigung in Wasser
PA 46	≈ 4,2 %	≈ 12 %
PA 6.10	≈ 2 %	≈ 3,7 %
PA 11	≈ 0,8 %	≈ 1,4 %
PA 12	≈ 0,8 %	≈ 1,5 %

Als Normklima werden 23 °C und 50 % rel. Feuchte angenommen. Diese ISO-Festlegung entspricht einer politischen Correctness. Die früher bei 20 °C und 75 % rel. Feuchte gemessenen Werte entsprechen eher dem realen Klima besonders in geschlossenen Räumen wie Technika. Bei 70 % rel. Feuchte wäre der Wassergehalt schon doppelt so hoch wie bei 50 %, bei 90 % rel. Feuchte mehr als 3mal so hoch.

Die Wasseraufnahme von Teilen aus Polyamid lässt sich abschätzen, wobei Wanddickenunterschiede kritisch zu bewerten sind. Bei Formteilen mit gleicher Wanddicke lässt sich der Feuchtigkeitsgehalt näherungsweise beschreiben (Bayer):

$$C_t = C_s \cdot \frac{2{,}256}{s} \cdot \sqrt{D \cdot t} \qquad (3.1)$$

$$t = \frac{\left(\dfrac{C_t \cdot s}{C_s \cdot 2{,}256} \right)^2}{D} \qquad (3.2)$$

C_t Wasserkonzentration zur Zeit t in %
C_s Sättigungskonzentration in %
s Dicke in cm
t Zeit in sec
D Diffusionszahl in cm^2/s

Die Diffusionszahlen D betragen bei PA 66 bei 23 °C ≈ $0{,}35 \cdot 10^{-6}$ mm^2/s; bei 40 °C ≈ $1{,}2 \cdot 10^{-6}$ mm^2/s und bei 60 °C ≈ $3{,}6 \cdot 10^{-6}$ mm^2/s. Bei 30 % Glasfasergehalt liegen die Werte ca. 15 % höher. Bei PA 6 liegen die Diffusionszahlen etwa doppelt so hoch, allerdings scheint es hierbei keinen Unterschied zu geben für PA 6 mit und ohne Kurzglasfasern. Generell sind Diffusionszahlen nicht leicht zu finden.

Es sind aber folgende Nachteile mit diesen Formeln verbunden:

- sie gelten nur für plattenförmige Probekörper und können nicht auf komplexere Geometrien wie Maschinenelemente übertragen werden;
- Gradienten innerhalb des Probekörpers werden nicht erfasst;
- die Diffusionszahl des zu untersuchenden Materials muss bekannt sein;
- die Extrapolation führt bei großen Zeiten zu überhöhten Werten für den Feuchtigkeitsgehalt.

Da die Wasseraufnahme den gleichen physikalischen Gesetzmäßigkeiten wie die Wasserabgabe unterliegt, kann die Gleichung umgeformt und durch Zusammenfassen von Probekörperdicke und Diffusionszahl vereinfacht werden:

$$C_t = C_s(1 - a\sqrt{t}) \tag{3.3}$$

C_t Wasserkonzentration zur Zeit t in %
C_s Sättigungskonzentration in %
t Zeit in sec
a Regressionsparameter

Mit dieser Gleichung kann der Wassergehalt ohne Kenntnis der Diffusionszahl auf Grundlage weniger gemessener Werte für die untersuchte Probekörpergeometrie zeitabhängig beschrieben und extrapoliert werden. Der Parameter a wird für jede Lagerungstemperatur getrennt durch Regression ermittelt. Der betrachtete Zeitraum zur Approximation sollte dabei nicht unter 20 h bzw. einer Abnahme von ca. 50 % rel. Wassergehalts (bezogen auf die luftfeuchte Konditionierung) liegen. An Platten bzw. Zugstäben ermittelte Zusammenhänge können nicht auf Bauteile mit komplexen Geometrien, wie z. B. Zahnräder, übertragen werden, da hier teilweise stark unterschiedliche Oberflächen-Volumen-Verhältnisse vorliegen. Wie sehr der Wassergehalt bei PA 6 den Schubmodul beeinflusst, zeigt Bild 3.9.

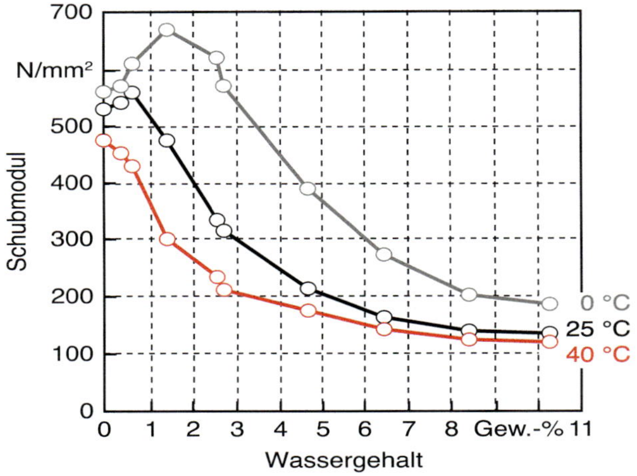

Bild 3.9 Schubmodul von PA 6 bei 0 °C, 25 °C und 40 °C für verschiedene Wassergehalte.

Einflussgrößen auf die Wasseraufnahme bei PA:

- Polyamid nimmt bis zu einem Gleichgewichtszustand Feuchtigkeit bzw. Wasser aus der Umgebung auf. Ist dieser erreicht, so tritt eine Verschiebung des Gleichgewichts nur nach Änderung der Umgebungsbedingungen, wie Feuchtigkeitsgehalt und Temperatur der Luft, ein.

- Für einen gegebenen Diffusionseinfluss ist die Geschwindigkeit der Wasseraufnahme proportional zur spezifischen Oberfläche des Bauteils.
- Da der Diffusionskoeffizient von Wasser in einem Festkörper mit steigender Temperatur erheblich zunimmt, erhöht sich die Geschwindigkeit der Wasseraufnahme mit zunehmender Umgebungstemperatur.
- Die Aufnahme und Abgabe von Wasser verläuft bei gefülltem Polyamid gewöhnlich wesentlich langsamer als bei ungefülltem.
- Die Sättigungskonzentration von PA-Homopolymeren ist bei vergleichbarer Bauteilgeometrie und Umgebungsbedingung eine Funktion des Verhältnisses von CH_2- zu NHCO-Gruppen. Je geringer die NHCO-Konzentration ist, umso niedriger ist die Sättigungskonzentration.
- Da überwiegend amorphe Bereiche des PA Wasser aufnehmen, hängt die Wasseraufnahme auch wesentlich vom Kristallinitätsgrad (30 – 45 %) ab, der weitgehend durch die Verarbeitungsbedingungen beeinflusst wird. Mit steigender Kristallinität nehmen sowohl die Sättigungskonzentration als auch die Geschwindigkeit der Wasseraufnahme beträchtlich ab. Da Mischpolyamide eine geringere Kristallinität aufweisen, nehmen sie selbst bei übereinstimmender Amidgruppenkonzentration mehr Wasser auf als Homopolyamide.

3.2.1.2 Rücktrocknung

Teile aus Polyamid, die eine luftfeuchte Konditionierung aufweisen, ändern ihre mechanischen Eigenschaften bei Lagerung oder Nutzung unter verschiedenen Temperaturen relativ schnell. Die 2 und 4 mm dicken Proben wurden bei 70 °C und 60 % rel. Feuchte luftfeucht konditioniert und anschließend bei verschiedenen Temperaturen gelagert und dann geprüft. Der Konditionierungszustand luftfeucht betrug bei dem unverstärktem PA 66 = 2,8 Gew.-% und bei PA-66-GF30 = 1,8 %.

Die Änderung des E-Moduls kann näherungsweise zwischen den Zuständen luftfeucht und trocken (< 0,2 % rel. Feuchte) in Abhängigkeit vom Wassergehalt R_{H2O} nach folgender Gleichung beschrieben werden:

$$E(R_{H_2O}) = E_{tr} - \frac{E_{tr} - E_{lf}}{100} \cdot R_{H_2O} \qquad (3.4)$$

E_{tr} E-Modul trocken
E_{lf} E-Modul luftfeucht
R_{H2O} H_2O Restgehalt in %

Eine Extrapolation dieses Zusammenhangs auf nasse Polyamid-Probekörper ist nicht zulässig, da mit weiter steigendem Feuchtigkeitsgehalt bis zur nassen Konditionierung die mechanischen Eigenschaften nicht im gleichen Verhältnis abnehmen.

Sowohl der E-Modul wie auch die Streckspannung ändern sich nach einigen Stunden relativ schnell, Bild 3.10 und Bild 3.11.

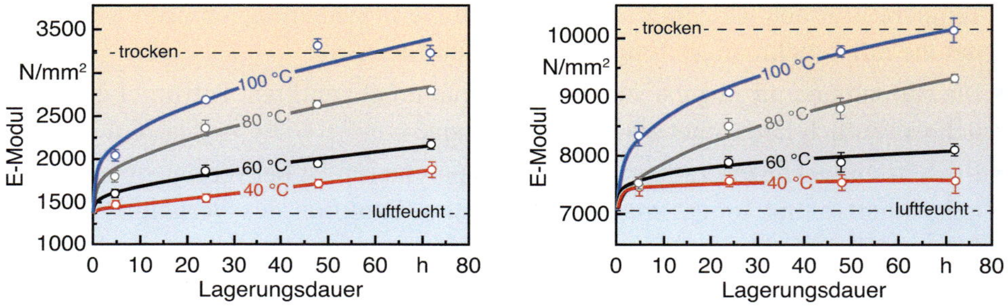

Bild 3.10 Zunahme des E-Moduls in Abhängigkeit von der Lagerungstemperatur und -zeit, trocken
links: PA 66 (Ultramid A3K©);
rechts: PA 66-GF30 (Ultramid A3EG6©)

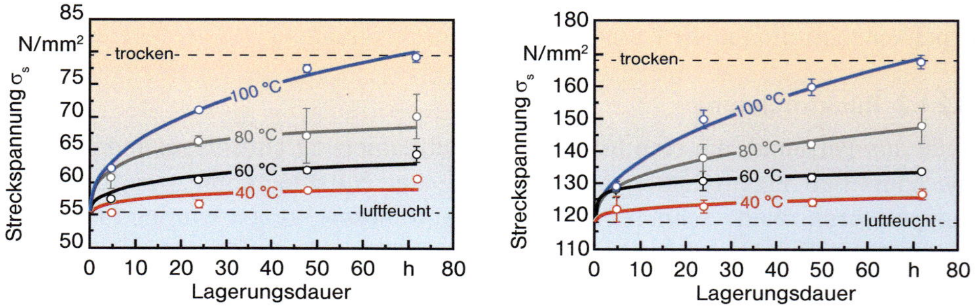

Bild 3.11 Zunahme der Streckspannung in Abhängigkeit von der Lagerungstemperatur und -zeit, trocken
links: PA 66 (Ultramid A3K©);
rechts: PA 66-GF30 (Ultramid A3EG6©)

2 mm dicke Plättchenproben aus PA 66 und PA 66-GF 30 wurden bis zur Gewichtskonstanz im Klimaschrank bei 70 °C und 62 % rel. Feuchte gelagert und somit luftfeucht konditioniert. Anschließend wurden sie bei unterschiedlichen Temperaturen in normaler Umgebung (Wärmeschränke) gelagert und die Änderung des Wassergehalts nach 50 und 200 Stunden gemessen. Dabei zeigte sich, dass diese luftfeucht konditionierten Proben mit zunehmender Temperatur schnell an Feuchtigkeit verlieren und sich dem Zustand trocken (0,2 % Feuchtegehalt) nähern. Der jeweilige Wassergehalt wurde mittels Karl-Fischer-Titration gemessen. Dazu wurden die Proben aus den Wärmeschränken entnommen und jeweils 5 min bei RT abgekühlt und dann gemessen.

Tabelle 3.4 Verbleibender Wassergehalt von luftfeucht konditionierten 2 mm-Plattenproben aus PA 66 mit und ohne Glasfasern nach Lagerung bei verschiedenen Temperaturen (Rücktrocknung).
** Die negativen Werte sind wahrscheinlich auf ausdiffundierende niedermolekulare Bestandteile zurückzuführen.*

Lagerungstemperatur	Ausgangswassergehalt (Gew.-%)	verbleibender Wassergehalt (Gew.-%) nach	
		5 h	200 d/ 125 h/40 h
RT			
PA 66	2,8	2,8	1,5 (200 d)
PA 66 - GF 30	1,9	1,9	1 (200 d)
40 °C			
PA 66	2,8	2,6	0,53 (200 d)
PA 66 - GF 30	1,9	1,8	0,26 (200 d)
60 °C			
PA 66	2,8	2,4	0,3 (200 d)
PA 66 - GF 30	1,9	1,6	0,06 (200 d)
80 °C			
PA 66	2,8	2	0,26 (125 h)
PA 66 - GF 30	1,9	1,3	-0,09* (125 h)
100 °C			
PA 66	2,8	1,3	0,05 (40 h)
PA 66 - GF 30	1,9	0,86	-0,14* (40 h)

3.2.1.3 Konditionierungsverfahren

Bei der Konditionierung ist zu berücksichtigen, dass das Wasser zunächst in die Außenbereiche eindringt und erst langsam ins Innere. Dies kann besonders bei dickwandigen Teilen längere Zeit dauern. Als Prüfverfahren für die Änderung des Wassergehalts eignet sich die Gewichtsprüfung. Ist der Ausgangswassergehalt für den wasserfreien Zustand nicht bekannt, empfiehlt sich eine Trocknung im Vakuum bei 60 – 80 °C ebenfalls bis zur Gewichtskonstanz, Tabelle 3.5.

Als Konditionierungsverfahren haben sich bewährt:

Tabelle 3.5 Konditionierungsverfahren in der Praxis (Bayer).

Verfahren	Bedingungen	Vorteile	Nachteile	Abhilfe/Besonderheiten
Tropenklima	40 °C 90 – 95 % r. F.	schonend, verstärkte und gefärbte PA	Aufwand/ Klimaschrank	
Wasserlagerung	80 – 90 °C	schnell	Verfärbung, Wasserflecken	0,2 – 0,5 % Reduktionsmittel (Bisulfit) enthärtetes/entsalztes Wasser
	70 °C/ 62 % r. F.	ISO 1110		Probekörper
	60 °C	empfohlen/ schonend		
	20 – 40 °C	billig	Dauer	große Teile
Verpackung in PE-Beuteln	RT + 2 – 5 % Wasser	preiswert	unkontrolliert	besonders für Kleinteile

Die Wasseraufnahme folgt den gleichen physikalischen Gesetzen wie die Wasserabgabe.

Sollen also bestimmte Eigenschaften erreicht werden und ist die normale Umgebungsfeuchte im Betrieb zu erwarten, müssen Teile aus hydrophilen Kunststoffen, und hier besonders aus Polyamid, vor dem Gebrauch konditioniert, d. h. auf einen bestimmten Feuchtegehalt gebracht werden. Auch hierbei ist darauf zu achten, dass der Konditionierungszustand nicht beliebig durch Temperaturerhöhung beschleunigt werden kann, wenn eine Schädigung durch Hydrolyse vermieden werden soll. Typische Fehler beim Konditionieren und sinnvolle Abhilfen sind in Tabelle 3.6 dargestellt.

Tabelle 3.6 Fehler beim Konditionieren, speziell Polyamid (Bayer).

Fehler	Maßnahme
Korrosion von Stahlteilen	▪ Werkstoffänderung für Metallinsert ▪ Zusatz von Korrosionsschutzmitteln, z. B. 0,2 bis 0,5 % Hexamethylentetramin
Verfärbungen	▪ Senken der Konditioniertemperatur ▪ Zusatz von 0,2 bis 0,5 % eines Reduktionsmittels wie Natriumhydrogensulfit („Bisulfit“)
Wasserflecken	▪ Verwendung von enthärtetem oder entsalztem Wasser (Ionentauscher) ▪ Erniedrigung der Wassertemperatur ▪ Umstellung auf Klimakammer

Fehler	Maßnahme
Oberflächenbelag aus Mono- und Oligomeren	▪ Konditionieren in Klimakammer ▪ häufiger Wasserwechsel und niedrigere Wassertemperatur ▪ Abwischen der Teile mit Spiritus oder Isopropanol
Risse an Fließnähten	▪ kein Konditionierproblem – Verarbeitungsmaßnahmen erforderlich, z. B. Erhöhung von Masse und Werkzeugtemperatur
Verzug	▪ Konditionieren bei niedriger Wassertemperatur, ggf. bei 20 °C ▪ konstruktive Maßnahmen zur Formteilgestaltung ▪ Verarbeitung – z. B. höhere Werkzeugtemperaturen

3.2.2 Feuchte bei der Verarbeitung

Der Grad des Abbaus bei feucht verarbeitetem, hydrolyseempfindlichem Material lässt sich durch Viskositätsmessung bestimmen, da die Feuchte einerseits eine Schmierwirkung ausübt, andererseits die Molekülkettenzerstörung ebenfalls die Viskosität verringert, Bild 3.12. Zur Messung eignen sich sowohl die Messung der Lösungsviskosität als auch die bekannte Schmelzeviskositäts- bzw. Schmelzindexmessung. Da beide Wirkungen in die gleiche Richtung gehen, sind Vergleichsmessungen sinnvoll.

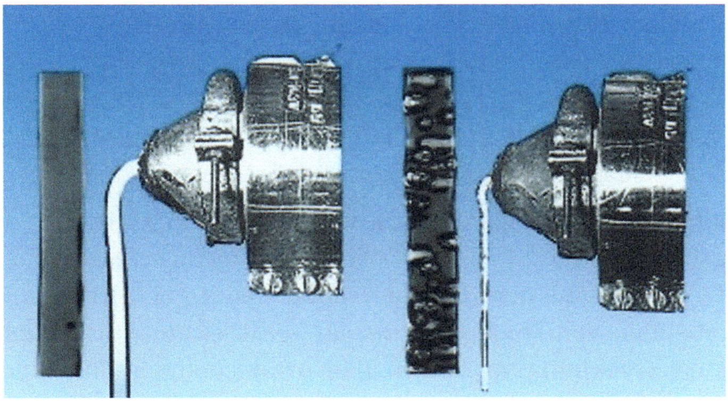

Bild 3.12 Aussehen des Massestranges bei trockenem bzw. feuchtem Material (PC) [Bayer (TI PCS-1141d]

Von der Feuchte sind nach *Johannaber* und *Heinzler* folgende Wirkungen bei der Verarbeitung zu erwarten:

- Feuchte erniedrigt die Viskosität und erhöht die Gefahr der Hydrolyse.
- Für jeden Kunststoff gibt es einen optimalen Feuchtegehalt; dieser ist bis heute weitestgehend unbekannt.

- Vollständig trocken ist immer verkehrt; angegebene Empfehlungen orientieren sich an Oberflächenstörungen.
- Oberflächenfeuchte und eindiffundierte Feuchte trocknen unterschiedlich.
- Trocknung erfolgt druck-, temperatur- und zeitabhängig; Lagerung, Trockner und Spritzgussmaschine unterliegen Schwankungen.
- Viskositätserniedrigung und chemischer Abbau während des Prozesses sind nicht einfach zu unterscheiden.

3.2.2.1 Grundlagen

Besonders zentrale Trocknungsanlagen bewirken Schwankungen. Flüssigkeiten und besonders Wasser können bis zum Erreichen eines Gleichgewichtszustandes eindringen und dadurch die intermolekularen Bindungskräfte reduzieren und die Beweglichkeit der Moleküle steigern. Dies trifft besonders wegen der Polarität des Wassers bei Kunststoffen mit ausgesprochen polaren Gruppen, wie den Polyamiden zu. Die Folgen sind: Absinken des Elastizitätsmoduls, Absinken der Glasübergangstemperatur, Beeinflussung elektrischer und physikalischer Eigenschaften, aber auch der Viskosität im Schmelzzustand. Diese Vorgänge sind physikalischer Natur und meist reversibel, sofern aus dem Kunststoff keine Bestandteile herausgelöst werden oder sich die Struktur, z. B. durch Sekundärkristallisation, nicht ändert.

Der Feuchtigkeitsgehalt spielt bei der Verarbeitung von Kunststoffen eine wichtige Rolle. Dass Kunststoffe bei der Verarbeitung „absolut trocken sein müssen", ist falsch, da die Restfeuchte unter dem beim Spritzgießen herrschenden Druck gelöst bleibt und die Wassermoleküle das Fließen der Schmelze positiv beeinflussen. Weil beim Spritzgießen der Feuchtegehalt die Viskosität beeinflusst, ist ein konstanter Trocknungszustand wichtig. Abbau ist dabei meistens kein Thema.

Trocknen bedeutet das Beseitigen von Restfeuchte aus Kunststoffen, welche beim Verarbeitungsbetrieb eindiffundiert ist oder sich angelagert hat. Beim Beseitigen von flüchtigen Stoffen aus dem Polymerisations- oder Polykondensationsprozess spricht man ebenfalls von Trocknung. Bei der Verarbeitung muss damit gerechnet werden, dass bei Trocknungsvorgängen aller Art auch andere flüchtige Stoffe austreten können.

Generell kann man die Kunststoffe bezüglich der Verarbeitung in zwei Kategorien einteilen:

- Kunststoffe, die kein zusätzliches Trocknen vor der Verarbeitung erfordern
- Kunststoffe, die vor der Verarbeitung sorgfältig getrocknet werden müssen

> Trocknung beginnt im Prinzip mit der Lagerung.

Die hygroskopischen Kunststoffe können seitens des Lieferanten ausreichend trocken angeliefert werden. Die sog. Offenzeiten dieser Kunststoffe betragen nur 10 bis 60 min.

Feuchte in ausreichend trockenen Kunststoffen zeigt sich in Blasen im aufgeschmolzenen Schmelzestrang oder in Schlieren auf den Formteilen, Bild 3.2 und Bild 3.4.

Das Prinzip der Trocknung von Kunststoffen beruht auf der Schaffung eines sog. Diffusionsgefälles. Das wesentliche Kriterium für das zu wählende Verfahren der Trocknung und die erforderliche Zeit ist der erforderliche Trocknungsgrad, sowie die temperatur-/zeitabhängige Belastung des Materials über der resultierenden Trocknungszeit bei den verschiedenen Verfahren.

Für die Granulattrocknung stehen die Umluft-, Mischluft-, Trockenluft- oder Vakuumtrocknung zur Verfügung. In allen Varianten wird künstlich ein Diffusionsgefälle erzeugt. Im einfachsten Fall reicht die Schaffung eines Temperaturgefälles durch Erwärmen. Trockener wird ein Kunststoff, wenn die warme Luft vorher getrocknet wurde.

Kein Kunststoff muss absolut trocken verarbeitet werden.

Kunststoffe sind bei Eingabe in eine Verarbeitungsmaschine nicht absolut trocken. Über die Restwassermenge bei der Verarbeitung gibt es strittige Auffassungen. Vereinfacht gesagt, darf der zu verarbeitende Kunststoff höchstens so feucht sein, dass keine sichtbaren Störungen an der Oberfläche auftreten. Die Löslichkeit der Feuchte im Kunststoff ist typ-, temperatur-, druck- und zeitabhängig. Angaben zum Trocknen erfolgen häufig unabhängig von der Verarbeitungsmethode, obwohl Feuchte z. B. beim Extrudieren bei niedrigerem Gehalt austritt als beim Spritzgießen, wegen des niedrigeren Verarbeitungsdrucks. Beim Spritzgießen selbst treten Beeinträchtigungen von Oberflächen umso weniger auf, je schneller eingespritzt wird (s. a. Abschnitt 3.2.2.2 „Einfluss auf die Viskosität“).

Der hydrolytische Abbau infolge der in den Verarbeitungsprozess eingeschleppten Feuchte kann meist vernachlässigt werden. Nur bei Polyamiden, Polyimiden, einigen Polyestern, Polysulfonen, Polyetherketonen und Polyurethanen – also insbesondere bei Polykondensaten – ist zur Erhaltung des Eigenschaftsniveaus eine ausreichende Trocknung auf 0,01 bis 0,1 % Restfeuchte erforderlich.

Zusammengefasst:

- im Unterschied zum Zustand bei Lagerung oder Verwendung verlassen Kunststoffe die gängigen Verarbeitungsprozesse relativ trocken;
- bei einigen Kunststoffen lagert Feuchte an der Oberfläche, andere nehmen sie in den molekularen Verband auf;

- die meisten Kunststoffe können bei wenig Feuchtegehalt verarbeitet werden, ohne sie trocknen zu müssen. Kein Kunststoff muss absolut trocken verarbeitet werden;
- auch in einem Trockner getrocknete Kunststoffe tragen Restfeuchte. Diese Restfeuchte kann nach dem speziellen Trocknungsvorgang vorhanden sein oder während des Transportes aufgenommen werden. Das gilt auch für Transporte in geschlossenen Systemen.

3.2.2.2 Einfluss auf die Viskosität

Insbesondere bei hygroskopischen Polymeren ist der Restfeuchtegehalt c_{H2O} ein entscheidender Faktor, der sich auf die Materialeigenschaften auswirkt und damit prozess- und qualitätsrelevant ist. Zum einen kann eine hydrolytisch verstärkte Degradation zu einer Reduzierung der Kettenlänge über u. a. Kettenspaltungsreaktionen, Depolymerisation und Umesterung führen. Kunststoffspezifisch sind diese Reaktionen zeit- sowie temperaturabhängig nicht auszuschließen. Die Reduzierung der Kettenlänge führt zu einer direkten Reduzierung der Viskosität. Diese Reaktionen vollziehen sich vornehmlich bei Polymeren mit hydrolysierbaren Gruppen, wie Ester-, Amid- oder Nitrilgruppen in den Hauptketten.

Unabhängig von den Temperatur- und Zeiteinflüssen ist eine Abnahme der Viskosität durch eine erhöhte Restfeuchte im Material zu erwarten. Durch die Konditionierung technischer Kunststoffe wird unter Vernachlässigung chemischer Reaktionen die physikalische Struktur beeinflusst. Bezogen auf die physikalische Struktur sind insbesondere Dipol- und Wasserstoffbrückenbindungen bei polaren Polymeren für das Viskositätsniveau entscheidend. Lagern sich Wassermoleküle zwischen den Polymerketten im freien Volumen der Werkstoffmatrix an, werden diese Bindungskräfte reduziert. Über die Wassermoleküle, und die damit veränderte Anordnung der Polymerketten, wird ein leichteres Abgleiten der Kettensegmente ermöglicht und die Anziehungskräfte sowie Interaktion der Ketten untereinander verringert.

Nach Bild 3.13 und Bild 3.14 ist die Viskosität in Abhängigkeit vom Restfeuchtegehalt c_{H2O} über der Schergeschwindigkeit für ein teilkristallines PA 6 dargestellt. Die Ergebnisse zeigen eine deutliche Beeinflussung der Viskosität, die insbesondere in den niedrigen Schergeschwindigkeiten aufgelöst werden kann. Die Ausprägung dieses Effektes nimmt bei sehr hohen Schergeschwindigkeiten innerhalb der Messauflösung ab.

Vorsicht mit der Null-Viskosität – Gefahr logarithmischer Artefakte

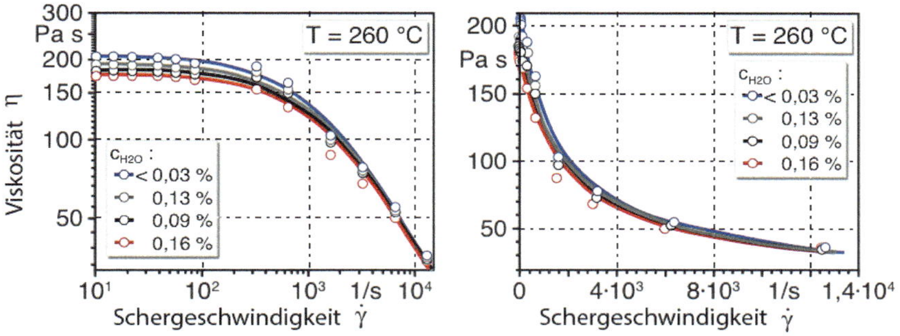

Bild 3.13 Einfluss der Materialkonditionierung auf die Viskosität von PA 6 [Heinzler]

Auch für den amorphen Kunststoff kann der viskositätsreduzierende Effekt mit steigendem Restfeuchteanteil bestätig werden. Ausprägung und Einfluss sind materialspezifisch. Ein Beispiel hierzu ist in Bild 3.14 dargestellt.

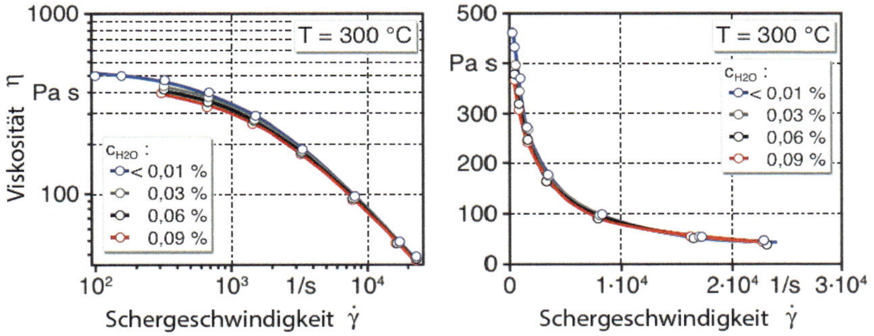

Bild 3.14 Einfluss der Materialkonditionierung auf die Viskosität von PC, logarithmisch und linear aufgetragen [Heinzler]

3.2.2.3 Einfluss auf die Struktur der Kunststoffe

Unter Einwirkung der Feuchte und der Temperatur ergeben sich im schmelzeförmigen Kunststoff einige fast immer irreversibel ablaufende Änderungen der Konstitution der Makromoleküle. Diese können physikalischer und chemischer Art sein.

Physikalisch kann die Restfeuchte wie ein Weichmacher wirken. Dabei genügt bereits ein geringer Anteil an Restfeuchte, um einen merklichen Abfall der Viskosität zu bewirken. Physikalisch entstehen durch den Einfluss der Temperatur und der mechanischen Belastung reversible Änderungen z. B. des Freien Volumens und des Ausdehnungsverhaltens, was zu Dimensionsänderungen verbunden mit mechanischen Spannungen führt. Die Spannungen können zu Rissbildungen und Brüchen führen. Die hohen mechanischen Belastungen im Plastifizieraggregat und im Werkzeug können aber auch irreversibel zu einer Reduzierung der Kettenlängen führen und damit die Struktur beeinflussen. Zu diesen Vorgängen ist wenig bekannt (Heinzler).

Chemische Strukturänderungen können thermische, thermisch-oxidative und hydrolytische Ursachen haben. Bei den rein thermischen Abbaureaktionen wird zwischen

- der statistischen Kettenspaltung mit Abnahme der Molmasse ohne Bildung von niedermolekularen Verbindungen,
- der Depolymerisation mit Monomerenbildung ohne wesentliche Änderung der Molmasse sowie
- der Eliminierung bzw. Abspaltung von Seitengruppen und
- der Bildung niedermolekularer Verbindungen unterschieden.

Neben der Spaltung der Molekülketten können bei linearen Polymeren Vernetzungsreaktionen und Nachkondensationen auftreten, was zu einer Erhöhung der Molmasse führt und bei Polyamiden bekannt ist.

Wenn Sauerstoff für die Reaktion zur Verfügung steht, kommt es zu *thermisch-oxidativem Abbau*. Da in niedrigen Temperaturbereichen bei technischen Polymeren noch kein rein thermischer Abbau auftritt, sind nur oxidative Reaktionen in diesem Temperatursegment von Bedeutung. Bei diesen Reaktionen wird durch die Bildung von Oxidationsprodukten die Zusammensetzung des Polymers verändert. Dabei können die drei Mechanismen Kettenspaltung, Vernetzung und Verzweigung von Molekülketten unterschieden werden. Der Sauerstoffanteil im Plastifizieraggregat einer Spritzgießmaschine ist jedoch als vernachlässigbar gering einzustufen, so dass diese Reaktionen keine entscheidende Rolle spielen.

Von großer Bedeutung ist, insbesondere bei Polykondensaten wie PA, PC, PBT und PET, der *hydrolytische Abbau* unter Temperatureinfluss. Durch Hydrolyse kommt es zu einer Aufspaltung dieser Gruppen und einer Reduktion der Molmasse.

3.2.2.4 Trocknung für die Verarbeitung nach *Friedrich Johannaber*

3.2.2.4.1 Ausgangszustand

> Der Feuchtigkeitsgehalt spielt bei der Verarbeitung von Kunststoffen eine wichtige Rolle. Dass Kunststoffe bei der Verarbeitung „absolut trocken" sein müssen, ist falsch.

Die Restfeuchte bleibt unter dem beim Spritzgießen herrschenden Druck gelöst und die Wassermoleküle beeinflussen das Fließen der Schmelze positiv. Beim Spritzgießen muss man also nur soweit trocknen, dass keine Oberflächenbeeinträchtigung auftritt. Da der Feuchtegehalt die Viskosität beeinflusst, ist ein konstanter Trocknungszustand wichtig. Abbau ist dabei meistens kein Thema.

Trocknen bedeutet das Beseitigen von Restfeuchte, welche in Kunststoffen im Verarbeitungsbetrieb eindiffundiert ist oder sich angelagert hat. Beim Beseitigen von flüchtigen Stoffen aus dem Polymerisations- oder Polykondensationsprozess spricht man ebenfalls von Trocknung. Bei der Verarbeitung muss damit gerechnet werden, dass bei Trocknungsvorgängen aller Art auch andere flüchtige Stoffe austreten können.

Generell kann man die Kunststoffe bezüglich der Verarbeitung in zwei Kategorien einteilen:

- Kunststoffe, die kein zusätzliches Trocknen vor der Verarbeitung erfordern;
- Kunststoffe, die vor der Verarbeitung sorgfältig getrocknet werden müssen. Die Trocknung beginnt im Prinzip mit der Lagerung.

3.2.2.4.2 Trocknungszeit und -temperatur

Die richtige Trocknungstemperatur und ausreichende Trocknungszeiten sind für die anschließende Verarbeitung entscheidend. Unterschiede in den Angaben erklären sich teilweise aus den sehr vom verwendeten Gerät abhängigen Trocknungsergebnissen. Unter Trocknungstemperatur wird vielfach nur die am Trockner eingestellte Temperatur verstanden. Die für eine Kontrolle der vorgeschriebenen Temperatur wichtigen Temperaturfühler findet man nicht immer.

Zusätzlich eingefüllte Batches, Füll-, Verstärkungs- und Farbstoffe können auf die Trocknungszeit Einfluss nehmen. Die Tabelle 3.7 zeigt die maximale Wasseraufnahme im Normalklima (luftfeucht), bei Wasserlagerung, zulässige Feuchte bei der Spritzgießverarbeitung, Dampfdruck bei der Verarbeitungstemperatur sowie empfohlene Trocknungstemperatur und -zeit.

Sie enthält nur Angaben für Standardprodukte der genannten Klassen, nicht für Sondertypen. Abhängig vom Kunststofftyp, aber auch vom Qualitätsanspruch eines Formteils können die Trocknungsanforderungen differieren.

Trocknungszeiten können nicht beliebig verlängert werden. Auch beim Trocknen kann, da intensiver Kontakt mit Sauerstoff besteht, Abbau eintreten. Bei einigen Kunststoffen äußert sich dieses sehr schnell in Form einer Farbverschiebung nach Gelb. Ein hoher Dampfdruck bei der Verarbeitungstemperatur ist günstig für die Direktentgasung beim Einsatz von Entgasungsschnecken.

Die Zeit zum Erreichen von Feuchtigkeitsgleichgewichtszuständen in feuchter Luft oder Wasser dauert Tage bis Wochen. Die Zeit bis zur kritischen Rückfeuchte ist um Größenordnungen kürzer. Die Zeit bei der Trocknung von feuchtem Material hin zum richtigen Verarbeitungszustand ist um Größenordnungen kürzer und liegt im Bereich von Stunden.

Tabelle 3.7 Maximale Wasseraufnahme im Normklima (luftfeucht) und bei Wasserlagerung, zulässige Feuchte bei der Spritzgießverarbeitung, Dampfdruck bei der Verarbeitungstemperatur, empfohlene Trocknungstemperatur und -zeit

1) bei Lagerung ohne Ausschluss der Umgebungsfeuchtigkeit

2) bei üblicher Lagerung nicht erreicht

3) Erfahrungswerte, keine physikalischen Messwerte, berücksichtigt Transport vom Trockner in Trichter, Aufenthalt im Trichter

4) ggf. bis 20 °C höher

5) die Zeiten berücksichtigen eine nicht optimale Handhabung des getrockneten Materials beim Transport vom Trockner bis zum Einzug durch die Schnecke.

Kurzzeichen	Prüfmethode	max. Wasseraufnahme im Normklima [1] [%]	max. Wasseraufnahme / Wasserlagerung [2] [%]	zul. Feuchte bei Spritzgießverarbeitung [3] [%]	Dampfdruck bei Verarbeitungstemperatur [bar]	Trocknungstemperatur [4] [°C]	Verweilzeit bei Umgebungstemperatur [5] [min]
ABS	DIN 53495	0,3 - 0,4	0,7	0,2	15 - 50	80	15
ASA	DIN 53495	0,3 - 0,4	0,6	0,1	15 - 50	80	15
CA	DIN 53472	3,5 - 5	3,8 - 5	< 0,2	10 - 30	75	30
CAB	DIN 53472	2 - 2,5	2 - 2,5	< 0,2	10 - 30	75	30
CP	DIN 53472	2,3 - 2,8	2,3 - 2,7	< 0,3	10 - 30	75	30
PA 6	DIN 53472	2,8 - 3,5	9 - 10	0,1 - 0,2	50 - 85	90	40
PA 66	DIN 53472	2,5 - 3 [1]	7,5 - 9	0,1 - 0,2	50 - 85	90	40
PA 6-3-T	DIN 53472	2,8 - 3	6,5 - 7,5	0,1	50 - 65	90	40
PA 46	DIN 53472	2 - 3 [1]	6 - 8	0,1 - 0,2	50 - 85	90	40
PA 10	DIN 53472	1,3 - 1,8 [1]	2,5	0,1 - 0,2	40 - 60	90	40
PA 11,12	DIN 53472	0,7 - 1,3 [1]	1,3 - 1,9	0,1 - 0,2	10 - 45	90	40
PAN	ASTM D570	0,4	0,5	0,1	10 - 30		
PAI	DIN 53495	0,15 - 0,35	0,22 - 0,28	0,1	110 - 160	150	30
PPA	DIN 53495	0,1 - 0,7	0,9	0,1	80 - 135	100	20

Kurzzeichen	Prüfmethode	max. Wasseraufnahme im Normklima [1] [%]	max. Wasseraufnahme / Wasserlagerung [2] [%]	zul. Feuchte bei Spritzgießverarbeitung [3] [%]	Dampfdruck bei Verarbeitungstemperatur [bar]	Trocknungstemperatur [4] [°C]	Verweilzeit bei Umgebungstemperatur [5] [min]
PBTP (PBT)	DIN 53495	0,4 – 0,5	0,4 – 0,45	0,03	30 – 60	110	30
PC	DIN 53473	0,15 – 0,19	0,4	0,02	50 – 90	120	5
PCTFE	ASTM D570	< 0,05	< 0,05	0,01	40 – 50		
PECA	DIN 53473		0,3	0,01	60 – 100	130	10
PC/ ABS	DIN 53495	0,6 – 0,7	0,8	0,02 – 0,05	50 – 85	110	15
PE	DIN 53472	0,002	0,1 – 0,2	0,02	15 – 50	75	2 d
PAEK	ASTM D570	0,05	0,1	0,01	< 150	150 (bis 200)	60
PEK	ASTM D570	0,2	0,3	0,01 – 0,05	< 150	120	20
PEEK	ASTM D570	0,1 – 0,5	0,5	0,05	< 150	160	20
PEI	ASTM D570	1,25	3	0,1	< 150	100	60
PET	DIN 53495	0,16 – 0,35	0,55 – 0,8	< 0,2	50 – 85	120	30
PES	DIN 53472	0,2	2,3	0,05	120 – 150	130 – 150	30
PI	ASTM D570	0,24	3	0,01	< 120	140	30
PMMA	DIN 53495	0,35	1,6 – 2	0,06	10 – 65	80	15
POM	DIN 53495	0,15 – 0,9	0,2	0,1	10 – 30	100	60
PP	DIN 53472	< 0,01	< 0,01	0,02	25 – 85	90	2 d
PPO	ASTM D570	0,1	0,15	< 0,05	50 – 85	90	60
PPS	ASTM D570	0,05	0,1	0,02	< 120	150	60

Tabelle 3.7 Maximale Wasseraufnahme im Normklima (luftfeucht) und bei Wasserlagerung, zulässige Feuchte bei der Spritzgießverarbeitung, Dampfdruck bei der Verarbeitungstemperatur, empfohlene Trocknungstemperatur und –zeit *(Fortsetzung)*

Kurzzeichen	Prüfmethode	max. Wasseraufnahme im Normklima 1) [%]	max. Wasseraufnahme / Wasserlagerung 2) [%]	zul. Feuchte bei Spritzgießverarbeitung 3) [%]	Dampfdruck bei Verarbeitungstemperatur [bar]	Trocknungstemperatur 4) [°C]	Verweilzeit bei Umgebungstemperatur 5) [min]
PS	DIN 53495	0,2 – 0,3	0,2 – 0,3	0,2	10 – 30	80	2 d
PAR	DIN 53495	0,26		0,05	< 150	130	30
PSU	ASTM D570	0,3 – 0,6	≤ 0,6	< 0,02	130 – 150	130 – 150	30
PESU	ASTM D570	≤ 0,7	≤ 1,8	0,03	130 – 150	140	30
PPSU	ASTM D570	0,3 – 0,4	≤ 0,5	0,05	< 130	150	30
LCP	DIN 53495	< 0,08	< 0,2	0,01	40 – 60	150	60
PEBA	DIN 53495	0,3 – 0,7	≤ 0,7	0,03	20 – 65	80	30
TEEE (PEE)	ASTM D570	0,3 – 5	≤ 7	0,1	10 – 40	90 (110)	30
EVA	ASTM D570	0,07 – 0,1	< 0,4	0,1	10 – 40	70	30
EVAL	ASTM D570	< 0,2	< 0,4	0,1	5 – 10		
EBA	ASTM D570	< 0,2	< 0,4	0,1	5 – 10		
PVC	DIN 53472	< 0,1	0,5 – 3,5	0,08	5 – 20	60	120
PPE	ASTM D570	< 0,1	< 0,3	0,05	40 – 60		
PMP	ASTM D570	< 0,05	< 0,1	< 0,04	120 – 150		
PVDF	ISO 62	< 0,04	0,25	< 0,04	65 – 80	80	240
SAN	DIN 53495	0,1 – 0,2	0,2	0,1	10 – 50	80	30
SB	DIN 53495	< 0,1	≤ 0,2	0,04	10 – 60	70	30

3.2.2.4.3 Fehler beim Trocknen

Beim Trocknen werden viele Fehler gemacht, deren Ursachen relativ leicht zu beheben sind, Tabelle 3.8. Tatsächlich werden gerade bei der Lagerung und beim Transport frisch getrockneter Kunststoffe viele Fehler gemacht, u. a. beim Transport zur Anlage, bzw. zum Trichter.

Tabelle 3.8 Häufige Fehler beim Trocknen und Abhilfemaßnahmen (Bayer).

Fehler	Ursache	Abhilfe
falscher Trockner	▪ Behälterinhalt zu klein ▪ Heizleistung zu gering/ zu hoch (selten) ▪ Gebläseleistung (Luftmenge) zu gering	▪ Behälterinhalt ≥ 4-facher Stundendurchsatz ▪ spätestens nach ca. 60 min muss überall im Granulatbett die Solltemperatur erreicht sein ▪ Trockner mit leistungsfähigem Gebläse verwenden ▪ Granulat durch Temperaturfühler überwachen
Abweichungen von der Solltemperatur (Trocknungstemperatur)	▪ Reglerabweichung/ Regelschwankung ▪ Heizelemente defekt	▪ Messung der Granulatbetttemperatur mit Einstichthermometer im oberen Granulatbett ▪ Übertemperaturwächter ▪ optischen oder akustischen Signalgeber für Fehlfunktion einbauen ▪ bessere Regler einbauen
zu hohe Austrittstemperatur	▪ Luftführung im Gerät schlecht ▪ zu lange getrocknet ▪ mangelhafte Temperaturregelung	▪ bei Trockenlufttrocknern ggf. Abluft rückkühlen (Wärmetauscher) ▪ Leistung und Durchsatz anpassen ▪ Maßnahmen bei Pausen ▪ Regelungssystem überprüfen
Wirkungsgrad (Trocknerleistung) eingeschränkt	▪ Filter verstopft ▪ hohe Luftaustrittstemperatur ▪ falsche Gebläsedrehrichtung ▪ ungünstige Platzierung des Thermofühlers	▪ Filter reinigen/wechseln ▪ Granulattemperatur messen ▪ Luftführung im Gerät überprüfen ▪ Differenzdruckanzeige einbauen ▪ Thermofühler anders platzieren, Regler optimieren
verschmutztes Granulat	▪ mangelhafte Reinigung ▪ Filter fehlt ▪ Gerät nicht verschließbar ▪ Behälterabdeckung fehlt	▪ äußerste Sorgfalt bei Reinigung (Vorschrift ausarbeiten) ▪ Filter nachrüsten (Ansaug- und Austrittsseite) ▪ Behälter abdecken
ungleichmäßige Trocknerleistung (Trocknungszeitbedarf schwankt)	▪ ungleichmäßige Trocknerfüllung ▪ Trockenmittel geht zu Ende, Luft wird nur teilweise getrocknet ▪ Trocknerleistung reicht nicht	▪ ausreichend großen Trockner verwenden ▪ konstante Trocknerfüllung sicherstellen ▪ Trockenmittel nachfüllen (Anzeige am Gerät) ▪ leistungsfähigeren Trockner verwenden

Tabelle 3.8 Häufige Fehler beim Trocknen und Abhilfemaßnahmen (Bayer). *(Fortsetzung)*

Fehler	Ursache	Abhilfe
Rückfeuchtung nach ausreichender Trocknung	▪ Rückfeuchtung bei Transportvorgängen ▪ Rückfeuchtung im Trichter	▪ Transport im geschlossenen Behälter, mit getrockneter Luft bei erhöhter Temperatur (etwa Trocknungstemperatur) ▪ Maschinentrichter beheizen ▪ getrockneten Kunststoff sofort verarbeiten oder dicht verschließen
hoher Energieverbrauch	▪ Trockner nicht isoliert	▪ Gerät isolieren (Manschette) ▪ Doppelwandtrichter verwenden, Trichter isolieren
Klumpen und Zusammenbacken von Granulat	▪ Trocknungstemperatur zu hoch ▪ große Regelschwankungen ▪ Ansaugfilter verstopft ▪ falsche Gebläsedrehrichtung ▪ Totraum im Behälter ▪ Verweilzeit zu hoch	▪ Trocknungstemperatur herabsetzen ▪ Regler, Filter, Gebläse überprüfen ▪ Gerät entleeren, da angesinterte Kuchen unten im Gerät häufig nicht erkannt werden ▪ angepasste Trocknergröße verwenden ▪ Kontrolle der Beschickung durch Bedarfssignal von der Spritzgießmaschine aus steuern
Farbänderung, Eigenschaften fallen ab	▪ zu hohe Trocknungstemperatur ▪ zu lange Verweilzeit im Trockner ▪ einseitige Luftführung im Granulatbett	▪ Maßnahmen wie schon zuvor genannt
ungleichmäßige Trocknungsleistung in Geräten mit mehreren Behältern	▪ ungleichmäßige Luftstromteilung ▪ ungleiche Füllung ▪ falsche Luftstromteilung	▪ für gleiche Füllung sorgen ▪ Durchflussmengenmesser für Luftstrom anbringen
hohe Energieverluste, hohe Kosten	▪ Verlust von Abluftwärme	▪ Rückgewinnung der Abluftwärme durch Wärmetauscher im Trockner ▪ Rückgewinnung der Förderluftwärme durch Wärmetauscher

3.2.2.4.4 Bestimmung der Restfeuchte

Bei transparenten, nicht eingefärbten Kunststoffen tritt der Schneckenstrang bei niedriger Ausströmgeschwindigkeit glasklar aus der Düse ins Freie aus. Ist er frei von Blasen, so ist die Schmelze i. A. für die Verarbeitung ausreichend trocken. Feuchtigkeitsreste zeigen sich durch Blasen oder Schaumstrukturen oder schlierige Oberflächen. Absolut zuverlässig ist die Methode insbesondere dann nicht, wenn es nicht gelingt, den Ausströmvorgang im Takt des normalen Arbeitszyklus durchzuführen.

Ein zu hoher Grad an Feuchte zeigt sich z. B. durch Bläschen oder auch Schlierenbildung in Spritzgießteilen. Bei transparenten Kunststoffen würde sich die Feuchtigkeit mit diesen Merkmalen relativ zuverlässig an oder in Teilen erkennen lassen. Allerdings ist es durchaus möglich, dass Feuchteschlieren nicht bei jedem Formteil und nicht immer in großer Menge auftreten.

Außerdem muss bei visuellen Kontrollen bedacht werden, dass es für gleich oder sehr ähnlich aussehende Schlieren andere Ursachen gibt, wie Zersetzung oder eingezogene Luft.

Für hydrolysegefährdete und durch Feuchte abbauende Kunststoffe eignet sich die Methode des abwartenden Beobachtens grundsätzlich nicht. Bis zum Sichtbarwerden von Schlieren oder gar eindeutigen Verfärbungen durch Abbau können schon Abbauschäden eingetreten sein. Eigenschaftsänderungen an Formteilen sind mit dem bloßen Auge nicht zu erkennen.

Den Einfluss durch einen zu hohen Restfeuchtegehalt misst man üblicherweise durch Kontrolle der Lösungsviskosität oder durch Ermittlung des Schmelzindexes. Auch die Messung mechanischer Werte wäre möglich. Die Methoden sind allerdings für eine Produktionskontrolle in einem Spritzgießbetrieb nicht geeignet, da sie erst nach der Herstellung der Teile greifen und ggf. ganze Produktionslose verworfen werden müssen.

3.2.3 Methoden zur Bestimmung des Wassergehalts

Die Bestimmung des Wassergehalts in der Schadensanalyse wird eingesetzt zur:

- Überprüfung des für die jeweilige Anwendung des Bauteils festgelegten Wassergehalts, vor allem bei Problemen in der Montage,
- Überprüfung der Trocknung von Granulaten vor der Verarbeitung, um Hydrolyse zu vermeiden,
- Vermeidung weiterer Prozesseinflüsse, z. B. Druckschwankungen und Temperaturentwicklungen durch geänderte Fließeigenschaften.

Ist es im Rahmen einer Schadensanalyse erforderlich, den Wassergehalt zu bestimmen, so ist darauf zu achten, dass sich der Wassergehalt der Probe durch Lagerung unter Umgebungsbedingungen nicht mehr ändert. Die Probe sollte daher so schnell wie möglich gemessen werden, bzw. es muss sichergestellt werden, dass die Probe ihren Wassergehalt nicht mehr ändern kann.

Zur Bestimmung des Wassergehalts werden in der Schadensanalyse je nach erforderlicher Genauigkeit verschiedene gravimetrische Methoden, die Dampfdruckmethode oder coulometrische Methoden angewendet.

In folgenden Normen sind Verfahren zur Wassergehaltsbestimmung beschrieben:

- DIN EN ISO 62 (2008): Kunststoffe – Bestimmung der Wasseraufnahme
- DIN EN ISO 15512 (2019): Kunststoffe – Bestimmung des Wassergehalts
- DIN 53715 (1991): Prüfung von Kunststoffen – Bestimmung des Wassergehalts durch Titration nach Karl Fischer

Tabelle 3.9 fasst die zur Verfügung stehenden Methoden zur Bestimmung des Wassergehalts von Kunststoffen zusammen.

Tabelle 3.9 Vergleich der Messverfahren zur Wassergehaltsbestimmung.

	Gerät/ Methode	Aufwand	Bemerkung	Genauigkeit	Norm
gravimetrische Methoden					
Wägung	Erwärmung im Trockenofen	einfach, zeitaufwendig (Stunden)	nicht wasserselektiv, Verflüchtigung von Substanzen neben Wasser, gleichmäßige Erwärmungen, große Anzahl Prüfkörper	~ 0,01 %	Anlehnung an DIN EN ISO 62
Infrarottrockner	Erwärmung durch IR-Metallstrahler	einfach, kurze Messdauer (5 – 15 min), schnelle Orientierungsmethode	dito, schlecht regelbar	~ 0,05 %	
Halogentrockner	gleichmäßige Erwärmung durch IR-Halogenstrahler	gute Temperaturregelung, schnell (3 – 10 min)	Temperatur der Probe kann nicht direkt gemessen werden, daher sehr ungenau, was die tatsächliche Temperatur betrifft		
Dampfdruckmethode					
Dampfdruckmethode	umfangreiche Apparatur	zeitaufwendig	wasserselektiv bei Druckmessung infolge einer Wasserstoffentwicklung	0,05 %	DIN EN ISO 15512, Verfahren C
Coulometrische Methoden (wasserselektive Methoden)					
Karl-Fischer-Titration	umfangreiche Apparatur, höhere Unterhaltskosten	zeitaufwendig	exakte Bestimmung des reinen Wassergehalts	1 µg	DIN EN ISO 15512, Verfahren A und B, DIN 53715
Phosphorpentoxid-Methode, easyH_2O	relativ schnell, einfach, kostengünstig	schneller		1 µg	

	Gerät/ Methode	Aufwand	Bemerkung	Genauigkeit	Norm
Schnelltest					
TVI-Test	einfach kostengünstig	schnell	überwiegend: PC, keine verstärkten Materialien, nicht wasserselektiv	—	

Bei allen gravimetrischen Methoden sowie der Dampfdruckmethode muss die Voraussetzung gelten, dass der Gewichtsverlust bzw. die Druckänderung nur durch eine Abgabe von Wasser verursacht wird und nicht durch den Verlust anderer flüchtiger Bestandteile verfälscht wird. Zu berücksichtigen ist, dass Oberflächenbeschaffenheit, Struktur und Verunreinigungen die Wasseraufnahme beeinflussen können.

3.2.3.1 Gravimetrische Methode

Die einfachste Methode besteht darin, die Proben vor und nach einer Vakuumtrocknung zu wiegen, wobei jedoch Voraussetzung ist, dass der Gewichtsverlust nur vom Wasser verursacht wird. Die Proben werden vor und nach einer Vakuumtrocknung gewogen. In Anlehnung an DIN EN ISO 62 werden jeweils mindestens 3 Prüfkörper mit gereinigter und vergleichbarer spezifischer Oberfläche untersucht. Proben, bei denen Wasser durch Kapillarwirkung eingelagert sein kann, z. B. Schäume, sind für dieses Verfahren nicht geeignet. Für kleine Wassergehalte (Größenordnung 0,1 %) ist dieses Verfahren zu unempfindlich und zeitaufwendig.

3.2.3.2 Infrarot-/Mikrowellentrocknung

Infrarot- und Mikrowellentrocknung:

In einem Infrarotofen wird die Probe mittels Infrarotstrahlen auf eine festgelegte Temperatur aufgeheizt. Das Gewicht der Probe wird mittels einer eingebauten Präzisionswaage kontrolliert. Bei der Infrarottrocknung läuft der Messvorgang schneller als bei der Vakuumtrocknung ab.

Bei der Infrarottrocknung läuft der Messvorgang schneller ab als bei der gravimetrischen Methode. Die Wägung und die Trocknung werden in einem integrierten Gerät durchgeführt, daher ist die Messung präziser.

Die Messgenauigkeit liegt bei 0,01 %, wobei berücksichtigt werden muss, dass andere flüchtige Bestandteile das Messergebnis zur Wasserbestimmung verfälschen können. Man erhält hier eine Angabe des Feuchtigkeitsgehalts, der neben dem Wasser auch andere flüchtige Substanzen enthalten kann.

Dampfdruckmethode (Manometrischer Nachweis):

Eine rasch durchzuführende und genaue Methode zur Bestimmung des Wassergehalts in Polyamiden besteht in der Messung des Dampfdruckes, wobei die Feuchtigkeit bei hoher Temperatur in einem Vakuum verdampft und die Druckzunahme ermittelt wird. Der gemessene Druckanstieg ist bei dieser Anordnung proportional zum Wassergehalt. Die Eichung wird mit einer genau gewogenen Menge Wasser durchgeführt, Bild 3.15.

Bei der Dampfdruckmethode wird eine Probenmenge in einem abgeschlossenen Raum unter Vakuum auf eine festgelegte Temperatur erwärmt. Der gemessene Druckanstieg ist proportional zum Wassergehalt. Die Berechnung des Wassergehalts erfolgt unter Bezugnahme auf einen Kalibrierfaktor (siehe DIN EN ISO 15512 – Verfahren C). Nach der Kalibrierung kann der Wassergehalt beliebiger Polymerwerkstoffe bestimmt werden. Die Eichung wird mit einer genau gewogenen Menge Wasser durchgeführt. Nachteile der Manometermethode sind der mögliche Einfluss flüchtiger Monomere und Weichmacher auf das Messergebnis und die umfangreiche Messapparatur.

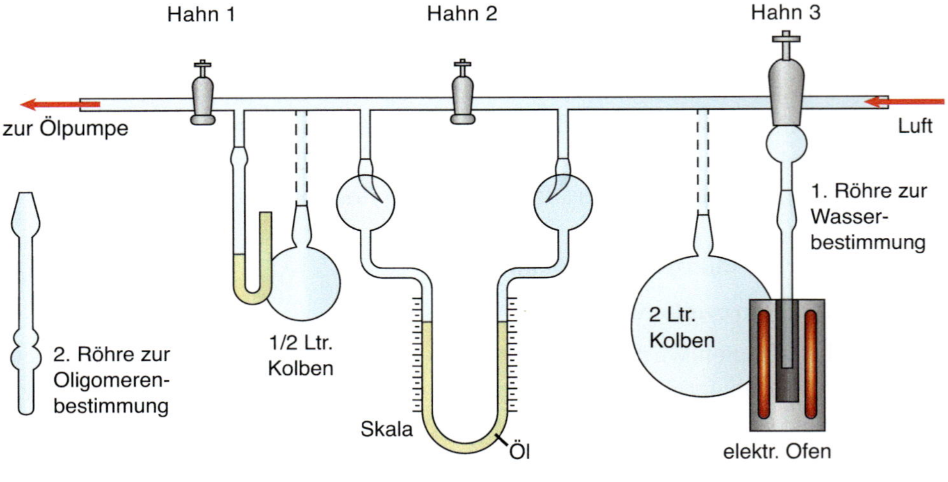

Bild 3.15 Apparatur zur Bestimmung des Wassergehalts in Polyamiden nach der Dampfdruckmethode.

Dazu werden in ein Wasserbestimmungsröhrchen ein Magnetstäbchen und eine zugeschmolzene Glaskapillare mit einer genau eingewogenen Wassermenge gebracht. Die Apparatur wird bei geöffnetem Hahn 1 und 2 und geschlossenem Hahn 3 auf etwa 1 mm Quecksilbersäule (Hg) evakuiert. Man schließt zunächst Hahn 1, dann Hahn 2 und erhitzt das Wasserbestimmungsröhrchen auf ca. 195 bis 210 °C. Mit einem Magneten zerschlägt man von außen die Glaskapillare. Der Stand des Ölmanometers wird nach dem Erreichen eines konstanten Wertes (nach etwa 10 min) abgelesen. Der Manometerstand wird in einer Eichkurve als Funktion der Einwaage des Wassers aufgetragen.

Die Empfindlichkeit einer solchen Apparatur beträgt ca. 10 mm Manometersäule/mg H_2O, so dass bei einer Einwaage von ca. 10 g Polyamid bei einer noch sicher ablesbaren Höhendifferenz von ca. 2 mm theoretische Wassergehalte bis 0,002 % messbar sind. In der Praxis kann man Wassergehalte bis 0,05 % ohne Korrektur bestimmen. Nach der Eichung kann der Wassergehalt beliebiger Polymerwerkstoffe bestimmt werden, indem man eine genau bestimmte Einwaage in das Wasserbestimmungsröhrchen bringt, die Apparatur wie beschrieben evakuiert und das Wasser bei ca. 195 °C bis 210 °C durch Erhitzen aus dem Polymeren heraustreibt. Nach ca. 60 min. wird die Höhendifferenz am Manometer und die Wassermenge aus der Eichkurve abgelesen.

Nachteil der Manometermethode sind der mögliche Einfluss der flüchtigen Monomere und Weichmacher auf das Messergebnis und die umfangreiche Messapparatur.

Eine Weiterentwicklung der Dampfdruckmethode als wasserselektive Methode ist die Bestimmung des Wassergehalts mittels der Druckmessung infolge einer Wasserstoffentwicklung, Wasser und Kalziumhydrid (als Reagenz) reagieren miteinander unter Wasserstoffentwicklung nach folgender Reaktionsgleichung:

$$CaH_2 + 2\,H_2O \rightarrow Ca(OH)_2 + 2H_2\uparrow \qquad (3.5)$$

Diese Reaktion läuft in einem abgeschlossenen Reaktionsgefäß ab. Es wird vor der Messung mit einer eingebauten Vakuumpumpe auf ca. 5 mbar evakuiert und während der Messung elektrisch beheizt. Der durch die Erwärmung freiwerdende Wasserdampf reagiert mit dem Kalziumhydrid. Der Gasdruck des Wasserstoffs ist streng proportional zur eingebrachten Wassermenge und somit spezifisch für Wasser. Der Gasdruck wird mit einem piezoresistiven Druckwandler erfasst. Andere flüchtige Substanzen werden in einer Kühlfalle kondensiert.

Der durch die Erwärmung frei werdende Wasserdampf reagiert mit dem Kalziumhydrid und der Druck im Messsystem steigt durch den sich entwickelnden Wasserstoff.

3.2.3.3 TVI-Test (Tomasetti's-Volatile-Indicator)

Eine qualitative Methode der Kontrolle des Feuchtigkeitsgehalts ist der Plättchentest oder auch TVI-Test. Dieser Test wurde für die Trocknungsüberwachung von PC entwickelt.

Für den TVI-Test werden 2 Objektträger auf einer Heizplatte auf 250 – 270 °C (PC) erwärmt. Nach 1 bis 2 min Aufheizzeit werden 3 – 4 Granulatkörner des zu prüfenden Thermoplasts mittels Pinzette auf einen der Objektträger gelegt und mit dem 2. Objektträger zusammengedrückt. Nach ~ 60 s Verweilzeit auf der Heizplatte werden die Objektträger mit den Proben an der Luft abgekühlt. Beobachtet wird eine evtl. Bläschenbildung aufgrund von ausdampfendem Wasser aus der Probe, Bild 3.16.

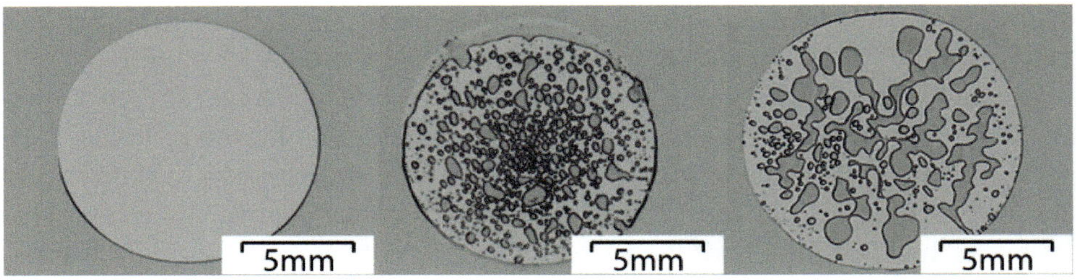

Bild 3.16 TVI-Test an PC
links: trockenes Granulat (3 Tage bei 120 °C) mit 0,016 Gew.-% H_2O (nach Karl-Fischer-Titration)
Mitte: luftfeuchtes Granulat (1 Tag Vakuumofen 70 °C + 7 Tage normale Umgebung) mit 0,065 Gew.-% H_2O
rechts: nasses Granulat (1 Tag Vakuumofen 70 °C + 7 Tage Wasser bei RT) mit 0,22 Gew.-% H_2O

Diese Methode funktioniert bei eingefärbtem PC, nicht jedoch bei glasfaserverstärktem PC. Auch bei anderen Materialien wie PA 6, amorphem PA und POM konnte dieser Versuch angewendet werden, Bild 3.17. Bei im kristallinen Zustand undurchsichtigen Materialien, wie z. B. POM, sollte die Blasenbildung vor der einsetzenden Kristallisation beobachtet werden.

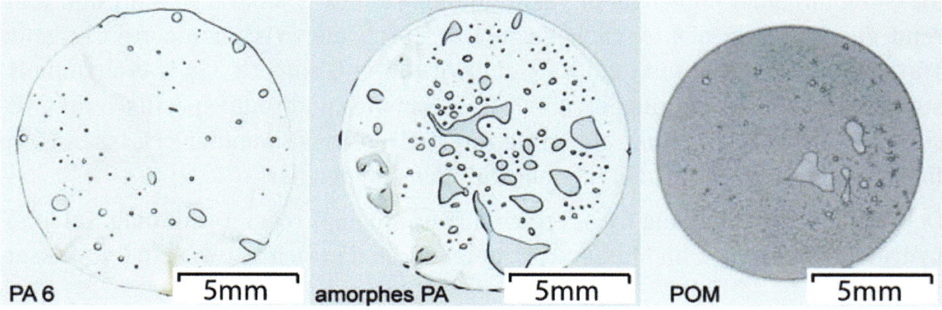

Bild 3.17 TVI-Tests an luftfeuchtem PA, amorphem PA und POM; Bestimmung des Wassergehalts mit Karl-Fischer-Titration

Es ist jedoch zu beachten, dass eine Verfälschung der Ergebnisse durch abdampfende niedermolekulare Zusatzstoffe möglich ist. Aufgrund des geringen apparativen Aufwandes empfiehlt sich diese Methode für die Kontrolle von Trocknungsprozessen in der Produktion bzw. zu Vergleichszwecken.

3.2.3.4 Wasserselektive Methoden (Coulometrische Methoden)

3.2.3.4.1 Karl-Fischer-Titration (KF-Titration)

Die Karl-Fischer (KF)-Titration beruht auf der Reaktion von Iod mit SO_2 in Gegenwart von Wasser. Bei KF-Titratoren gibt es unterschiedliche technische Aufbauten, die aber alle auf diesem Prinzip beruhen.

Bei der volumetrischen KF-Titration wird Iod in Methanol direkt als Maßlösung eingesetzt. Nur solange Wasser vorhanden ist, kann zudosiertes Iod reduziert werden. Wenn die Reaktion nicht mehr stattfindet, erfolgt ein Endpunktumschlag mit Braunfärbung der Lösung.

Bei der coulometrischen KF-Titration wird das Iod durch anodische Oxidation von Iodid erzeugt. Die Detektion basiert hier auf dem Faradayschen Gesetz, welches besagt, dass die freiwerdende Ladungsmenge proportional zur Wassermenge ist. Dazu gibt es eine Arbeitselektrode, die die Ladung misst.

Zusätzlich gibt es noch coulometrische KF-Titratoren mit Ofen (Thermocoulometer). Hier wird die Probe nicht mit der Titrationslösung versetzt, sondern das Wasser mit einem Ofen ausgetrieben und dann in die Lösung geleitet. Die Chemie, die dahintersteckt, ist dieselbe wie bei der coulometrischen Titration.

Die gebräuchlichste Art der Wassergehaltsbestimmung ist die elektrochemisch indizierte Wasserbestimmung mittels der KF-Titration, Sie hat den großen Vorteil der Wasserselektivität. Andere flüchtige Substanzen beeinflussen das Ergebnis der Messung nicht. Mit handelsüblichen Karl-Fischer-Titriergeräten sind Wassermengen zwischen 1 µg und 65 mg bestimmbar.

Alle Reagenzien zur praktischen Durchführung der Karl-Fischer-Titration sind vor Luftfeuchtigkeit zu schützen

Die Probe wird in einem Ofen erwärmt und das ausgetriebene Wasser durch einen trockenen Inertgasstrom (Stickstoff) ins Titriergefäß gebracht. Zur Erkennung des Titrationsendpunktes benutzt man die coulometrische Analyse. Dabei wird an eine in die Titrationslösung eintauchende Doppelplatinelektrode eine konstante Gleichspannung (Biamperometrie) oder ein konstanter Gleichstrom (Bivoltametrie) angelegt. Gemessen wird während der Titration der fließende Gleichstrom bzw. die Gleichspannung. Die Titrierflüssigkeit nach „Karl Fischer“ ist eine Lösung aus Iod (I_2), Schwefeldioxid (SO_2), organischen Basen (z. B. Pyridin) und Methanol (CH_3OH). Die Wirkungsweise des Reagenzes beruht darauf, dass der Redoxvorgang durch die noch fehlende Komponente des Redoxsystems, in dem Fall das in der Probe vorhandene Wasser, ausgelöst wird. Bei Anwesenheit von Wasser wird das Schwefeldioxid durch Iod zur Schwefelsäure oxidiert. Der Reaktionsablauf lässt sich wie folgt zusammenfassen:

$$I_2 + SO_2 + 3\,B + CH_3OH + H_2O \rightarrow 2\,BH{+}I^- + BH{+}CH_3SO_4^- \qquad (3.6)$$

B steht für Pyridin oder andere geeignete Basen, die zur Neutralisation der entstehenden Säuren und zur Einhaltung eines definierten pH-Wertes dienen. Ist in der zu titrierenden Lösung kein Wasser mehr vorhanden, wirkt das überschüssige Iod als Elektronendepolarisator. Es erfolgt eine sprunghafte Spannungs- bzw. Stromänderung, die den Titrationsendpunkt signalisiert.

Nach dem Faradayschen Gesetz ist für die Umwandlung von 1 Mol Iod (I2) eine elektrische Ladungsmenge von 2 × 96485 Coulomb erforderlich. Die Wasserbestimmung nach Karl-Fischer basiert darauf, dass ein Mol Iod (I2) quantitativ mit einem Mol Wasser reagiert. Daher ist 1 mg Wasser äquivalent mit einer bei der elektrolytischen Umwandlung umgesetzten Ladungsmenge von 10,71 Coulomb. Der Wassergehalt kann quantitativ aus der Ladungsmenge bestimmt werden, welche für die Umwandlung des Iod (I2) aus 2 mol Iodid (2 I-) notwendig ist.

Bei dem o. g. Messaufbau besteht die Möglichkeit, eine Probe durch ein definiertes Temperaturprofil so zu erwärmen, dass eine Unterscheidung der verschiedenen Bindungsformen des Wassers in Oberflächen-, Kapillar- und fester gebundenes Kristallwasser möglich wird.

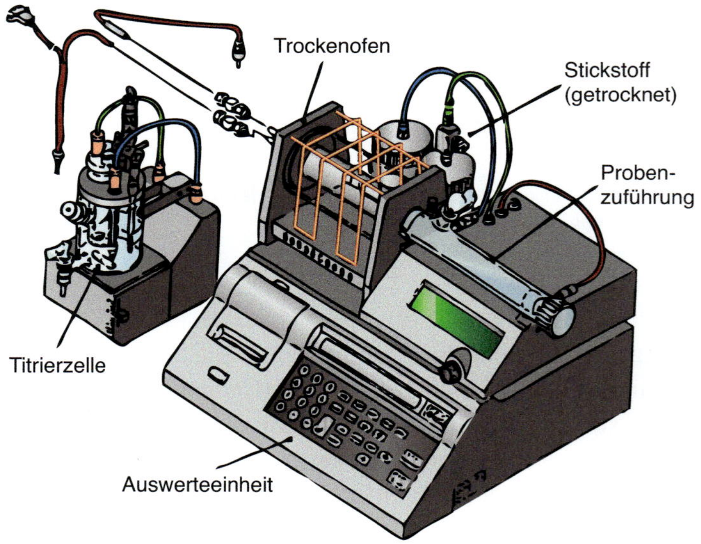

Bild 3.18 Apparatur zur Bestimmung des Wassergehalts nach der Karl-Fischer-Methode.

Das Verfahren darf nicht angewendet werden, wenn der zu untersuchende Kunststoff oder die in ihm eventuell enthaltenen Stabilisatoren mit der Karl-Fischer-Lösung reagieren, d. h. das Verfahren kann durch mit Iod oder schwefeliger Säure stark reduzierende oder oxidierende Substanzen gestört werden.

3.2.3.4.2 Wasserselektive Phosphorpentoxid-Methode

Das thermocoulometrische Verfahren, z. B. easyH_2O, bestimmt hoch selektiv das Wasser in einer Probe, Bild 3.18. Dabei wird die Probe in einem Ofen erhitzt (thermisch) und das Wasser nachfolgend coulometrisch detektiert.

Die Phosphorpentoxid-Methode arbeitet wie die KF-Titration nach dem bewährten Prinzip der Coulometrie, verzichtet aber auf den weiteren Einsatz von Verbrauchschemikalien. Das thermocoloumetrische Verfahren der beschriebenen Bauart wird in Bereichen verwendet, wo besonders geringe Wassergehalte bestimmt werden müssen. Aufgrund des Designs des Sensors und der Ofenkammer ist die Messung von maximal 15 % Wassergehalt der Probe möglich. Die Nachweisgrenze dieses Verfahrens liegt bei ca. 1 µg Wasser.

Durch die Reaktion von P_2O_5 mit den Wassermolekülen wird das Metaphosphat gebildet und die Elektrolyse induziert:

$$P_2O_5 + H_2O \rightarrow P_2O_5{*}H_2O \rightarrow \tfrac{1}{2}\,O_2 + H_2 + P_2O_5 \qquad (3.7)$$

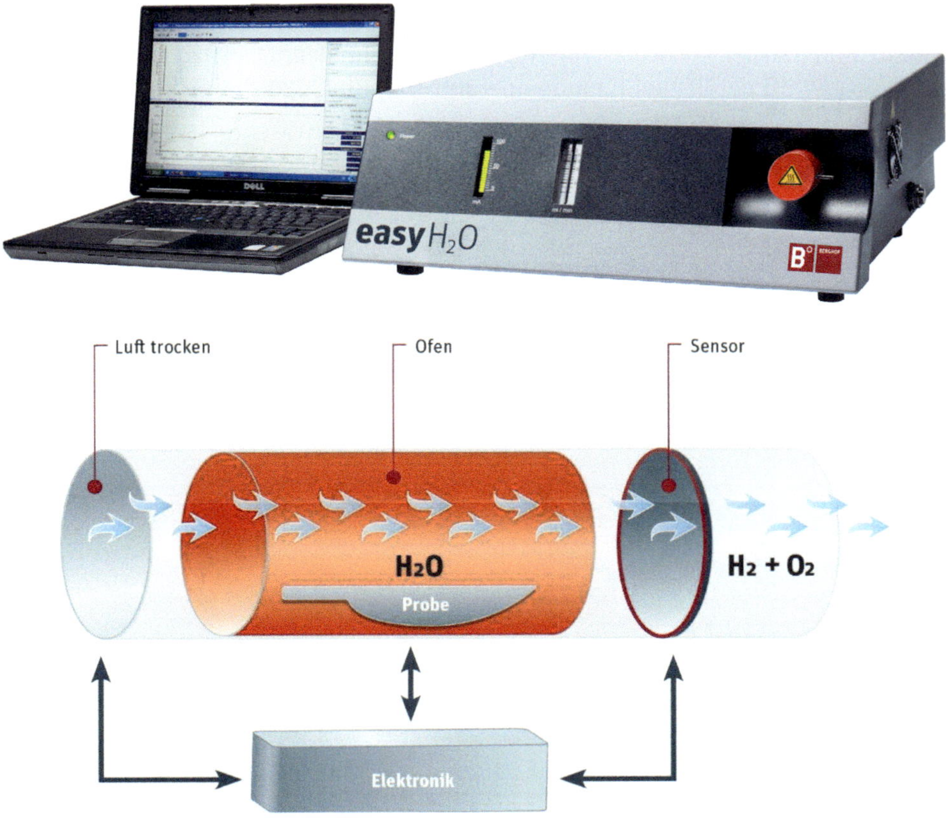

Bild 3.19 Apparatur zur Bestimmung des Wassergehalts nach der Phosphorpentoxid-Methode, schematisches Arbeitsprinzip des easyH_2O, Fa. Berghof

Elektrolyse von Wasser:

Anode:	$H_2O \rightarrow \frac{1}{2}\, O_2 + 2\, e^-$
Kathode:	$H_2O + 2\, e^- \rightarrow H_2$

Nach dem Einwiegen wird die Probe in einem Ofen erwärmt und der entstehende Wasserdampf mit Hilfe von Stickstoff als Trägergas in eine mit Phosphorpentoxid beschichtete Messzelle überführt. Zwischen dem extrem hygroskopischen Phosphorpentoxid und dem Wasser kommt es zu einer chemischen Reaktion, die zur elektrolytischen Dissoziation der Wassermoleküle führt. Die für diesen Prozess erforderliche elektrische Ladungsmenge wird quantitativ erfasst und anschließend unter Anwendung des Faradayschen Gesetzes in die Menge Wasser umgerechnet, die in der untersuchten Ausgangsprobe enthalten war.

Bei dem o. g. Messgerät besteht die Möglichkeit, eine Probe durch ein definiertes Temperaturprofil so zu erwärmen, dass eine Unterscheidung der verschiedenen Bindungsformen des Wassers in Oberflächen-, Kapillar- und fester gebundenes Kristallwasser möglich wird.

Beim ABS kann man gut die Differenzierung zwischen oberflächlich gebundenem Wasser und stärker absorbiertem Wasser unterscheiden. Oberflächlich gebundenes Wasser wird bereits bei Raumtemperatur frei, Bild 3.20.

Einen Vergleich der verschiedenen Messverfahren zur Wassergehaltsbestimmung mit den jeweiligen Vor- und Nachteilen zeigt Tabelle 3.9.

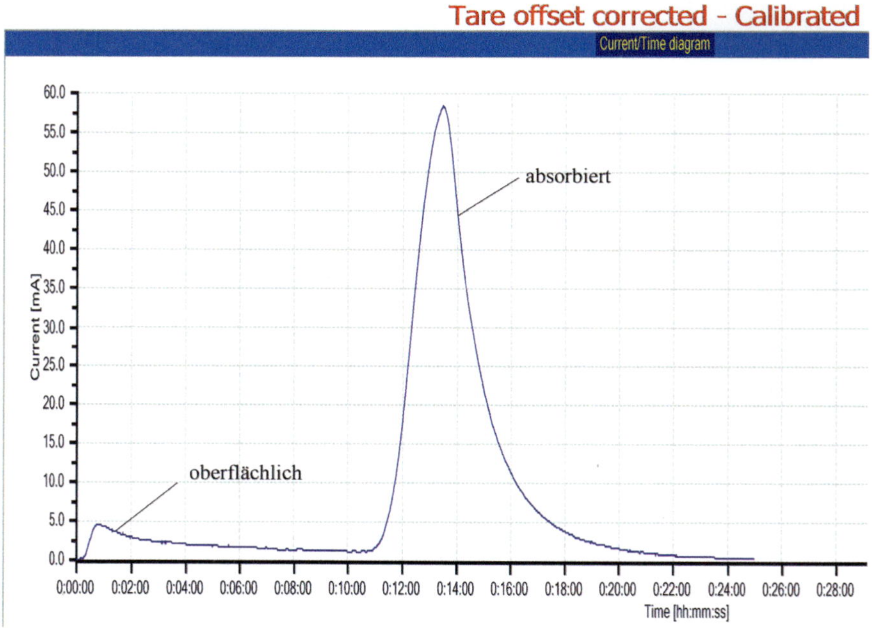

Bild 3.20 Differenzierung zwischen oberflächlich gebundenem und stärker absorbiertem Wasser

Als Trägergas wird normale Umgebungsluft angesaugt und über einem Molsieb getrocknet. Stickstoff oder auch andere Schutzgase können darüber hinaus angewendet werden; vor allem, wenn die Proben zu Oxidation neigen. Hierzu sollten die Schutzgase entsprechender Qualität genutzt werden. Dennoch ist die Verwendung von Stickstoff nicht generell notwendig.

Richtdaten: Empfindlichkeit ~ 1 µg Wasser; Reproduzierbarkeit < 2 %; max. Probenvolumen < 3 cm³; Wassergehalt < 15 %; 1 % Wassergehalt ~ 15 mg Probenmaterial.

Der Sensor muss durchschnittlich alle 200 Proben neu beschichtet und alle 1000 Proben ausgetauscht werden. Der Aufbau des Geräts ist insgesamt einfacher als ein Karl-Fischer-Gerät.

3.2.3.4.3 Halogen-Moisture-Analysator

Der Halogen-Moisture-Analysator arbeitet ebenfalls nach dem Prinzip der Thermogravimetrie mit einem Halogenstrahler, der im Gegensatz zu üblichen Infrarotstrahlern ein schnelleres Erreichen der maximalen Temperatur ermöglicht.

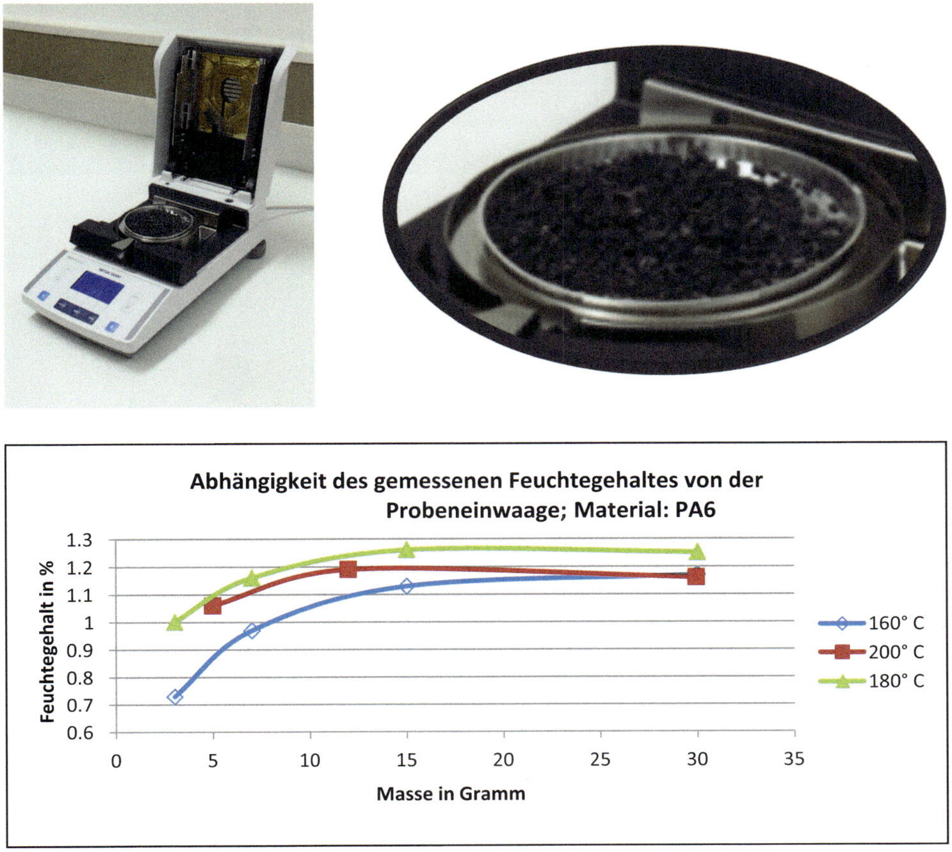

Bild 3.21 Feuchtigkeitsgehalt von PA 6 und PBT bei unterschiedlichen Einwaagemengen und unterschiedlichen Prüftemperaturen mit einem Halogen-Moisture-Analysator HB43-S

Die Bestimmung des Probengewichts von 0,5 – 54 g erfolgt in Abhängigkeit von Temperatur (50 – 200 °C) und Zeit mit einer Auflösegenauigkeit von 0,001 % in wenigen Minuten mit einer Probeneinwaage > 15 g. Der Arbeitsplatz sollte erschütterungsarm, frei von Zugluft und besonderen Wärmeeinflüssen in konstanter Raumtemperatur (5 – 40 °C) sein. Die Luftfeuchtigkeit liegt idealerweise zwischen 45 bis 60 % rel. F. (nicht < 20 oder > 80 % rel. F.).

Im Vergleich zur bewährten Bestimmung des Wassergehalts nach Karl Fischer bietet sich für einfachere Messungen das HB45-S-Messgerät an. Damit ergeben sich die Werte in Bild 3.21 , wobei berücksichtigt werden sollte, dass nach Karl Fischer direkt der Wassergehalt, nach dem HB43-S der Gesamtgehalt Feuchtigkeit (einschließlich anderer flüchtiger Bestandteile) angezeigt wird.

Berücksichtigt werden sollte, dass bei den hohen Temperaturen strukturelle Umwandlungen besonders bei teilkristallinen Thermoplasten, aber auch bei polymerisierenden Duroplasten und Elastomeren durchaus wahrscheinlich sind.

Tabelle 3.10 Messgenauigkeitsvergleich zwischen der Wasserbestimmung nach Karl Fischer und nach HB45-S

		Wasserbestimmung nach Karl Fischer		Feuchtebestimmung mit HB43-S	
Material	Konditionierung	Karl Fischer (Wassergehalt in %)	Temperatur in °C	HB43-S (Feuchtegehalt in %)	Temperatur in °C
PA 6	ca. 2 Wo/ 70 °C/ 62 % Luftfeuchte	2,56	230	2,57	180
PA 6B 27E	Normklima	0,99	180	1,16	180
PBT	ca. 2 Wo/ 70 °C/ 62 % Luftfeuchte	0,34	180	0,36	180
PBT	Normklima	0,08	180	0,11	180
PC	Normklima	0,06	160	0,08	150
PC	ca. 2 Wo/ 70 °C/ 62 % Luftfeuchte	0,21	160	0,22	150
PA 66	Normklima	1,06	190	1,29	180
ABS	Normklima	0,54	180	0,57	180
PET	Normklima	0,54	230	0,02	180

Standardabweichung bei unterschiedlichen Einwaagen am Bsp. von PC		
bei ca. 4 g Einwaage	bei ca. 15 g Einwaage	bei ca. 30 g Einwaage
3,21 %	1,86 %	0,53 %

3.2.3.5 Vergleich der Messverfahren nach Mettler

Es sind verschiedene Verfahren entwickelt worden, um den Feuchtegehalt zu bestimmen. Folgende Tabelle zeigt eine Auswahl typischer Messtechniken und beschreibt die Vor- und Nachteile.

Einen Vergleich verschiedener Messverfahren zur Bestimmung des Feuchtegehaltes gibt Mettler in „Feuchte richtig messen" an:

Tabelle 3.11 Vergleich der Messverfahren zur Feuchtegehaltsbestimmung nach Mettler

	Trockenofen*	Infrarot-trocknung	Halogentrocknung*	Mikrowellen-trocknung
Verfahren	Thermogravimetrie			
Mess-prinzip	Erwärmung der Probe durch Konvektion. Massebestimmung vor und nach der Trocknung	Erwärmung durch Absorption der IR-Strahlung eines Metallstrahlers. Kontinuierliche Massebestimmung während der Trocknung	Erwärmung durch Absorption der IR-Strahlung eines Metallstrahlers. Kontinuierliche Massebestimmung während der Trocknung	Erwärmung durch Absorption von Mikrowellen. Massebestimmung vor und nach der Trocknung
Vorteile	▪ oft Referenzverfahren ▪ gleichmäßige Wärmeverteilung über die Probe ▪ mehrere Proben sind gleichzeitig bestimmbar ▪ große Probemengen möglich	▪ kurze Messdauer (typisch 5 - 15 min) ▪ große Probemengen möglich ▪ einfache Handhabung ▪ kompaktes Instrument	▪ gute Temperaturregelung ▪ gleichmäßige Wärmeverteilung über die Probe ▪ ausgezeichnetes Kalt-/Warmstartverhalten ▪ schnelle Messung (typisch 3 - 10 min) ▪ große Probemengen möglich ▪ einfache Handhabung ▪ kompaktes Instrument	▪ sehr schnell (typisch 2 - 5 min) ▪ große Probemengen möglich
Nachteile	▪ sehr lange Bestimmungsdauer (Stunden) ▪ Substanzen außer Wasser können verdampfen ▪ fehleranfällig aufgrund aufwendiger Handhabung	▪ Substanzen außer Wasser können verdampfen ▪ schlechte Regelbarkeit	▪ Substanzen außer Wasser können verdampfen	▪ nicht für Stoffe mit geringer Feuchte geeignet ▪ mäßige Temperaturkontrolle ▪ Substanzen außer Wasser können verdampfen

Tabelle 3.11 Vergleich der Messverfahren zur Feuchtegehaltsbestimmung nach Mettler *(Fortsetzung)*

	Karl-Fischer-Titration*	Calciumhydrid	Mikrowellen-spektroskopie	Infrarotspek-troskopie	Refrakto-metrie*
Verfahren	Thermogravimetrie				
Mess-prinzip	Iod wird titriert und bei Anwesenheit von Wasser verbraucht. Dieser Verbrauch von Iod ist proportional zum Wassergehalt der Probe.	unter Anwesenheit von Wasser wird Wasserstoff freigesetzt. Die Menge des Wasserstoffs ist proportional zur Wassermenge und kann als Druckänderung gemessen oder mittels einer Wasserstoffelektrode gemessen werden.	Messung der Absorption/Reflexion einer Mikrowellenstrahlung	Messung der Absorption/Reflexion einer IR-Strahlung	Messung des Brechungsindexes
Vorteile	▪ Referenzverfahren ▪ wasserselektiv ▪ für äußerst geringe Feuchten geeignet	▪ wasserselektiv ▪ einigermaßen schnell (15–30 min)	▪ sehr kurze Messzeit (unter 1 min) ▪ Online-Messung möglich	▪ sehr kurze Messzeit (unter 1 min) ▪ Online-Messung möglich	▪ Schnellverfahren ▪ geringer Aufwand ▪ mobil
Nachteile	▪ Reagenzien und Labor benötigt ▪ nasschemisches Verfahren (geschultes Personal wird benötigt)	▪ anfällig auf unsachgemäßes Arbeiten ▪ Reagenz wird benötigt	▪ substanzspezifische Kalibrierung nötig ▪ Störeinflüsse: Schüttdichte und Körnung	▪ substanzspezifische Kalibrierung nötig ▪ nur Messung der Oberflächenfeuchte ▪ abhängig von Temperatur und Körnung	▪ nur für wenige Substanzen geeignet (z. B. Zuckerlösungen)

3.2.4 Beispiele

In den kalten Wintermonaten treten – bedingt durch die trockene Luft – vermehrt Montageprobleme bei Bauteilen aus Polyamid auf. Diese sind oftmals auf einen – gegenüber dem angestrebten luftfeuchten Zustand – zu geringen Wassergehalt des Polyamids zurückzuführen, wodurch sich das Polyamid spröde verhält.

Beispiel Griff

Ein Griff aus PA6 versagt v. a. in den Wintermonaten, Bild 3.22. Nachstellversuche zeigen, dass dieses spröde Verhalten nur bei Wassergehalten < 1 % vorliegt. Bei höheren Wassergehalten lässt sich der Griff verformen – bricht jedoch nicht. Da nicht sichergestellt werden kann, dass der Griff im Einsatz aufgrund der Umgebungsbedingungen einen zu geringen Wassergehalt aufweist, wurde auf ein schlägzähmodifiziertes Polyamid umgestellt.

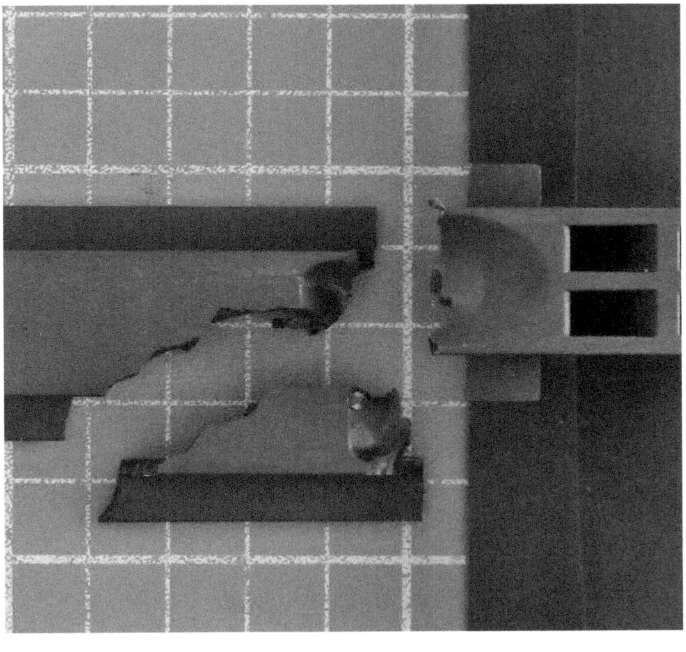

Bild 3.22 Bruch eines Griffes aus Polyamid 6 (Quelle: Volkswagen AG)

Beispiel Gewinde

Bild 3.24 zeigt das Verformungsverhalten eines Gewindes aus PA66, das unter ständigem Wasserkontakt steht. Nach einigen Monaten im Betrieb tritt jeweils Leckage ein. Bei der Bauteilauslegung wurde mit den mechanischen Kennwerten von luftfeucht konditioniertem Polyamid konstruiert. Der Abfall der mechanischen

Kennwerte durch weitere Wasseraufnahme wurde nicht berücksichtigt. Hierdurch tritt ein Verlust von Steifigkeit auf, der Glasübergang wird unter die Einsatztemperatur verschoben und der Werkstoff befindet sich im entropieelastischen Zustand.

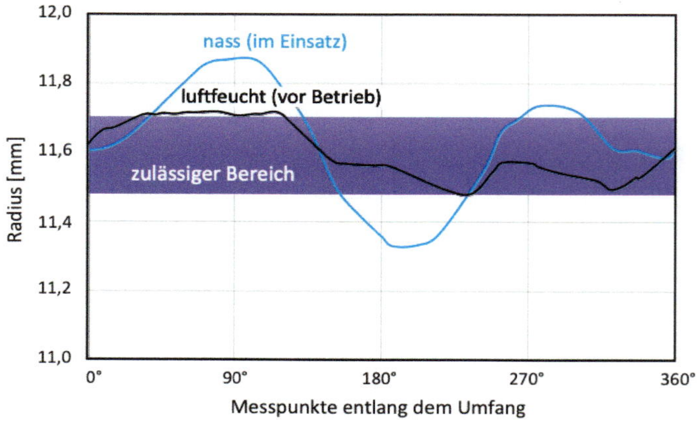

Bild 3.23 Änderung des Verformungsverhaltens eines Gewindes aus PA 66 durch Wasseraufnahme (FFD)

Hintergrund: Polyamide ändern ihre mechanischen Eigenschaften in Abhängigkeit vom Wassergehalt. Bei einer Gewindeverbindung, die in der Anwendung in ständigem Wasserkontakt ist, tritt nach ca. 6 Monaten Leckage ein. Bild 3.23 zeigt, wie sich die Dimensionen des Gewindes durch die Wasseraufnahme im Einsatz ändern.

Eine weitere Ursache kann eine **Materialverwechslung** sein. Diese kann im **Grundmaterial**, aber auch in den **Verstärkungs- und Füllstoffen** (Gehalt und Art der Verstärkungs- und Füllstoffe) sowie den **Additiven** liegen. Ebenfalls Ursache eines materialbezogenen Schadens können Verunreinigungen, sowohl organischer als auch anorganischer Art, sein sowie eine mangelhafte Verstärkungswirkung.

3.3 Normen

DIN EN ISO 62 (2008)	Kunststoffe – Bestimmung der Wasseraufnahme
DIN EN ISO 291 (2008)	Kunststoffe – Normalklimate für Konditionierung und Prüfung
DIN EN ISO 15512 (2019)	Kunststoffe – Bestimmung des Wassergehaltes

3.4 Verwendete Literatur

BASF	Konditionieren von Fertigteilen aus Ultramid, 2013
Bayer-bms	Spritzgießen von Qualitätsformteilen-Trocknung PCS-1141d; 2008
Bayer AG	Wasseraufnahme und Konditionierung von Formteilen aus Durethan, ATI 963
Dallner, C.	Thermomechanische Einsatzgrenzen von Kunststoffen; Diss. Universität Erlangen, 2006
Dallner, C.; Künkel, R.; Ehrenstein, G. W.	Einfluss der Gebrauchstemperatur auf den Feuchtegehalt und die mechanischen Eigenschaften von Polyamiden
Heinzler, F. A	Modellgestützte Qualitätsregelung durch eine adaptive, druckgeregelte Prozessführung beim Spritzgießen; Diss. Universität Duisburg-Essen; 2014
Heinzler, F. A.	div. persönliche Mitteilungen, 2014
Johannaber, Fr., Michaeli, W.	Handbuch Spritzgießen; Carl Hanser Verlag, München, 2002
Johannaber, Fr.	div. persönliche Mitteilungen; 2012 – 2014
K.I.M.W	Expertenwissen für Spritzgießer; Kunststoffinstitut Lüdenscheid 2009
Lehmann, J.	Wasseraufnahme von PMMA und PC, KU Prüftechnik, 91(2001) 7 S. 80 – 83
Riedel, G.	Wassergehaltsbestimmung, Schadensseminar LKT Erlangen, 2016
Zöllner, O.	div. persönliche Mitteilungen, 2013 – 2014
Mettler-Toledo	Feuchte richtig messen, Grundlagen und Anwendung, 2017
Scholz, E.	Karl-Fischer-Titration, Springer Verlag, Berlin 1984
Vogel, H.	persönliche Mitteilungen aus BASF-Erfahrungen, 2020

4 Bestimmung des Gehalts an Füll- und Verstärkungsstoffen

4.1 Grundlagen

Ein Füllstoff ist nach DIN EN ISO 3262-1 eine Substanz in körniger oder in Pulverform, die im Anwendungsmedium praktisch unlöslich ist und verwendet wird, um bestimmte physikalische Eigenschaften zu erreichen oder zu beeinflussen.

Verstärkungs- und Füllstoffe beeinflussen je nach Gehalt, Form und Eigenschaften die Eigenschaften von Kunststoffen und den daraus gefertigten Bauteilen bei der Verarbeitung und im Gebrauch. Es ist zu unterscheiden zwischen Verstärkungsstoffen/-fasern, Füllstoffen und Additiven.

Füllstoffe dienen also nicht nur als Streckmittel zur Einsparung von Kunststoffen und dadurch zur Kostenreduzierung, sondern verbessern auch die Verarbeitbarkeit (kürzere Zykluszeit durch Erhöhung der Wärmeleitfähigkeit) und Eigenschaften wie Steifigkeit, Schlagzähigkeit, Wärmeformbeständigkeit, elektr. Leitfähigkeit und Maßhaltigkeit – Füllstoffe können zudem die thermische Ausdehnung verringern. Längliche oder faserförmige Zusatzstoffe erhöhen zusätzlich die Festigkeit.

Als Füllstoffe dienen vorwiegend anorganische, aber auch organische partikelförmige, feste Substanzen. Als organische Füllstoffe werden Holzmehl (hoher Anteil an zusammenhängenden Fasern) und Cellulosepulver (zerkleinerte Einzelfasern) mit einem Anteil von bis zu 65 % in Phenol-, Amino- und UP-Harzen oder auch PP und PVC eingearbeitet.

Bei vielen Kunststoffen werden bestimmte Füllstoffe bevorzugt beigemischt, z. B. dem Polyvinylchlorid (PVC) Kieselsäure, Silikate, Kreide, Graphit und Kaolin, dem Polyethylen (PE) Ruß, dem Polyamid (PA) Titandioxid, Kaolin, Kieselsäure, Ruß, Silikate, Graphit und Molybdändisulfid sowie den Melamin- und Phenolharzpressmassen Zellulose, Holzmehl, Baumwollgewebeschnitzel, Kreide und Kaolin. Duroplastische Pressstoffe können außerdem Holz- und Gesteinsmehl, Zellstoff, Hartpapier oder Textilschnitzel, aber auch Aramid- oder Kohlenstofffasern enthalten.

Unter **Verstärkungsstoffen/-fasern (engl.: reinforcement)** versteht man in Kunststoffen eingesetzte anorganische oder organische Zusatzstoffe, die die Kunststoffmatrix verstärken. Unter Verstärkung ist die Verbesserung mechanischer und physikalischer Eigenschaften, wie Steifigkeit, Festigkeit und reduziertes Kriechen, zu verstehen. Verstärkungsstoffe werden gezielt zur Verbesserung dieser Werkstoffeigenschaften eingesetzt. Bei der Komplexität besonders bei mehrachsiger Beanspruchung können sog. Verstärkungsstoffe/-fasern auch zu einer Verringerung der mechanischen Eigenschaften führen. Eine Verstärkung in einer Richtung kann zu einer Verschwächung in anderer führen.

> Die Beurteilung der Wirkung von Verstärkungsstoffen/-fasern bedarf immer mehrachsiger Betrachtungen.

Füllstoffe (engl.: filler) sind unlösliche anorganische oder organische, synthetische oder natürliche Zusatzstoffe in unterschiedlichen Formen von globular bis flächig oder nadel- oder faserförmig, die, in unterschiedlichen Gehalten zum Grundmaterial (der Matrix) zugegeben, die mechanischen, physikalischen oder Verarbeitungs-Eigenschaften von Materialien stark ändern, und gleichzeitig den Anteil der typischerweise teureren Matrix im fertigen Produkt deutlich verringern. Von spezieller Bedeutung sind die Haftung und u. U. die Störspannungen durch spezielle Formen.

Additive (engl.: additives), auch Hilfsstoffe oder Zusatzstoffe genannt, sind im Gegensatz dazu in der Regel in der Matrix gelöst und haben Gehalte von weniger als einigen Prozent. Mit ihnen sollen bestimmte Eigenschaften erreicht oder verbessert werden.

Additive werden eingesetzt, um einen positiven Effekt auf Herstellung, Lagerung, Verarbeitung oder Produkteigenschaften während und nach der Gebrauchsphase zu erreichen. Im Gegensatz zu Füllstoffen sind Additive im Material sehr fein verteilt (häufig gelöst) und tragen fast immer nur zu wenigen Prozent zum Gesamtvolumen bei.

Bei der Beurteilung einer Wirkung von Verstärkungsmitteln und Füllstoffen ist die Art der Belastung besonders zu berücksichtigen, wobei die gebräuchliche eindimensionale Kennwertermittlung mit extra angefertigten Prüfkörpern häufig wenig mit den Eigenschaften und Kennwerten der realen Bauteile zu tun hat.

Die Rohstoffbasis für Zuschlagstoffe kann sehr unterschiedlich sein. Diese Sortenvielfalt kann nach verschiedenen Möglichkeiten gegliedert werden:

1. nach ihrem Chemismus: anorganisch oder organisch
2. nach ihrer Entstehung: natürlich oder synthetisch
3. nach ihrer Form: kugelförmig, kompakt, plättchenförmig, nadel- oder faserförmig

Bild 4.1 zeigt den E-Modul und die Zugfestigkeit von Polypropylen mit unterschiedlichen Füll- und Verstärkungsstoffen [2-4]. Deutlich ist zu erkennen, dass der E-Modul näherungsweise linear mit dem Füllstoffvolumen zunimmt, während die Zugfestigkeit bei steigendem Füllstoffgehalt an Wollastonit leicht und bei Glaskugeln deutlich sinkt. Demgegenüber bleibt die Festigkeit für Talkum näherungsweise konstant, für Glasfasern steigt sie an. Die Verstärkungswirkung der Glasfasern wird durch die Verwendung eines Haftvermittlers verbessert. Es muss aber berücksichtigt werden, dass die Verbundeigenschaften entscheidend von der Herkunft, Herstellung und Modifizierung der Füllstoffe sowie der Verarbeitung beeinflusst werden [1]. In Tabelle 4.1 sind die Eigenschaften und der Einsatzzweck unterschiedlicher Füll- und Verstärkungsstoffe angegeben.

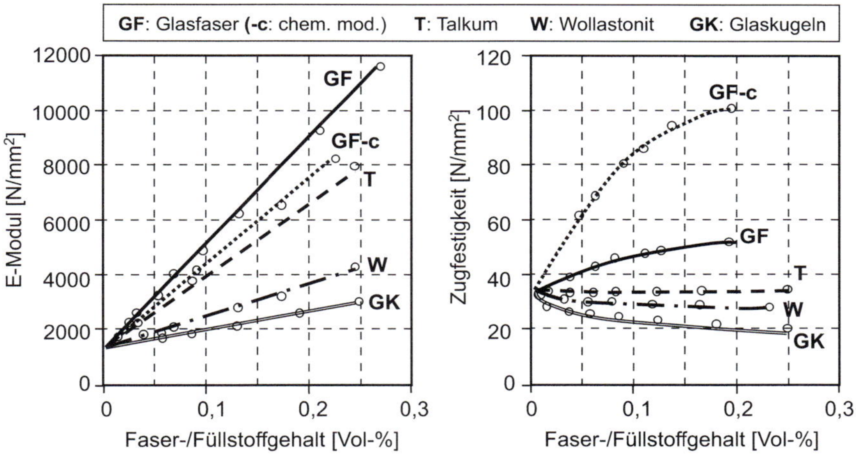

Bild 4.1 Eigenschaften spritzgegossener Schulterstäbe aus PP mit unterschiedlichen Füll- und Verstärkungsstoffen [2-4]
Glaskugeln: Ø < 15 µm, Talkum: Ø ≈ 12 µm, Dicke ≈ 1 – 4 µm; Wollastonit-Nadeln: Ø ≈ 0,5 µm, Länge < 10 µm; Glasfasern: Ø ≈ 14 µm, Länge ≈ 300 µm

Tabelle 4.1 Füll- und Verstärkungsstoffe
pl = plättchenförmig, komp. = kompakt, r = rund, nad. = nadelig, f = faserförmig

Bezeichnung	Chemische Beschreibung	Einsatzzweck	Form	Dichte [g/cm³]
Talkum	Magnesiumhydrosilikat $Mg(OH)_2$	PP, PS, Schlagzähigkeit, Kriechfestigkeit	pl	2,7 - 2,8
Aluminiumhydroxid	$Al(OH)_3$	Flammschutz	pl	2,4
Kaolin	Aluminiumhydrosilikat	Farbe, Lacke	pl	2,6
Glimmer	Aluminiumsilikat	Steifigkeit, el. Eigenschaften	pl	2,7 - 3,2

Tabelle 4.1 Füll- und Verstärkungsstoffe *(Fortsetzung)*
pl = plättchenförmig, komp. = kompakt, r = rund, nad. = nadelig, f = faserförmig

Bezeichnung	Chemische Beschreibung	Einsatzzweck	Form	Dichte [g/cm³]
Calciumcarbonat	$CaCO_3$	Steifigkeit, Temperaturbeständigkeit	komp.	2,7 - 2,8
Wollastonit	$CaSiO_3$	Schlagzähigkeit, el. Eigenschaften	nad.	2,8 - 2,9
Glaskugeln	A-Glas	Steifigkeit, Druckfestigkeit, Härte	r	2,5
Quarz	SiO_2	Gießharze, Pressmassen, el. Eigenschaften	komp.	2,65
Holzmehl		Press- und Formmassen	f	
Glasfasern	SiO, Al_2O_3, CaO, MgO	Kurz- u. Langfasern	f	2,52
Kohlenstofffasern	C (90 %)	Kurz- u. Langfasern	f	1,6 - 2,0
Aramidfasern	aromatisches PA	Langfaser	f	1,44

Die wichtigsten Merkmale von Füllstoffen sind:

1. chemischer Aufbau
2. Partikelgeometrie, Längen- zu Dickenverhältnis (engl.: aspect ratio)
3. mittlerer Teilchendurchmesser
4. Breite der Kornverteilungskurve
5. gröbste Teilchen (engl.: top cut)
6. Oberfläche/Feinanteil
7. Oberflächenspannung
8. Oberflächenbeschichtung

Die Schadensursachen sind dabei in den folgenden Bereichen zu suchen:

- Konstruktion (kunststoffgerecht, Beachtung der Anisotropie)
- Verarbeitung (Orientierungen, Bindenähte, Unterhärtung)
- Werkstoff (Faser- und Füllstoffgehalt, Faserorientierung, Füllstoffverteilung)
- Einsatz (hohe Lasten, Temperatur, Medien)

Tabelle 4.2 Verfahren zur Aufklärung von Schadensfällen bei faser- und füllstoffverstärkten Kunststoffen

Verfahren	mögliche Aussagen
Veraschung	Füllstoff- bzw. Fasergehalt in Gew.-%
Makroskopische Schadensbeschreibung	Verformung, Risse
Lichtmikroskopie	Rissverlauf, Füllstoff- und Faserverteilung
Rasterelektronenmikroskopie (REM)	Rissverlauf, Faser-Matrix-Anbindung
Computertomographie (CT)	Füllstoff- und Faserverteilung, Rissverlauf
Chemische Analyse	Füllstoff- und Faseridentifikation
Dynamische-Differenzkalorimetrie (DSC)	Morphologie, Zersetzungstemperatur
Thermogravimetrische Analyse (TGA)	Zersetzungstemperaturen, Füllstoff- und Fasergehalt in Gew.-%
Dynamisch-Mechanische Analyse (DMA)	Temperaturabhängiges mechanisches Verhalten
Thermisch-Mechanische Analyse (TMA)	Ausdehnungsverhalten
Mechanische Prüfungen	Mechanische Kennwerte
Viskositätmessung (HKR, RV, MVR)	Fließverhalten, Molekulargewicht

Der „**Aspect-Ratio**“, d. h. das Verhältnis der Länge zur Dicke, ist ein geometrisches Kriterium zur Unterscheidung von Füllstoffen und Verstärkungsmitteln, Tabelle 4.3.

Der Einfluss der Faser- und Teilchengrößenverteilung (*L*/*D*-Verhältnis, mittlere Teilchengröße, Breite der Verteilung) der Füll- und Verstärkungsstoffe ist komplex. Mit zunehmendem *L*/*D*-Verhältnis der Fasern nimmt i. a. die Verstärkungswirkung zu. Die meisten Füllstoffe werden nach spezifischen Kornverteilungskurven angeboten, Bild 4.2. Die Angabe des mittleren Teilchendurchmessers ist nicht ausreichend. Die Breite der Füllstoffverteilungskurve hat einen großen Einfluss auf die mechanischen Eigenschaften. Der obere Schnitt (engl.: top cut) beeinflusst die Schlagzähigkeit, Oberflächeneigenschaften und Reißfestigkeiten negativ. Dies gilt für Farben und Lacke sowie für Kunststoffe. Ein höherer oberer Schnitt erhöht die Abriebneigung im Fertigprodukt, bedeutet eine höhere Abrasion in Verarbeitungsmaschinen, vermindert den Glanz und fördert in flüssigen Systemen das Absetzen. Ein höherer Feinanteil führt z. B. zu einer höheren Schlagzähigkeit und Festigkeit, aber auch schwierigeren Verarbeitung durch höhere Viskositäten, bei Farben z. B. zu höherem Glanz und Deckvermögen.

Tabelle 4.3 Teilchenform und -geometrie und „Aspect-Ratio“ von Füllstoffen und Verstärkungsmitteln

	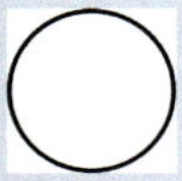	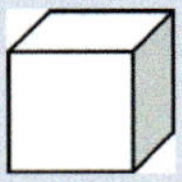	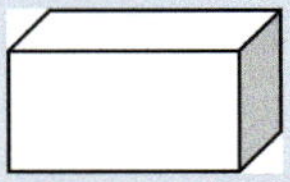	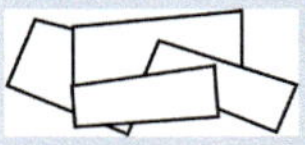	
Form	Kugel	Würfel	Quader	Plättchen	Faser
Aspect-Ratio	1		1,4 - 4	5 - 100	> 10
Beispiele	Glaskugeln, Silicatkugeln	Calcium-carbonat, Feldspat	Silica, Bariumsulfat	Glimmer, Talkum, Kaolin, Graphit, Aluminium-trihydrat	Glasfasern, Asbest, Wollastonit, Cellulosefasern, C-Fasern, Whisker, Kevlar-Fasern

Eine große Füllstoff- oder Verstärkungsmittel-Oberfläche ergibt eine größere Kontaktoberfläche und daher i. a. bessere mechanische Kennwerte als eine kleine Oberfläche. Eine zu große Oberfläche, d. h. hoher Feinanteil, führt zu einem deutlichen Anstieg der Viskosität und kann bei der Aufbereitung bei ungenügenden Scherkräften zu Dispergierproblemen führen, Tabelle 4.4.

Tabelle 4.4 Korngrößenverteilungskurven verschiedener Füllstoffe
Kg (50 %) = mittlere Korngrößendurchmesser

Füllstoffart	oberer Schnitt [µm]	Kg (50 %) [µm]	spez. Oberfläche [m^2/g]	Preis [€/kg]
1= Calciumcarbonat	10	3	4	0,3 - 0,7
2= Calciumcarbonat	25	5	1,6	0,15 - 0,2
3= Aluminiumhydroxid	5	2	3,5	0,8 - 1,5
4= Aluminiumhydroxid	25	8	0,7	0,4 - 0,5
5 = Wollastonit	16	4	4	1 - 1,5
6 = Kaolin	53	2	8,5	0,5 - 0,7

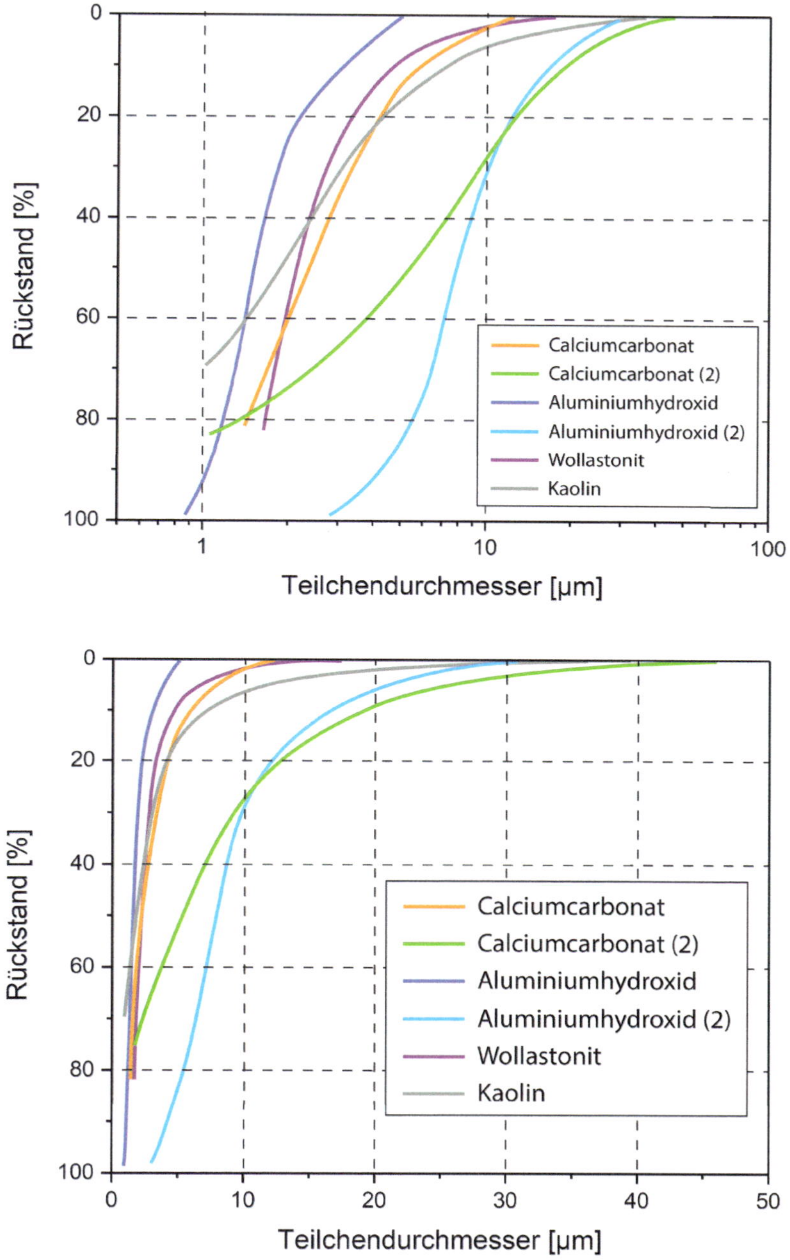

Bild 4.2 Verteilungskurven für verschiedene Füllstoffe in logarithmischer und linearer Darstellung

Neben den bisher aufgeführten Füllstoffen spielen in zunehmendem Maße Füllstoffe, welche die magnetischen, elektrischen und thermischen Eigenschaften gezielt beeinflussen, eine große Rolle. Das Eigenschaftsspektrum von Kunststoffen lässt sich durch gezielte Zugabe magnetisierbarer oder elektrisch bzw. thermisch leitfähiger Füllstoffe spezifisch erweitern. Die Kombination der leitfähigen oder magnetischen Eigenschaften z. B. metallischer Füllstoffe mit einfachen Formgebungsverfahren der Kunststofftechnik eröffnet neue Möglichkeiten zur rationellen Herstellung integrierter Bauteile.

Magnetische Eigenschaften

Kunststoffgebundene Magnete werden bisher vorwiegend mit hartmagnetisch isotropen und anisotropen Füllstoffen wie Ferriten oder Selten-Erden-Werkstoffen im Spritzgießverfahren hergestellt. Anwendung finden solche Dauermagnete vorwiegend als Signalgeber in Sensorapplikationen sowie in der Antriebstechnik.

Elektrische Leitfähigkeit

Kunststoffe sind elektrische Isolatoren mit Leitfähigkeiten im Bereich von 10 - 16 S. Die Zugabe elektrisch leitfähiger Füllstoffe zu einer Kunststoffmatrix ermöglicht eine Erhöhung der elektrischen Leitfähigkeit in den Bereich technischer Anwendungen wie Antielektrostatik, elektromagnetische Abschirmung oder für Leitkleber als Alternative zum Löten bei elektronischen Bauelementen.

Thermische Leitfähigkeit

Wie amorphe elektrische Isolatoren, so sind auch Kunststoffe schlechte Wärmeleiter. Die Wärmeleitfähigkeit von ungefüllten Kunststoffen liegt im Bereich von 0,1 W/mK bis 0,5 W/mK und ist somit um ein Vielfaches niedriger als bei Metallen (10 - 400 W/mK).

Zur Steigerung der Wärmeleitfähigkeit der Kunststoffe können diese z. B. mit wärmeleitfähigen Metallpulvern wie Kupfer oder Alumnium oder mit Keramiken gefüllt werden. Neben der höheren thermischen Leitfähigkeit besitzen mit Metallen gefüllte Kunststoffe auch eine höhere elektrische Leitfähigkeit und sind damit im Elektronikbereich meist nur lokal geeignet [5].

4.2 Füll-/Verstärkungsstoffgehalt in der Schadensanalyse

Die Bestimmung des Füllstoffgehalts in der Kunststoff-Schadensanalyse wird eingesetzt zur Bewertung, inwieweit

- der spezifizierte Werkstoff eingesetzt wurde,
- Inhomogenitäten von Füll- und Verstärkungsstoffen (Anreicherungen) vorliegen.

In Tabelle 4.2 sind Untersuchungsmethoden der Kunststoffanalytik und deren potenzielle Aussagefähigkeit hinsichtlich der Eigenschaften von faser- und füllstoffverstärkten Kunststoffen zusammengefasst.

Oftmals ist es erst durch eine gemeinsame Betrachtung verschiedener Analysenmethoden möglich, genauere Aussagen über das Verhalten von faser- und füllstoffverstärkten Kunststoffen zu treffen.

Die Aussagefähigkeit der verschiedenen Verfahren muss im Einzelfall abhängig vom Kunststoff betrachtet werden; vor allem keine feststellbaren Veränderungen mit einem Prüfverfahren allein lassen nicht zwangsläufig den Rückschluss auf eine unbelastete Probe zu. Derartige Aussagen sind mit weiteren Messmethoden abzusichern.

Das am häufigsten anzutreffende Schädigungsbild bei gefüllten und/oder verstärkten Kunststoffen ist eine Rissbildung im Bauteil, die zu einem Versagen des Bauteils oder zu einer Herabsetzung der mechanischen Kennwerte führt. Die Rissbildung ist oft Resultat einer entsprechenden mechanischen Überbelastung. Zusätzlich können noch Temperatur und/oder Medien mit eingewirkt haben.

4.3 Methoden zur Bestimmung des Füll-/Verstärkungsstoffgehalts

Generell wird zwischen Verfahren, die auf dem Auflösen der Matrix beruhen, und Kalzinierungsverfahren (thermische Zersetzung der Matrix) unterschieden. Prinzipiell werden die Kalzinierungsverfahren aufgrund der einfacheren Versuchsdurchführung dem Auflösen der Matrix vorgezogen, Tabelle 4.5.

Die Trennung von verschiedenen Füllstoffen erfordert in der Regel die Kombination von thermischer Zersetzung der Polymermatrix und anschließendem Lösen oder Abfiltrieren einzelner Füllstoffe aus dem Veraschungsrückstand. So kann z. B. Talkum aufgrund der sehr geringen Teilchengröße aus einem Verbund mit Fasern durch Filtration der Lösung getrennt werden. Calciumcarbonat wird aufgrund der guten Löslichkeit in Säure mit Hilfe von 5%-iger Salzsäure gelöst und die Fasern abfiltriert. Kaolin löst sich in 5%-iger Schwefelsäure und kann durch anschließendes Waschen von Fasern getrennt werden.

Die in Tabelle 4.7 genannten Gewichtsverluste während der thermischen Zersetzung sind bei der Berechnung der Gehalte zu berücksichtigen. Die Rückstände der jeweiligen Untersuchungen sollten immer einer makroskopischen oder mikroskopischen Betrachtung, bei einer gewünschten exakten Identifizierung einer EDX-Analyse (siehe Kapitel REM) unterzogen werden.

Tabelle 4.5 Anwendungsbereiche und Vergleich der verschiedenen Messverfahren der Füllstoffgehaltsbestimmung

Proben	Verfahren	Bemerkung
organische Füllstoffe		
Ruß, C-Faser, Graphit, Hanf	Lösen, Extraktion TGA (v. a. Ruß)	aufwendig; durch Kombination von Spülgasen Trennung möglich
PTFE	TGA DSC	Pyrolyseruß des PTFE beachten nur Abschätzung über Schmelzenthalpie und Referenzsubstanz möglich
anorganische Füllstoffe		
Glas	Kalzinierung TGA	Vorsicht! – Überlagerung von Zersetzungseffekten möglich
Glas + Kreide	TGA Kalzinierung + 5%-ig HCl	▪ CO_2 und H_2O-Abspaltung berücksichtigen ▪ CO_2 und H_2O -Abspaltung berücksichtigen
Glas + Kaolin	Kalzinierung + 5%-ig H_2SO_4	CO_2 und H_2O -Abspaltung berücksichtigen
Glas + Talkum	Kalzinierung + Filtration	kleine Teilchengröße des Talkum beachten

Die Methoden des Kalzinierens und der nasschemischen Analyse ermöglichen aufgrund der relativ großen Probenmenge eine gute integrale Aussage über den Füllstoffgehalt von Formteilen und Granulaten.

Bei organischen Füllstoffen und Fasern sind aufwendige nasschemische Trennungsgänge notwendig.

Die Thermogravimetrie (TG) (Kapitel 5) bietet aufgrund der exakten und flexiblen Temperatur- und Spülgasregelung eine gute Möglichkeit der Füllstoffgehaltsbestimmung. Aufgrund der kleinen Probenmenge (~ 10 mg) kann sie örtlich gut aufgelöste Erkenntnisse über die Füllstoffverteilung liefern. Eine integrale Aussage über Granulat oder Formteil ist jedoch nur mit Mehrfachbestimmungen möglich.

4.3.1 Lösen der Kunststoffmatrix

Organische Zugschlagstoffe und Fasern werden in einem Kalzinierungsverfahren zersetzt und müssen durch chemisches Lösen der Polymermatrix bestimmt werden.

Lösen der Polymermatrix

- Thermoplaste mit gängigen Lösemitteln
- EP-Matrix (ASTM D 3171 A): 5 h bei 70 °C in 70%-iger HNO_3
- Phenolharz- oder PI-Matrix (DIN 29971, ASTM D 3171B): 96 – 98%-ige H_2SO_4; 30%-iges H_2O_2 bis zum Klarwerden

Filtrieren – Waschen – Trocknen

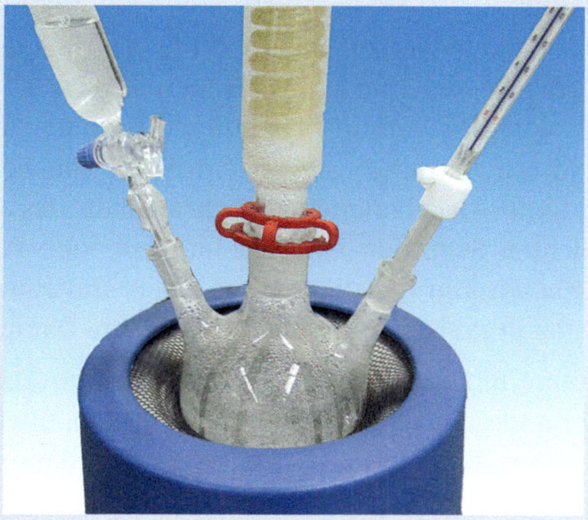

Bild 4.3 Lösen der Polymermatrix

Vor der eigentlichen Messung ist die Löslichkeit der Matrix zu überprüfen. Nach dem Lösen werden die unlöslichen Rückstände durch Abzentrifugieren aus einer etwa 5%-igen Lösung in geeigneten Lösemitteln (Tabelle 4.7) und anschließendem Abdekantieren abgetrennt. Der Auflösungsvorgang kann durch Schütteln oder Rühren sowie Temperatur beschleunigt werden.

Um die quantitative Zusammensetzung eines Verbundwerkstoffes zu bestimmen, ist folgender Arbeitsablauf zu empfehlen:

1. Zerkleinern der Probe durch Schere, Messer, Bohren, Zermahlen usw.
2. Abtrennen der Zusatzstoffe durch Lösen der Matrix mit geeignetem Lösemittel ca. 2 h, z. B. Polyethylen in Dekalin bei 140 °C; Polyamid 6 in 60%-iger Ameisensäure, Polystyrol in Aceton
3. Abzentrifugieren des Rückstandes

4. Waschen und Trocknen bis zur Gewichtskonstanz

5. Berechnen des Füllstoffgehalts aus dem Verhältnis von Rückstand zu Einwaage

Häufig kann der zu untersuchende Kunststoff direkt in der vorliegenden Form (Granulat, Späne usw.) verwendet werden. Für die meisten Prüfungen ist es aber günstiger, wenn die Probe in einem möglichst fein verteilten oder pulvrigen Zustand vorliegt. Zur Zerkleinerung werden die zu untersuchenden Produkte im einfachsten Falle mit Schneidwerkzeugen (Schere, Messer, Rasierklinge) behandelt. Auch maschinelle Bearbeitung durch Bohren, Fräsen usw. ist möglich. Einen geringeren Teilchendurchmesser erhält man durch Vermahlen gekühlter Proben in Schlagmühlen (evtl. genügt eine kleine Kaffeemühle) Nach dem Zerkleinern müssen die Proben im Exsikkator getrocknet werden.

Versuchsdurchführung

Zur Prüfung der Löslichkeit gibt man etwa 0,1 g des möglichst fein verteilten Kunststoffes in ein kleines verschließbares Gefäß und setzt 5 - 10 ml des Lösemittels zu. Der Ansatz wird im Verlauf von einigen Stunden mehrfach gründlich durchgeschüttelt und auf etwaiges Quellen der Probe hin beobachtet, was u. U. recht lange dauern kann. Gegebenenfalls erwärmt man das Glas mit der Probe unter ständigem leichten Schütteln langsam im siedenden Wasserbad; dabei ist äußerste Vorsicht geboten, um plötzliches Aufsieden und Herausspritzen zu vermeiden, da die meisten organischen Lösemittel oder ihre Dämpfe brennbar sind.

Wenn die Entscheidung nicht eindeutig ist oder ungelöste Anteile zurückbleiben (z. B. Glasfasern oder anorganische Füllstoffe, Kreide etc.), filtriert oder dekantiert man einen Teil der überstehenden Flüssigkeit ab und verdampft eine Probe davon auf dem Uhrglas, wobei gelöste Stoffe zurückbleiben.

Tabelle 4.6 Lösemittel für verschiedene Kunststoffe (*oft erst bei höheren Temperaturen löslich)

Kunststoff	Lösemittel
PE, PP_{isot}, PB	p-Xylol*, Trichlorbenzol, Dekan, Dekalin*, Tetralin*
$PP_{atakt.}$	Kohlenwasserstoffe, Isoamylacetat
PS	Benzol, Toluol, Chloroform, Cyclohexanon, Butylacetat, Schwefelkohlenstoff, Aceton
PC	Dichlormethylen
POM	Y-Butyrolaceton*, Dimethylformamid*, Benzylalkohol, Wasser, Benzol
PA	Ameisensäure, konz. Schwefelsäure, Dimethylformamid, m-Kresol, Trifluorethanol
PBT, PET	Phenol/Dichlorbenzol
PVC	Tetrahydrofuran, Cyclohexanon, Methylethylketon, Dimethylformamid

Kunststoff	Lösemittel
PVF	Cyclohexanon, Dimethylformamid
PTFE	unlöslich
PVAC	Benzol, Chloroform, Methanol, Aceton, Butylacetat
PMMA	Chloroform, Aceton, Ethylacetat, Tetrahydrofuran, Toluol
PAN	Dimethylformamid, Dimethylsulfoxid, kon. Schwefelsäure
C	Wässriges Kupfertetraminhydroxid, wässriges Zinkchlorid, wässriges Calciumthiocyanat
CA	Aceton, Chloroform, Dioxan
UF, MF	Benzylamin (160 °C), Ammoniak
PUR (thermopl.)	Ameisensäure, Y-Butyrolaceton, Dimethylformamid, m-Kresol
Prepregs, ungehärtete SMC-, BMC-, DMC-Formmassen	Dichlormethan, Aceton, Methylethylketon, denaturiertes Ethanol

Da anorganische Füllstoffe generell in organischen Lösemitteln unlöslich sind, gelingt ihre quantitative Abtrennung bei löslichen Polymeren stets durch Abzentrifugieren aus etwa 5 %-igen Lösungen in geeigneten Lösemitteln (Tabelle 4.6) und anschließendem Abdekantieren. Der Auflösungsvorgang muss durch Schütteln oder Rühren beschleunigt werden, trotzdem nimmt er häufig 24 h in Anspruch. Die Zentrifugierbedingungen hängen von der Dichte und der Teilchengröße der Füllstoffe ab. Im Allgemeinen genügt ein 2-stündiges Zentrifugieren bei 4000 U/min. Ruß ist selbst unter stärksten Zentrifugierbedingungen nicht restlos abzutrennen, seine quantitative Abscheidung erfordert Spezialverfahren. Gleiches gilt auch für die Füllstoffe in unlöslichen Polymeren, z. B. ausgehärteten Phenol- oder Harnstoff-Formaldehydharzen, ungesättigten Polyester- und Epoxidharzen.

Zur quantitativen Bestimmung des Füllstoffanteiles werden 2 g des gefüllten Kunststoffs genau eingewogen und in 50 ml Lösemittel gelöst. Nach 2-stündigem Zentrifugieren der Lösung mit 4000 U/min pipettiert man die Lösung vom Zentrifugat ab, schlämmt den Rückstand mit gleichem Lösemittel nochmals auf, zentrifugiert erneut, isoliert und wäscht den Rückstand noch einmal mit dem Lösemittel und danach mehrmals mit Methanol. Der Rückstand wird bei 105 °C bis zur Gewichtskonstanz getrocknet und der Feststoffgehalt gravimetrisch ermittelt.

Tabelle 4.7 Gewichtsverlust bei der Veraschung von anorganischen Zuschlagstoffen

Zuschlagstoff	Gewichtsverlust bei Veraschung [%]	Vorgang
Kaolin	~ 14	Wasserabspaltung
Aluminiumhydroxid	34,6	Wasserabspaltung
Calciumcarbonat	44 (~ 500 – 750 °C)	CO_2-Abspaltung

4.3.2 Thermische Zersetzung der Kunststoffmatrix (Kalzinieren)

Bestimmung des Glas- und Füllstoffgehalts: Glasfasern und andere anorganische Füll- und Verstärkungsmittel können durch Erhitzen (Veraschen, Kalzinieren) von den sich verflüchtigenden organischen Kunststoffen getrennt werden. In DIN EN ISO 1172 sind zwei Verfahren zur Bestimmung des Textilglasfasergehalts beschrieben. Verfahren A bezieht sich auf reines Textilglas als Füllstoff, Verfahren B auf Textilglas und mineralische Füllstoffe.

Neben dieser konventionellen Methode kann eine Veraschung/Kalzinieren der Probe auch mit einem Mikrowellenofen durchgeführt werden. Die Berechnung des Glühverlustes erfolgt analog. Das Verfahren mit einem Mikrowellenofen reduziert die Analysezeit erheblich (um ca. 70 bis 80 %). Anstelle von Porzellantiegeln werden hier spezielle Quarzglastiegel eingesetzt, Bild 4.4.

Thermische Zersetzung der Polymermatrix (Kalzinieren)

- Bestimmung des Glas- und Füllstoffgehalts
- Bestimmung der Sulfatasche (Zugabe von Schwefelsäure vor der Veraschung, PVC)
- Rußgehaltsbestimmung (Thermogravimetrie)

Bild 4.4 Kalzinieren

Bei der Füllstoffbestimmung an einer unbekannten Probe ist darauf zu achten, dass auch einige mineralische Füllstoffe bei erhöhten Temperaturen zersetzt werden, Tabelle 4.8.

Bestimmung des Glasfaser- und Füllstoffgehalts

Vorgehen nach DIN EN ISO 1172

- A: Veraschung der Matrix bei 625 °C
- B: Trennung von Textilglas und Mineralfüllstoffen

Lösen mit Salzsäure -> Kreide

Lösen von Schwefelsäure -> Kaolin

Absaugen von feinem Aluminiumhydroxid

Bild 4.5
Bestimmung des Glasfaser- und Füllstoffgehalts

Diese internationale Norm ist auf folgende Materialarten anwendbar:

- Prepregs aus Fäden, Rovings, Bändern oder Geweben;
- SMC-, BMC- und DMC-Formmassen (flächenförmige, faserige und teigförmige Formmassen);
- glasfaserverstärkte thermoplastische Formmassen und Granulate;
- gefüllte und ungefüllte Textilglaslaminate aus wärmehärtbaren oder thermoplastischen Harzen.

Die in DIN EN ISO 1172 beschriebenen Verfahren sind auf folgende Arten von verstärkten Kunststoffen nicht anwendbar:

- verstärkte Kunststoffe mit anderen Verstärkungsmaterialien als Textilglas;
- verstärkte Kunststoffe, die Materialien enthalten, die bei der Prüftemperatur nicht vollständig verbrennen (z. B. Kunststoffe auf Silikonharzbasis);
- verstärkte Kunststoffe mit Mineralfüllstoffen, die sich bei Temperaturen unter der Mindestkalzinierungstemperatur zersetzen.

Bei diesen Materialien sollte DIN EN ISO 11667 (Auflösen der Kunststoffmatrix) angewendet werden. Sie legt zwei Auflösungsverfahren zur Bestimmung des Gehalts an Harz, Verstärkungsfaser und Mineralfüllstoff von Formmassen und Prepregs fest:

- *Verfahren A* „Soxhlet-Extraktion“: In strittigen Fällen ist dieses Verfahren das Referenzverfahren.
- *Verfahren B:* Extraktion durch Eintauchen in ein in einem Becherglas befindliches Lösemittel. Dieses Verfahren verwendet eine einfachere Laborausrüstung, wodurch es sich besonders für Prüfungen zur Qualitätssicherung eignet.

Gewöhnlich sind Verstärkungsfasern mit Schlichte- oder Appreturmitteln beschichtet. Gewöhnlich lösen sich diese mit dem Harz und sind demzufolge auch im Harzgehalt enthalten.

Diese internationale Norm ist auf folgende Arten von faserverstärkten Kunststoffen nicht anwendbar:

- Kunststoffe, die Verstärkungen enthalten, die in den zum Auflösen des Harzes verwendeten Lösemitteln löslich (oder teilweise löslich) sind;
- Kunststoffe, in denen das Harz teilweise oder vollständig ausgehärtet ist und demzufolge in organischen Lösemitteln nicht vollständig löslich ist.

Beim Verfahren A (Soxhlet-Extraktion) muss das verwendete Lösemittel in der Lage sein, sämtliches Harz vollständig aus dem Probekörper zu extrahieren.

Lösemittel, die für die häufiger vorkommenden Harze geeignet sind, enthalten:

- Dichlormethan
- Aceton
- Methylethylketon (Butan-2-on)
- denaturiertes Ethanol

Sofern es zum Erreichen einer vollständigen Extraktion erforderlich ist, dürfen andere Lösemittel verwendet werden.

Bild 4.6 Veraschungs- (links) und Glasfiltertiegel (rechts) zur Bestimmung von Fasergehalt durch Veraschung

Bild 4.7 Kunststoffproben vor und nach dem Veraschen bzw. Lösen der Kunststoffmatrix

Nach dieser DIN EN ISO 1172 wird der Probekörper gewogen und anschließend bei einer festgelegten Temperatur kalziniert. Der Probekörper wird dann erneut gewogen und der nichtbrennbare Anteil (Textilglas und Mineralfüllstoff) wird durch Bestimmung der Massedifferenz des Probekörpers vor und nach dem Kalzinieren nach einer der folgenden Arbeitsweisen bestimmt:

1. Im Falle von Materialien, die **keine Mineralfüllstoffe** enthalten, wird der Textilglasgehalt direkt aus der Massedifferenz berechnet (Verfahren A);
2. Im Falle von Materialien, die **Textilglas und Mineralfüllstoffe** enthalten, werden nach dem Kalzinieren Textilglas und verbleibender Mineralfüllstoff durch Ablösen des Füllstoffes in Salzsäure getrennt. Die Differenz zwischen der Masse des Probekörpers vor dem Kalzinieren und der Masse des getrockneten Probekörpers nach Reaktion mit Säure wird zur Bestimmung des Textilglasgehalts verwendet. Der Mineralfüllstoffgehalt wird durch Berechnung der Differenz zwischen der Masse des Probekörpers nach dem Kalzinieren und der Masse des getrockneten Probekörpers nach Reaktion mit Säure (Verfahren B) erhalten.

Bestimmung der **Sulfatasche**: Die Bestimmung der Sulfatasche ist ein gravimetrisches Verfahren, das zur Bestimmung anorganischer Bestandteile in einer organischen Probe dient. Es unterscheidet sich dadurch von anderen Veraschungen, dass vor oder nach dem Glühen Schwefelsäure zugesetzt wird. Dadurch werden evtl. vorhandene Alkalihalogenide in schwerer flüchtige Alkalisulfate umgewandelt, wodurch neben den anorganischen Füllstoffen auch andere organische Hilfsstoffe, wie z. B. Puffersubstanzen, oder metallorganische Verbindungen, wie z. B. Katalysatoren oder Stabilisatoren, mit erfasst werden können.

Praktische Anwendung findet die Sulfataschebestimmung bei PVC. Da Chloride leicht flüchtig sind, würden diese bei der Veraschung entweichen und den Füllstoffgehalt verfälschen.

Rußgehaltsbestimmung: Ruß besteht aus kleinsten, meist kugelförmigen Teilchen, die auch Primärpartikel genannt werden. Die Primärpartikel sind zu kettenförmigen, teilweise klumpenartigen Aggregaten verbunden. Viele dieser Aggregate lagern sich zusammen und bilden so die Agglomerate. Siehe Abschnitt 4.1.3.8 Bestimmung des Rußgehalts.

Das Verfahren der Thermogravimetrischen Analyse (TG) erlaubt die Bestimmung des Rußgehalts sehr kleiner Probenmengen (~ 10 mg) durch getrenntes Verbrennen des Rußes unter Sauerstoff nach vorheriger Pyrolyse der Kunststoffmatrix unter Stickstoff. Da sich in der Regel der zugesetzte Ruß und der Pyrolyseruß des Kunststoffes bei unterschiedlichen Temperaturen zersetzen, kann der Rußgehalt direkt aus der Gewichtskurve abgelesen werden.

4.3.3 Anwendungen der Füllstoffgehaltsbestimmungen

Die Methoden des Kalzinierens und der nasschemischen Analyse ermöglichen aufgrund der relativ großen Probenmenge eine gute integrale Aussage über den Füllstoffgehalt von Formteilen und Granulaten. Ohne vorherige Kenntnisse der Zuschlagstoffe eines Kunststoffes sind umfangreiche Vorversuche notwendig. Bei organischen Füllstoffen und Fasern sind aufwendige nasschemische Trennungsgänge notwendig. Die Thermogravimetrie (TG) bietet aufgrund der exakten und flexiblen Temperatur- und Spülgasregelung eine gute Möglichkeit der Füllstoffgehaltsbestimmung. Aufgrund der kleinen Probenmenge (~ 10 mg) kann sie sogar örtlich sehr gut aufgelöste Erkenntnisse über die Füllstoffverteilung liefern, Tabelle 4.8.

Tabelle 4.8 Anwendungsbereiche und Vergleich der verschiedenen Messverfahren der Füllstoffgehaltsbestimmung

Proben	Verfahren	Bemerkung
organische Füllstoffe (Ruß, C-Faser, Graphit, Hanf) PTFE	Lösen, Extraktion TGA	aufwendig durch Kombination von Spülgasen Trennung möglich
	TGA DSC	Pyrolyseruß des PTFE beachten nur Abschätzung über Schmelzenthalpie und Referenzsubstanz möglich
anorganische Füllstoffe (Glas)	Veraschung TGA	Vorsicht! – Überlagerung von Zersetzungseffekten möglich
(Glas + Kreide)	TGA Veraschung + 5 %ig HCl	CO_2- und H_2O-Abspaltung berücksichtigen
(Glas + Kreide)	Veraschung + 5 %ig H_2SO_4	CO_2- und H_2O-Abspaltung berücksichtigen
(Glas + Talkum)	Veraschung + Filtration	kleine Teilchengröße des Talkum beachten

Eine integrale Aussage über Granulat oder Formteil ist jedoch nur mit Mehrfachbestimmungen möglich.

4.3.4 Aramid- und Kohlenstofffaser-Gehalt bei Epoxidharzmatrix

Aramidfasern werden als organisches Material bei den Bedingungen der Sulfatasche-Bestimmung (500 – 700 °C) ebenfalls zersetzt. Deswegen ist diese Methode für die Kontrolle des Aramidfasergehalts ungeeignet. Aramid- und Kohlenstofffaserverbunde besitzen meistens eine Epoxidharzmatrix. Die gehärtete (vernetzte) Epoxidmatrix ist in Lösemitteln nicht löslich. sie muss mit geeigneten Reagenzien zersetzt werden, ohne dass die Aramidfaser angegriffen wird. Als geeignet dazu hat sich, nach ASTM D 3171 A, 70 %-ige Salpetersäure bei 75 °C erwiesen.

Versuchsdurchführung

Zur Bestimmung des Aramid- oder Kohlenstofffasergehalts mit EP-Matrix nimmt man je nach Gleichmäßigkeit der Laminate mehrere Stücke (ca. 5) von wenigen Gramm (insgesamt ca. 2 g) und wiegt sie in einem 100 ml-Rundkolben mit einer Genauigkeit von 0,001 g ein. Danach werden 30 ml von 70 %-iger Salpetersäure zugegeben. Unter einem Rückfluss wird der Kolbeninhalt in einem Wasserbad bei 70 °C ± 1 °C innerhalb 5 h erwärmt. Nach dieser Zeit ist die EP-Matrix aufgelöst. Der Kolbeninhalt wird über einen zuvor gewogenen Glasfiltertiegel getrennt. Die auf dem Glasfilter gebliebenen Fasern werden dreimal mit destilliertem Wasser und einmal mit Aceton gewaschen und anschließend 1 h bei 105 °C getrocknet. Der Glasfilter (mit und ohne Proben) soll im Exsikkator abkühlen.

4.3.5 Kohlenstofffaser-Gehalt bei Phenolharz- oder Polyimidmatrix

Bei chemisch sehr gut beständigen Matrixwerkstoffen wie Phenolharzen oder Polyimiden kommen andere Verfahren als ASTM D 3171 A zum Einsatz. Als geeignetes Verfahren zur Zersetzung der Matrix hat sich nach DIN 29 971 oder ASTM D 3171 B mehrstündiges Kochen in 96 – 98 %-iger Salpetersäure erwiesen.

Versuchsdurchführung nach DIN 29 971

Zur Bestimmung des Kohlenstofffaser-Gehalts nimmt man je Laminat 3 Stücke mit einer Masse von 1,5 bis 1 g und wiegt sie in einem 100 ml-Rundkolben mit einer Genauigkeit von 0,001 g ein. Danach werden 50 ml einer 96 – 98 %-igen Schwefelsäure zugegeben.

Unter einem Rückfluss wird der Kolbeninhalt vorsichtig bis zum beginnenden Rauchen erhitzt. Danach wird tropfenweise 30 %-iges Wasserstoffperoxid (H_2O_2) zugegeben, bis die Lösung klar wird. Anschließend erfolgt ein mehrstündiges Kochen der Lösung (abhängig vom Matrixwerkstoff), bis keine Gasblasen mehr aufsteigen, um sicherzustellen, dass ein vollständiger Abbau des Polymeren stattgefunden hat. Nach dem Abkühlen der Lösung wird der Kolbeninhalt über einen zuvor gewogenen Glasfiltertiegel getrennt. Die auf dem Glasfilter verbliebenen Kohlenstofffasern werden mit destilliertem Wasser gewaschen, bis das ablaufende Filtrat neutral reagiert. Anschließend erfolgt eine Trocknung bei 120 °C bis zur Massekonstanz (ca. 2 Stunden).

4.3.6 Bestimmung des Glasfaser- und Füllstoffgehalts

Glasfasern und andere anorganische Füll- und Verstärkungsmittel können durch thermische Erhitzung (Veraschen) von den sich dann verflüchtigenden organischen Kunststoffen getrennt werden.

Versuchsdurchführung

Glasfasergehalt nach DIN EN ISO 1172 (nur Textilglas):

Mindestens 2, besser 3 oder 4 Probekörper bei Prepregs und Formmassen mit einem Gewicht von ca. 2 – 20 g, bei Laminaten 2 – 10 g bei einer Dicke von ca. 5 mm werden in einen Porzellan- oder Platinschmelztiegel gegeben. Vor Beginn der Prüfreihe muss ein Blindversuch mit dem leeren Tiegel durchgeführt und sichergestellt werden, dass das Gewicht der Proben auf 1 mg konstant bestimmt werden kann.

Der Tiegel mit dem Probekörper wird gewogen und im elektrischen Muffelofen auf eine Temperatur von 625 ± 20 °C geglüht, bis keine verkohlten Bestandteile mehr vorhanden sind. Der Tiegel und der Rückstand werden im Exsikkator auf Raumtemperatur abgekühlt und anschließend gewogen. Der Vorgang wird so lange wiederholt, bis der Gewichtsunterschied in zwei aufeinanderfolgenden Wägungen kleiner als 1 mg ist Der Glühverlust entspricht dem Harzgehalt. Der Glasgehalt kann als Differenz aus Einwaage und Glühverlust berechnet werden.

Der Glühverlust in % wird nach folgender Gleichung berechnet:

$$p = \frac{m_2 - m_3}{m_2 - m_1} \cdot 100 \qquad (4.1)$$

P Glühverlust in %
m_1 Gewicht des Tiegels in g
m_2 ursprüngliches Gesamtgewicht des Tiegels einschließlich der Probe in g
m_3 Gesamtgewicht des Tiegels und des Rückstandes nach dem Glühen in g

Aus den erhaltenen Werten wird der Mittelwert berechnet und auf die nächste ganze Zahl gerundet. Neben dieser konventionellen Methode kann eine Veraschung der Probe auch mit einem Mikrowellenofen durchgeführt werden. Die Berechnung des Glühverlustes erfolgt analog nach o. g. Gleichung. Das Verfahren mit einem Mikrowellenofen reduziert die Analysenzeit erheblich (um ca. 70 – 80 %). Anstelle von Porzellantiegeln werden hier spezielle Quarzglastiegel eingesetzt.

Versuchsdurchführung, Verfahren B (Textilglas + Mineralfüllstoff):

Im Falle von Mineralien, die Textilglas und Mineralfüllstoffe enthalten, werden diese nach dem Kalzinieren durch Auflösen des Füllstoffes in Salzsäure und anschließende Filtration in einem Glasfiltertiegel getrennt. Bei Vorhandensein mineralischer Füllstoffe muss eine Kalzinierungstemperatur von 500 - 600 °C angewendet werden, da diese Füllstoffe bei höheren Temperaturen nicht stabil sind. Die Differenz zwischen der Masse des Probekörpers vor dem Kalzinieren und der Masse des getrockneten Probekörpers nach der Reaktion mit der Salzsäure wird zur Bestimmung des Textilgehalts verwendet. Der Gehalt an Textilglas und Mineralfüllstoff wird wie folgt berechnet:

$$M_{Glas} = \frac{m_5 - m_4}{m_2 - m_1} \cdot 100$$

$$M_{Füllstoff} = \left(\frac{m_3 - m_1}{m_2 - m_1} - \frac{m_5 - m_4}{m_2 - m_1} \right) \cdot 100 \tag{4.2}$$

M_{glas}	Textilglasgehalt [%]
$M_{\text{füllstoff}}$	Mineralfüllstoffgehalt [%]
m_1	Ausgangsmasse des trockenen Tiegels [g]
m_2	Ausgangsmasse des trockenen Tiegels mit dem getrockneten Probekörper [g]
m_3	Endmasse des Tiegels mit dem Kalzinierungsrückstand [g]
m_4	Masse des trockenen Glasfiltertiegels [g]
m_5	Masse des Glasfiltertiegels nebst Inhalt nach Reaktion des Rückstandes mit der Säure [g]

Sollte sich der Mineralfüllstoff in der Salzsäure nicht auflösen, wird empfohlen, das Glas mit einer Pinzette zu separieren.

Neben dieser konventionellen Methode kann eine Veraschung/Kalzinieren der Probe auch mit einem Mikrowellenofen durchgeführt werden. Die Berechnung des Glühverlustes erfolgt analog. Das Verfahren mit einem Mikrowellenofen reduziert die Analysenzeit erheblich (um ca. 70 bis 80 %). Anstelle von Porzellantiegeln werden hier spezielle Quarzglastiegel eingesetzt.

Bei der Füllstoffbestimmung an einer unbekannten Probe ist darauf zu achten, dass auch einige mineralische Füllstoffe bei erhöhten Temperaturen zersetzt werden. Einige Beispiele sind in Tabelle 4.8 aufgeführt.

Die in DIN EN ISO 1172 beschriebenen Verfahren sind auf folgende Arten von verstärkten Kunststoffen nicht anwendbar:

- verstärkte Kunststoffe mit anderen Verstärkungsmaterialien als Textilglas,
- verstärkte Kunststoffe, die Materialien enthalten, die bei der Prüftemperatur nicht vollständig verbrennen (z. B. Kunststoffe auf Silikonharzbasis),
- verstärkte Kunststoffe mit Mineralfüllstoffen, die sich bei Temperaturen unter der Mindestkalzinierungstemperatur zersetzen.

Bei diesen Materialien sollte DIN EN ISO 11667 (Auflösen der Kunststoffmatrix) angewendet werden.

4.3.7 Glasfaser- + Füllstoffgehalt

Besonders SMC und BMC enthalten neben Glasfasern auch Füllstoffe. Die Anteile beider Gruppen können getrennt bestimmt werden.

4.3.7.1 Glasfaser + Calciumcarbonat

Ein Probestück bei Prepregs und Formmassen zwischen 2 und 20 g, bei Laminaten zwischen 2 und 10 g wird bei 625 °C 2 h lang in einem Muffelofen geglüht. Der dabei auftretende Gewichtsverlust entspricht dem Harzanteil.

Zur Trennung wird der Rest der Probe aus dem Tiegel in ein 400 ml-Becherglas restlos überführt. Dazu gibt man ca. 150 ml 5 %-ige Salzsäure. Ein Aufbrausen zeigt die Anwesenheit von Calciumcarbonat an. Ist das Aufbrausen beendet, hat sich der mineralische Füllstoff vollkommen gelöst. Danach wird der Ansatz filtriert. Es gibt 2 Methoden:

1. Über einen Faltenfilter werden die Glasfasern abfiltriert und so lange mit destilliertem Wasser gespült, bis die Reaktion mit Indikatorpapier neutral verläuft. Ein Filter ohne Glasfasern sowie der Filter mit der Probe werden über Nacht bei 150 °C im Trockenschrank getrocknet, im Exsikkator bis auf Raumtemperatur abgekühlt und gewogen.
2. Bei der zweiten Methode wird über einem Rundfilter mit Glasfasern nochmals im Tiegel bei 625 °C geglüht. Die Auswaage entspricht dem Glasgehalt, der Restaschegehalt des Filters kann vernachlässigt werden.

Anhand des vorher bestimmten Harz- sowie Glasfaseranteiles wird der Gehalt an Calciumcarbonat berechnet.

4.3.7.2 Glasfaser + Kaolin

Ein Probestück bei Prepregs und Formmassen zwischen 2 und 20 g, bei Laminaten zwischen 2 und 10 g wird bei 625 °C 2 h lang in einem Muffelofen geglüht. Der dabei auftretende Gewichtsverlust entspricht dem Harzanteil.

Da Kaolin beim Glühen bis 625 °C das chemisch gebundene Wasser abspaltet, ist die erhaltene Auswaage geringer, nämlich um den Anteil des Wasserverlustes des Kaolins. Das Gewicht des Kaolins ($Al_4(Si_4O_{10})OH_8$) wird beim Glühen durch die Wasserabspaltung um 14 Gew.-% verringert. Zur Bestimmung des Füllstoffgehalts müssen diese 14 % berücksichtigt, d. h. zum Messergebnis addiert werden.

Das Glasfaser-Kaolin-Gemisch wird in ein 400 ml-Becherglas vollständig überführt und anschließend mit ca. 150 ml 5 %-iger H_2SO_4 übergossen. Das Kaolin löst sich und die Filtration erfolgt wie bei Glasfaser/Calciumcarbonat.

4.3.7.3 Glasfaser + Aluminiumhydroxid

Ein Probestück bei Prepregs und Formmassen zwischen 2 und 20 g, bei Laminaten zwischen 2 und 10 g wird bei 625 °C 2 h lang in einem Muffelofen geglüht. Der dabei auftretende Gewichtsverlust entspricht dem Harzanteil.

Dabei wird vom Aluminiumhydroxid Wasser abgespalten, wobei der theoretische Gewichtsverlust 34,6 % beträgt. Zur Bestimmung des Füllstoffgehalts müssen diese 34,6 Gew.-% berücksichtigt werden. Das Glas-Aluminiumhydroxid-Gemisch lässt sich durch Säuren nicht trennen und Alkalien würden das Glas angreifen. Da jedoch Aluminiumhydroxid meistens sehr feinkörnig vorliegt, kann es durch eine Glasfilterfritte G1 abgesaugt werden. Auf der Glasfilterfritte bleiben die mit dem destillierten Wasser bis zur Neutralisation gespülten Glasfasern zurück. Die Fritte wird über Nacht im Wärmeschrank bei 150 °C oder im Vakuum bei 70 °C getrocknet, im Exsikkator auf Raumtemperatur abgekühlt und gewogen. Die gleiche Prozedur wird vorher mit der leeren Fritte vollzogen, so dass man das Leergewicht der Glasfilter erhält.

4.3.8 Bestimmung des Rußgehalts

Ein vergleichsweise kompliziertes Problem stellt die Rußbestimmung in Gegenwart anorganischer Aktivatoren und Füllstoffe dar. Das Verfahren der **Thermogravimetrischen Analyse (TGA)** erlaubt die Bestimmung des Füllstoffgehalts an kleineren Probenmengen und mit geringerem Zeitaufwand als die herkömmliche gravimetrische Analyse. Das Messprinzip beruht auf der kontinuierlichen Messung des Gewichts einer Probensubstanz in Abhängigkeit von der Temperatur. Die Probe befindet sich dabei auf einem Wägebalken, der in einem regelbaren Ofen platziert wird.

Versuchsdurchführung

Die Rußbestimmung in einem Masterbatch auf PE-Basis erfolgt durch Einwaage von 20 – 30 mg Probemenge in eine TGA. Der TGA-Ofen wird mit sauerstofffreiem Stickstoff gespült und ausgehend von Raumtemperatur mit einer Steigerungsrate von 20 °C/min aufgeheizt. Ab ca. 400 °C beginnt sich das Polyethylen zu zersetzen, und das Gewicht der Probe nimmt ab. Der Zersetzungsvorgang ist abgeschlossen, wenn sich das Probengewicht zwischen 500 °C und 550 °C nicht weiter verringert. Die TGA-Kurve verläuft dann horizontal. Bei 550 °C wird von Stickstoff- auf Luftzufuhr umgeschaltet und der Rückstand, der hier ausschließlich aus Ruß besteht, verbrennt.

Die Verbrennung ist bei ca. 700 °C beendet und die Kurve verläuft wieder horizontal. Ein etwaiger verbleibender Verbrennungsrückstand kann z. B. aus mineralischen Füllstoffen bestehen. Der Rußgehalt wird zu 32 % bestimmt, Bild 4.8:

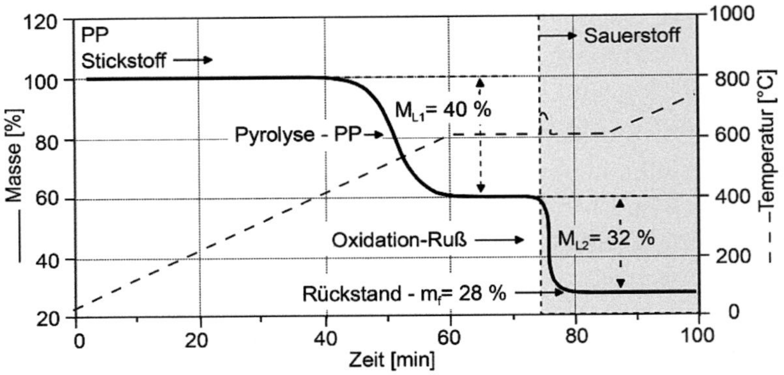

Bild 4.8 Bestimmung des Rußgehalts in PP mittels Thermogravimetrie

4.3.9 Aussagemöglichkeiten und Grenzen der Füllstoffbestimmung

Eine integrale Aussage über Granulat oder Formteil ist jedoch nur mit Mehrfachbestimmung möglich, siehe auch Tabelle 4.8.

Beispiel

Ein Stoßfänger aus einem mit 12 % Talkum gefüllten Polypropylen versagt ungewöhnlich. Es wurde ein Glührückstand von 8 % bestimmt. Die Zersetzungskurve der Thermogravimetrie zeigt eine 2. Zersetzungsstufe, die auf Kreide hindeutet. Mittels EDX-Analyse konnte eindeutig bestätigt werden, dass es sich bei dem Füllstoff um Kreide und nicht um Talkum handelt.

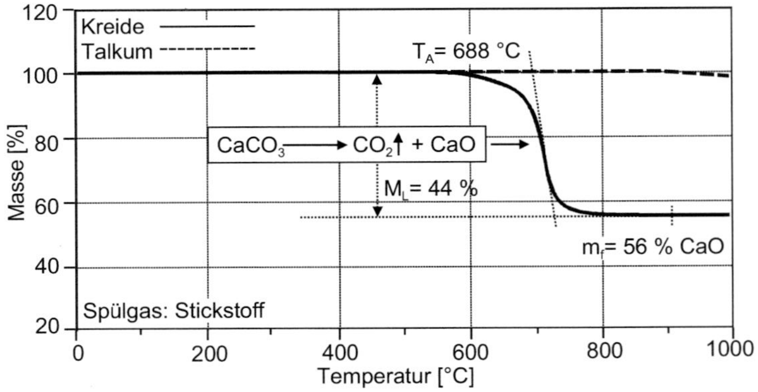

Bild 4.9 TG-Messungen von reiner Kreide und reinem Talkum
T_A = Anfangstemp., M_L = Massenverlust, m_f = Masse bei Endtemperatur, Heizrate 10 °C/min, Einwaage ca. 10 mg, Spülgas Stickstoff

4.4 Normen

Verfahren mit Auflösen der Matrix:

DIN EN ISO 11667	Faserverstärkte Kunststoffe – Formmassen und Prepregs – Bestimmung des Gehaltes an Harz, Verstärkungsfaser und Mineralfüllstoff, Auflöseverfahren
ASTM D 3171 A	Fiber Content of Resin-Matrix Composites by Matrix Digestion – Procedure A – Epoxy Resin Matrices
ASTM D 3171 B	Fiber Content of Resin-Matrix Composites by Matrix Digestion – Procedure B – Polyimide or Phenolic Resin Matrices
DIN 29971	Luft- und Raumfahrt; Unidirektionalgelege-Prepreg aus Kohlenstoffasern und Epoxidharz
DIN EN 2564	Luft- und Raumfahrt – Kunststoffaser-Laminate – Bestimmung der Faser-, Harz- und Porenanteile, 1998

Kalzinierungsverfahren (thermisches Zersetzen der Matrix):

DIN EN ISO 3451-1	Kunststoffe – Bestimmung der Asche
DIN EN ISO 1172	Textilglasverstärkte Kunststoffe – Prepregs, Formmassen und Laminate – Bestimmung des Textilglas- und Mineralfüllstoffgehalts – Kalzinierungsverfahren

Zuschlag- und Hilfsstoffe:

DIN EN ISO 787-2 (1995)	Allgemeine Prüfverfahren für Pigmente und Füllstoffe – Teil 2: Bestimmung der bei 105 °C flüchtigen Anteile
DIN EN ISO 787-3 (2001)	Allgemeine Prüfverfahren für Pigmente und Füllstoffe – Teil 3: Bestimmung der wasserlöslichen Anteile; Heißextraktionsverfahren
DIN EN ISO 787-5 (1995)	Allgemeine Prüfverfahren für Pigmente und Füllstoffe – Teil 5: Bestimmung der Ölzahl
DIN EN ISO 787-7 (2010)	Allgemeine Prüfverfahren für Pigmente und Füllstoffe – Teil 7: Bestimmung des Siebrückstandes – Wasserverfahren – Handspülverfahren
DIN EN ISO 787-8 (2001)	Allgemeine Prüfverfahren für Pigmente und Füllstoffe – Teil 8: Bestimmung der wasserlöslichen Anteile; Kaltextraktionsverfahren
DIN EN ISO 787-9 (1995)	Allgemeine Prüfverfahren für Pigmente und Füllstoffe – Teil 9: Bestimmung des pH-Wertes einer wässrigen Suspension

DIN EN ISO 787-10 (1995)	Allgemeine Prüfverfahren für Pigmente und Füllstoffe – Teil 10: Bestimmung der Dichte; Pyknometerverfahren
DIN EN ISO 787-11 (1995)	Allgemeine Prüfverfahren für Pigmente und Füllstoffe – Teil 11: Bestimmung des Stampfvolumens und der Stampfdichte
DIN EN ISO 787-13 (2002)	Allgemeine Prüfverfahren für Pigmente und Füllstoffe – Teil 13: Bestimmung der wasserlöslichen Sulfate, Chloride und Nitrate
DIN EN ISO 787-23 (1995)	Allgemeine Prüfverfahren für Pigmente und Füllstoffe – Teil 23: Bestimmung der Dichte
DIN EN ISO 1043-2 (2012)	Kunststoffe – Kennbuchstaben und Kurzzeichen – Teil 2: Füllstoffe und Verstärkungsstoffe
DIN EN ISO 3262-1 (1998)	Füllstoffe für Beschichtungsstoffe – Anforderungen und Prüfverfahren – Teil 1: Einleitung und allgemeine Prüfverfahren
DIN EN ISO 3262-2 bis 22 (1998-2002)	Füllstoffe für Beschichtungsstoffe – Anforderungen und Prüfverfahren – Schwerspat, Blanc fixe, Kreide, Natürliches kristallines Calciumcarbonat, Gefälltes Calciumcarbonat, Dolomit, Natürlicher Kaolin, Calcinierter Kaolin, Verwachsungen von natürlichem plättchenförmigen Talk und Chlorit, Natürlicher, plättchenförmiger, carbonathaltiger Talk, Glimmer; Typ Muskovit, Natürlicher Quarz (gemahlen), Aluminiumhydroxid, Calciumsilicat, Gefälltes Natriumaluminiumsilicat, Pyrogenes Siliciumdioxid, Quarzsand
DIN EN ISO 10352 (2011)	Faserverstärkte Kunststoffe – Formmassen und Prepregs – Bestimmung des Flächengewichtes
DIN EN ISO 11667 (1999)	Faserverstärkte Kunststoffe – Formmassen und Prepregs – Bestimmung des Gehaltes an Harz, Verstärkungsfaser und Mineralfüllstoff
DIN 55625-4 (1999)	Füllstoffe für Kunststoffe – Anforderungen und Prüfverfahren (analog DIN EN ISO 3262)
DIN 55944 (2011)	Farbmittel – Einteilung nach koloristischen und chemischen Gesichtspunkten

4.5 Verwendete Literatur

[1]	Schiebisch, J.	Zum Recycling von Faserverbundkunststoffen mit Duroplastmatrix, Dissertation am Lehrstuhl für Kunststofftechnik. 1996, *https://www.kunststoffe.de/fachinformationen/dissertationen*
[2]	Ramsteiner, F.	Mechanische Eigenschaften kurzglasfaserverstärkter Thermoplaste, Schweizer Maschinenmarkt, Nr. 2 (1986), S. 44 - 47
[3]	Ramsteiner, F. Theyson, R.	On the Tensile Behaviour of Filled Composite, Composites, No 2, Vol. 15, April (1984) pp. 121 - 128
[4]	Ramsteiner, F.	Elastic Behaviour of Undirectional Short Fibre-Reinforced Thermoplastics Composites, Composites, Januar (1981) pp. 65 - 71
[5]	Drummer, D.	Informationsblatt - Hochgefüllte Kunststoffe, Lehrstuhl für Kunststofftechnik, Erlangen, Stand 10/01
■	Ehrenstein, G. W. Drummer, D.	Hochgefüllte Kunststoffe mit definierten magnetischen , thermischen und elektrischen Eigenschaften, Springer-VDI-Verlag GmbH & Co.KG, Düsseldorf 2002
■	Eimeke, S.	Füllstoffe in der Kunststofftechnik Workshop „Partikelmesstechnik im Kunststoffbereich“, Lehrstuhl für Kunststofftechnik, 28.02.2007
■	Kopczynska, A.	Workshop „Partikelmesstechnik im Kunststoffbereich“, Lehrstuhl für Kunststofftechnik, 28.02.2007
■	Bürger, C. Ehrenstein, G. W.	Darstellung verstärkter Kunststoffe mittels RE-Detektor (REM) und Mikroradiografie Prakt. Metallogr. 43(2006)4

5 Thermogravimetrie

5.1 Einführung

Die Thermogravimetrie (TGA) ist eine analytische Prüfmethode, bei der die Massenänderung einer Probe in Abhängigkeit von der Temperatur und Zeit gemessen wird. Ziel ist die Bestimmung des Zersetzungsverhaltens von Kunststoffen unter Einwirkung der Temperatur und möglicher Rückstände. Variiert werden können die Gase der Umgebung, Luft, Sauerstoff und häufig Stickstoff, um eine Oxidation zu vermeiden. Nicht simuliert werden können der Druck und bestimmte Strömungsverhältnisse, die z. B. bei einer Spritzgieß-/Extrusions-Verarbeitung auftreten. Temperaturbereiche von RT bis ca. 1000 °C mit Aufheizgeschwindigkeiten wie bei der klassischen DSC-Messung (< 20 °C/min). Die Probenmassen betragen 5 – 100 mg. Verwendet werden Tiegel aus verschiedenen Materialien, die zuverlässig nicht mit dem Probenmaterial reagieren, so wie Aluminium [T_s ~ 660 °C], Aluminiumoxid [T_s ~ 2050 °C], Gold [T_s ~ 1060 °C] und Platin [T_s ~ 1768 °C]. Positionsänderungen der Probe vermeidet ein parallel geführter Tiegel. Während der Messung wird die Massenänderung der Probe gemessen, welche verschiedene Ursachen haben kann:

Massenverlust durch:

- physikalische Vorgänge (Verdampfen, Sublimieren),
- Zerfall (Zersetzung bei Bildung flüchtiger Produkte),
- Reaktion (z. B. Reduktion).

Mittels einer angeschlossenen FTIR oder eines GC/MS-Systems können die Zersetzungsprodukte identifiziert werden.

Massenzunahme durch:

- Reaktion (Oxidation).

Mit Hilfe der Thermogravimetrie (TG) wird die Masse bzw. die Massenänderung einer Probe in Abhängigkeit von der Temperatur und/oder der Zeit gemessen. Massenänderungen treten bei Verdampfung, Zersetzung, chemischen Reaktionen, magnetischen oder elektrischen Umwandlungen auf. Die Thermogravimetrie ist in DIN EN ISO 11358 und DIN 51006 beschrieben.

Thermogravimetrie = Massenänderung in Abhängigkeit von Temperatur und/oder Zeit.

Die Probe wird dazu in einem kleinen Tiegel aus temperaturstabilem und inertem Material (z. B. Platin oder Aluminiumoxid) in einem Ofen auf Temperaturen bis zu 2400 °C erhitzt. Der Probenhalter ist an eine Mikrowaage gekoppelt, welche die Massenänderungen während des Aufheizvorgangs registriert. Ein Thermoelement dicht bei dem Tiegel misst die Temperatur. Moderne TGA-Geräte erlauben über einen angeschlossenen Computer eine Einstellung der Endtemperatur, Heizrate, des Gasstroms o. Ä. Während der Analyse wird der Probenraum je nach Bedarf mit verschiedenen Gasen gespült. Meist verwendet man reinen Stickstoff, um eine Oxidation zu vermeiden (auf Vakuumdichtheit der gesamten Apparatur achten). In manchen Fällen wird jedoch auch mit Luft, Sauerstoff oder anderen Gasen gespült.

Beim Erhitzen kann die Probe durch Zersetzungsreaktionen oder Verdampfen flüchtige Komponenten an die Umgebung abgeben oder aus der Umgebung z. B. durch Oxidation Reaktionspartner aufnehmen. Die Gewichtsabnahme bzw. -zunahme und die Temperatur, bei welcher die Gewichtsänderung stattfindet, kann spezifisch für eine untersuchte Probe sein. Daraus können Rückschlüsse auf die Zusammensetzung des Stoffes gezogen werden.

Vereinfacht dargestellt, handelt es sich bei der Thermogravimetrie (TG) um eine hochempfindliche Waage, die Gewichtsänderungen bis zu sehr hohen Temperaturen messen kann.

Die Thermogravimetrie wird in der Kunststoff-Schadensanalyse eingesetzt zur Bewertung:

- von Gehalt und Verteilung von Füll- und Verstärkungsstoffen,
- der Werkstoffzusammensetzung (Weichmacheranteile, Modifizierungen),
- des Zersetzungsverhaltens, um Hinweise auf eine Werkstoffschädigung zu erhalten,
- zum Erkennen von flüchtigen und verdampfbaren Stoffen (in Kopplung mit anderen Methoden wie z. B. IR oder MS auch zu deren Identifizierung).

5.1.1 Grundlagen

Zum Einsatz kommt die TG überall dort, wo es wichtig ist, Informationen über Masseänderungen in Abhängigkeit von Temperatur und/oder Zeit zu erhalten. Ein Anwendungsfall aus dem täglichen Leben ist z. B. die Bestimmung der Aushärtedauer einer Korrekturtusche. Mittels TG kann man sehr leicht feststellen, wie lange es dauert, bis das in der Korrekturtusche enthaltene Lösemittel verdampft ist und die Textstelle wieder beschrieben werden kann. Nicht ganz so alltägliche Anwendungen sind im Folgenden beschrieben:

- Gewichtsverlust bei Zersetzung
- Rußgehalt
- Fasergehaltsbestimmung kleinster Proben
- Wirksamkeit thermischer Stabilisatoren
- Alterung
- Zersetzungskinetik

Die **Massenänderung bei Zersetzung** kann vor allen Dingen bei Mischungen Aufschluss über die quantitative Zusammensetzung liefern. Vor allem bei komplexen Gummirezepturen, die neben dem Polymeren Weichmacher, Füllstoffe und sonstige Additive enthalten, kommt der TG eine wichtige Bedeutung zu. Weiterhin kann das Abdampfen von Feuchtigkeit oder Lösemitteln bestimmt werden, was beispielsweise für die Ermittlung der Abbindezeit von Farben, Lacken oder Klebstoffen notwendig ist.

TG-Messungen werden unter definierter Gasatmosphäre durchgeführt. Auch hier kann es sich um Inertgas, Luft oder Sauerstoff handeln.

Bei der Bestimmung des **Rußgehalts** in einem Masterbatch oder einer Kautschukmischung wird zunächst das Polymere unter Inertgasatmosphäre zersetzt, ab ca. 600 °C Sauerstoff zugeführt, um den enthaltenen Ruß zu pyrolysieren.

Ähnliche Aussagen wie bei der OIT sind mit der TG in Bezug auf die Wirksamkeit thermischer **Stabilisatoren** oder **Alterungsprozesse** möglich. Die TG wird vor allem dort angewandt, wo die OIT keine eindeutigen Aussagen liefert.

Ein weiteres Anwendungsgebiet der TG liegt im Bereich der Zersetzungskinetik.

Von großer Bedeutung sind die Wahl des Spülgases und der Zustand im Probenraum. Verwendet werden inerte oder oxidierende Spülgase, z. B. Stickstoff, Helium, Argon bzw. Sauerstoff oder Luft (in Einzelfällen wird die Messung auch unter Vakuum durchgeführt, bzw. der Probenraum vor Messbeginn evakuiert). Die Wärmeübertragung auf die Probe ist von der Strömungsgeschwindigkeit des Gases abhängig.

In Bild 5.1 ist eine vertikale Thermowaage dargestellt; ebenso werden auch horizontal aufgebaute thermogravimetrische Apparaturen eingesetzt.

Bild 5.1
Vertikale Thermowaage

Neben reinen Thermowaagen liefern sog. simultane Thermowaagen während eines Aufheizvorgangs gleichzeitig Informationen über die Massen- (TG-Signal) und Temperatur- (DTA-Signal) bzw. Wärmestromänderung (DSC-Signal) der Probe. Auf diese Weise kann beispielsweise ein endothermer Effekt anhand der TG-Kurve direkt einem mit Massenverlust verbundenen (Abdampfen) oder nicht mit Massenverlust verbundenen (Schmelzen) Vorgang zugeordnet werden. Manche Geräte erlauben auch quantitative Aussagen z. B. über Schmelz- oder Vernetzungsenthalpien, die jedoch, verglichen mit einem eigenständigen DSC-Gerät, vor dem Hintergrund ungünstigerer Gerätekennwerte zu sehen sind.

Auch Kopplungen von Thermowaagen mit FTIR- oder Massenspektrometern werden in der Kunststoffanalytik eingesetzt. Der Einsatz von Kopplungen ist immer dann vorteilhaft, wenn eine Identifizierung der Stoffe erfolgen muss, die zu einem bestimmten Massenverlust gehören. Das Prinzip solcher Kopplungen besteht darin, dass die beim Aufheizen in der Thermowaage entstandenen gasförmigen Komponenten mit einem konstanten Gasstrom in eine weitere Messzelle überführt werden. Bei einer TGA/FTIR-Kopplung geschieht dies über eine Transferleitung, die ebenso wie die Messzelle geheizt werden muss, um die Bildung von Kondensat zu unterdrücken. Die Interpretation der Ergebnisse bedarf einiger Erfahrung, vor allem dann, wenn beim thermischen Abbau mehrere Komponenten gleichzeitig auftreten. Bei IR-inaktiven Gasen, wie Sauerstoff oder Stickstoff, empfiehlt sich eine TGA/MS-Kopplung. Kritisch bei dieser Kopplungsmethode ist die Verknüpfung von TG und MS, da hierbei der Druck von der Thermogravimetrie kommend auf Vakuum im Massenspektrometer reduziert werden muss.

5.1.2 Messprinzip

Das Prinzip der TG lässt sich relativ einfach durch eine Waage darstellen. Es gibt horizontale und vertikale Anordnungen, die letztendlich gleiche Ergebnisse liefern. Folgendes Bild 5.2 zeigt den schematischen Aufbau einer TG:

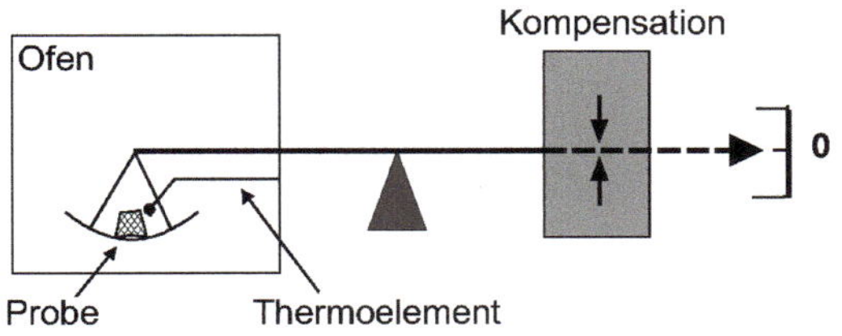

Bild 5.2 Schematische Darstellung einer horizontalen Thermowaage

Die während der Messung auftretende Massenänderung der Probe wird durch eine elektromagnetisch oder elektromechanisch kompensierende Waage mit einem Regelkreislauf zur Nulllage ausgeregelt. Aus dem Kompensationssignal wird die Masse der Probe in Abhängigkeit von Temperatur und Zeit bestimmt.

5.1.2.1 Messablauf

Ähnlich dem Ablauf einer DSC-Messung wird auch bei der TG ein gewisses Schema eingehalten:

- Probenpräparation
- Spülgas
- Tarieren der Waage
- Probeneingabe
- Parametereingabe
  - Heizrate
  - Endtemperatur
  - evtl. isotherme Haltestufen
  - evtl. Spülgaswechsel

Bei TG-Messungen gilt die Probenpräparation als nicht ganz so kritisch wie bei der DSC. Hierbei können Skalpell oder Kneifzange verwendet werden. Es wird eine Probe mit der Masse von 5 - 50 mg präpariert; die maximale Probengröße richtet sich nach Gerätetyp, Tiegel und Anwendungsfall.

Vor dem Einbringen der Probe in den Tiegel muss das gewünschte Spülgas eingestellt werden; viele Geräte ermöglichen auch eine Messung unter Vakuum. Danach erfolgt das Tarieren der Waage, entweder manuell durch Regeln eines Potentiometers oder automatisch über Softwareoptionen. Nun wird die Probe vorsichtig in den Tiegel eingebracht. Bevor die Messung gestartet werden kann, folgt die Eingabe der wichtigsten Messparameter. Entscheidend für die Messdauer sind auch hier Heizrate und Endtemperatur. Die Heizrate liegt bei der TG üblicherweise zwischen 10 und 40 °C/min, die Endtemperatur richtet sich nach dem Zersetzungsende und natürlich dem verwendeten Tiegel. Es können Tiegel aus Aluminium (maximale Temperatur 600 °C) oder anderen Werkstoffen verwendet werden. In der Kunststofftechnik kommen in erster Linie Tiegel aus Platin zum Einsatz, die Messungen bis 1200 °C gewährleisten. Bei modernen Geräten kann ein automatischer Spülgaswechsel programmiert werden. Ebenso können isotherme Haltestufen oder angepasste Heizprogramme eingefügt werden, die eine bessere Auflösung ermöglichen.

5.1.2.2 Auswertung

Bei der Thermogravimetrie wird die Massenänderung einer Probe entweder absolut in mg oder relativ in %, bezogen auf die Ausgangsmasse, über der Temperatur oder der Zeit aufgetragen. Die Massenänderung von Kunststoffen kann einstufig oder mehrstufig sein.

5.1.2.2.1 Einstufige Massenänderung

Bild 5.3 zeigt die Bestimmung charakteristischer Temperaturen einer einstufigen Massenabnahme nach DIN EN ISO 11358. Dabei werden aus der TG-Kurve anhand von Tangentenkonstruktionen die Punkte A, B und C sowie die zugehörenden Temperaturen T_A als Anfangs-, T_B als End- und T_C als Mittenpunktstemperatur bestimmt. Bei einer Auftragung über die Zeit werden die Zeiten t_A, t_B und t_C ausgewertet. Die Massenabnahme M_L in % ergibt sich aus den Massen m_s (vor dem Aufheizen) und m_f (bei der Endtemperatur T_B) anhand folgender Gleichung:

$$M_L = \frac{m_s - m_f}{m_s} \times 100 \ [\%] \tag{5.1}$$

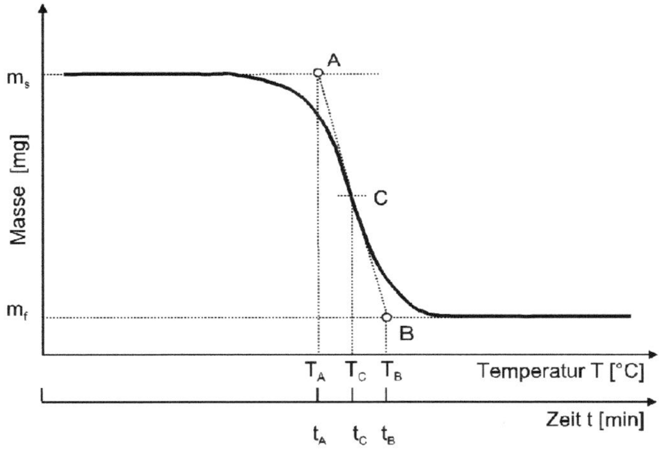

Bild 5.3 Auswertung einer typischen Messkurve mit einstufiger Massenabnahme nach DIN EN ISO 11358
A Anfangspunkt: Schnittpunkt der Extrapolationsgeraden für die Anfangsmasse mit der Tangente an die TG-Kurve im maximalen Gradienten
B Endpunkt: Schnittpunkt der Extrapolationsgeraden für die Endmasse nach der Reaktion mit der Tangente an die TG-Kurve im maximalen Gradienten
C Mittenpunkt: Schnittpunkt der TG-Kurve mit der Parallelen zur Abszissenachse durch den Mittelpunkt zwischen A und B
T_A/t_A Anfangspunkttemp./-zeit: Temperatur/Zeit beim Anfangspunkt
T_B/t_B Endpunkttemp./-zeit: Temperatur/Zeit beim Endpunkt
T_C/t_C Mittenpunkttemp./-zeit: Temperatur/Zeit beim Mittelpunkt
m_s Ausgangsmasse: Masse vor dem Aufheizen
m_f Endmasse: Masse nach Erreichen der Endtemperatur

5.1.2.2.2 Mehrstufige Massenänderung

Bei mehrstufigen Massenverlusten werden die zu bestimmenden Punkte mit einem Index A_1, B_1, C_1; A_2, B_2, C_2 usw. versehen und den entsprechenden Temperaturen und Zeiten zugeordnet, Bild 5.4. Die resultierenden Temperaturen und Zeiten folgen dieser Bezeichnung entsprechend mit T_{A1}, T_{B1}, T_{C1} bzw. t_{A1}, t_{B1}, t_{C1}. In DIN 51006 sind andere Bezeichnungen eingeführt worden.

Zusätzlich zur Ausgangs- und Endmasse m_s und m_f wird die Masse m_i zwischen den zwei Massenverlusten bestimmt. Zur Kennzeichnung des Massenverlustes werden jeweils die Differenzen dieser Massen angegeben. Der erste Massenverlust M_{L1} sowie jeder weitere Massenverlust M_{L2}, … ergeben sich aus folgenden Gleichungen:

$$M_{L1} = \frac{m_s - m_i}{m_s} \times 100 \ [\%]$$
$$M_{L2} = \frac{m_i - m_f}{m_s} \times 100 \ [\%] \qquad (5.2)$$

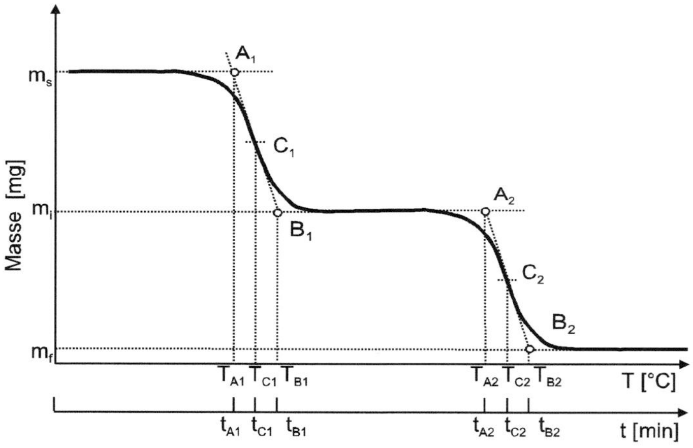

Bild 5.4 Auswertung einer typischen Messkurve mit zweistufiger Massenabnahme nach DIN EN ISO 11358

Mehrstufige TG-Kurven weisen oft aufgrund dicht aufeinanderfolgender oder sich überlagernder Massenänderungen keinen Kurvenabschnitt mit konstanter Masse auf, wie in Bild 5.4 veranschaulicht. In einem solchen Fall wird m_i als Mittelpunkt zwischen m_{B1} und m_{A2} ermittelt. Ist auch dies nicht sinnvoll möglich, liefert das differentielle Messsignal $d_{\mathrm{m}}/d_{\mathrm{t}}$ weiterführende Informationen. Wie bei anderen thermoanalytischen Prüfungen sollten die ausgewerteten Temperaturen aufgrund der Vielzahl der Einflussfaktoren nur auf 1 °C genau angegeben werden. Der Massenverlust kann bei einstufigen Zersetzungen zuverlässig auf +/-0,1 % angegeben werden.

Kommt es zu einer Massenzunahme M_G, z. B. bei Oxidationsreaktionen, wird diese unter Berücksichtigung der maximal auftretenden Masse $m_{\max}$ bezogen auf die Ausgangsmasse m_s nach folgender Gleichung berechnet:

$$M_G = \frac{m_{\max} - m_s}{m_s} \times 100 \ [\%] \tag{5.3}$$

5.1.2.3 Praktische Vorgehensweise

Probenvorbereitung: Die Probenvorbereitung und -entnahme muss sorgfältig erfolgen, besonders in Anbetracht der Bestimmung leicht flüchtiger, niedermolekularer Komponenten.

Einwaagemenge: Die Mindesteinwaage beträgt je nach Gerät ca. 1 mg. DIN EN ISO 11358 empfiehlt eine Mindesteinwaage von 10 mg. Höhere Einwaagemengen sind durch das Volumen des Probentiegels auf ca. 100 mg begrenzt; dabei sind bereits Temperaturgradienten innerhalb des Probekörpers zu erwarten.

Einwaagemenge 10 bis 100 mg, Tiegel zwischen den Messungen sorgfältig reinigen.

Tiegel: Probentiegel bestehen in der Regel aus Platin oder Keramik, aber auch Aluminium (< 600 °C), sie sind mehrfach verwendbar und nach jeder Messung gründlich zu säubern.

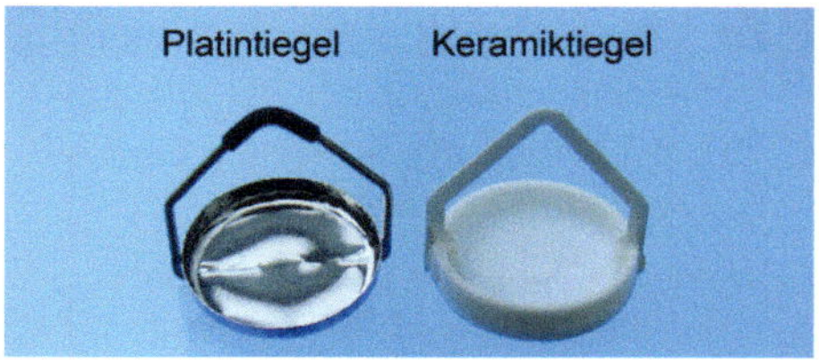

Bild 5.5
Platin- und Keramiktiegel

Spülgas: Es werden sowohl inerte (O_2 < 0,001 %) als auch oxidative Gase eingesetzt. Wassergehalt im Spülgas < 0,001 Gew.-%.

Messprogramm: Dynamische Messungen werden mit definierten Heizraten zwischen 0,5 bis 20 °C/min durchgeführt. Isotherme Messungen bei konstanter Temperatur werden zeitabhängig verfolgt. Die Heizrate (ca. 50 °C/min) sollte so gewählt werden, dass während der Aufheizphase auftretende Effekte minimiert, aber ein Überschwingen des Ofens möglichst vermieden werden. Kombinationsprogramme von Heiz- und Haltephasen verbessern das Auftrennen überlagerter Effekte. Die Endtemperatur liegt bei der Kunststoffanalyse zwischen 600 und 1000 °C.

Auswertung: Es werden Zersetzungstemperaturen oder -zeiten sowie der Verlauf des TG-Signals und Massenänderungen ermittelt.

Interpretation: Eine Identifizierung von Kunststoffen ist meist nicht möglich, da eine Vielzahl von Zusatzstoffen das Zersetzungsverhalten beeinflussen kann. Kopplungen mit anderen Analyseverfahren (Infrarotspektroskopie, Massenspektrometrie, Gaschromatographie etc.) erlauben eine Identifizierung der Zersetzungsprodukte. Aussagen über kinetische Prozesse sind möglich.

Kalibrierung: Die Temperaturkalibrierung kann wie bei der DSC mit hochreinen Metallen durchgeführt werden. Hierfür ist es nötig, eine Vorrichtung anzubringen, die beim Schmelzen ein Abtropfen des Metalls ermöglicht. Eine andere Möglichkeit zur Kalibrierung stellt die temperaturabhängige Umwandlung ferromagnetischer Stoffe dar; anhand des Curie-Punktes kann eine Temperaturkalibrierung vorgenommen werden.

5.1.3 Praktische Anwendungen

Beispielhaft verdeutlicht Bild 5.6, welche TG-Kennwerte zur Beurteilung von Qualitätsmängeln, Mischungszusammensetzung, Verarbeitungsfehlern und anderen Parametern herangezogen werden können.

Tabelle 5.1 Beispiele für praktische Anwendungen von TG-Messungen bei Kunststoffen mit den jeweils relevanten Kennwerten.

Anwendung	Kennwert	Beispiel
Quantifizierung der Werkstoff-Zusammensetzung	$M_{L1,2,\ldots}$	Weichmacher- und Kunststoffanteile z. B. bei Gummimischungen, flüchtige Bestandteile
Füllstoffgehalt	$M_{L1,2,\ldots}$	Bestimmung des Gehalts an Ruß, Kreide, Glasfasern oder anderen anorganischen Füllstoffen
Zersetzungsverhalten (definierte Atmosphäre)	T_A, T_C, T_B, M_L	Zersetzungsbeginn und -fortschritt bei bestimmten Temperaturen; quantitative Erfassung entstehender Zersetzungsprodukte
Zersetzungskinetik	t-Werte	Zersetzungsgeschwindigkeit
Trocknungszeiten/-temperaturen	T_A, t_A, T_B, t_B	Zeit und Temperatur, bei der vorhandenes Lösemittel oder Wasser z. B. aus Lacken vollständig ausgetreten ist
Feuchtigkeitsgehalt, Abdampfen niedermolekularer Bestandteile	M_L	Gehalt an Wasser und flüchtigen Substanzen

Füllstoffe Kreide/Talkum

Mit Hilfe der TG kann eine Unterscheidung zwischen den häufig eingesetzten anorganischen Füllstoffen Kreide und Talkum getroffen werden. Unter Stickstoffatmosphäre zersetzt sich Kreide im Gegensatz zu Talkum, welches keinen Massenverlust zeigt, Bild 5.6. Reine Kreide zerfällt in Kohlendioxid und Calciumoxid:

$$CaCO_3 \leftrightarrow CO_2 \uparrow + CaO \tag{5.4}$$

Es tritt durch die Abspaltung des gasförmigen CO_2 ein Massenverlust von $M_L = 44\,\%$ auf. Diese Kenntnis kann zur quantitativen Kreidebestimmung in gefüllten Kunststoffen dienen, indem man den auf die CO_2-Abspaltung zurückzuführenden TG-Massenverlust entsprechend umrechnet (Faktor 100/44, d. h. 2,27). Inwieweit die separaten polaren Anteile der Oberflächenspannung gegenüber einer Gesamtsicht der Oberflächenspannung wirklich relevant sind, ist nicht definitiv nachgewiesen.

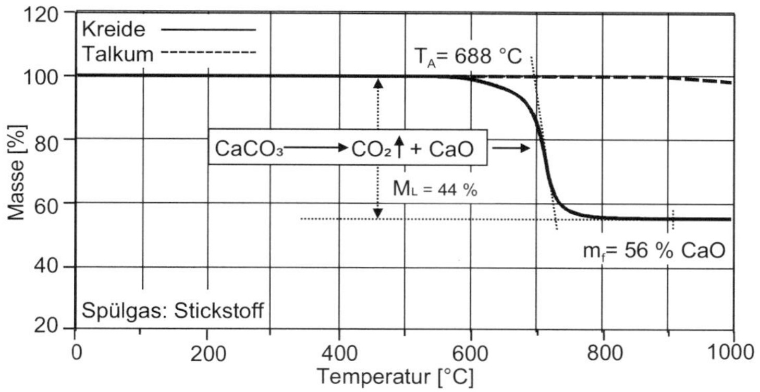

Bild 5.6 TG-Messungen von reiner Kreide und reinem Talkum
T_A = Anfangstemp., M_L = Massenverlust, m_f = Masse bei Endtemperatur, Heizrate 10 °C/min, Einwaage ca. 10 mg, Spülgas Stickstoff

Die Berechnung des Kreideanteils ist in Bild 5.7 an einem entsprechend gefüllten PP gezeigt. Die Pyrolyse des PP setzt bei einer Anfangstemperatur T_A = 417 °C ein; es zersetzen sich 71 %. Der sich anschließende Massenverlust rührt vom entweichenden CO_2 her.

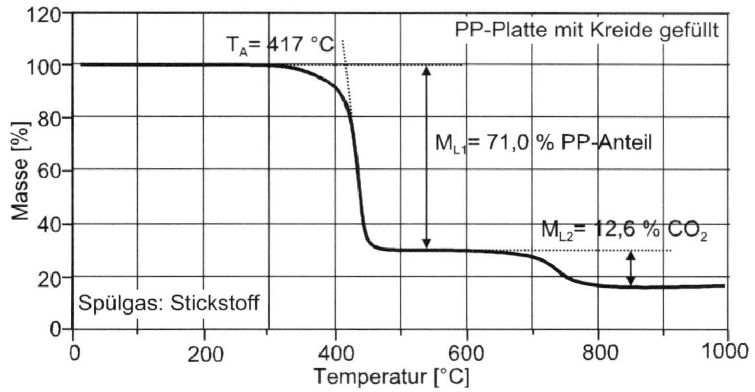

Bild 5.7 Bestimmung des Kreideanteils in PP
T_A = Anfangstemperatur, M_{L1}, M_{L2} = Massenverlust, Heizrate 10 °C/min, Einwaage 17,7 mg, Spülgas Stickstoff

Durch Multiplikation mit dem Faktor 2,27 kann aus dem Massenverlust von 12,6 % ein anfänglicher Kreideanteil von 29 % ermittelt werden. Der verbleibende Rückstand von 16,4 % besteht aus Calciumoxid.

5.1.4 Beispiele

5.1.4.1 Verschiedene Thermoplaste

Das Verhalten verschiedener Kunststoffe in reinem Stickstoff und in Luft zeigt Bild 5.8.

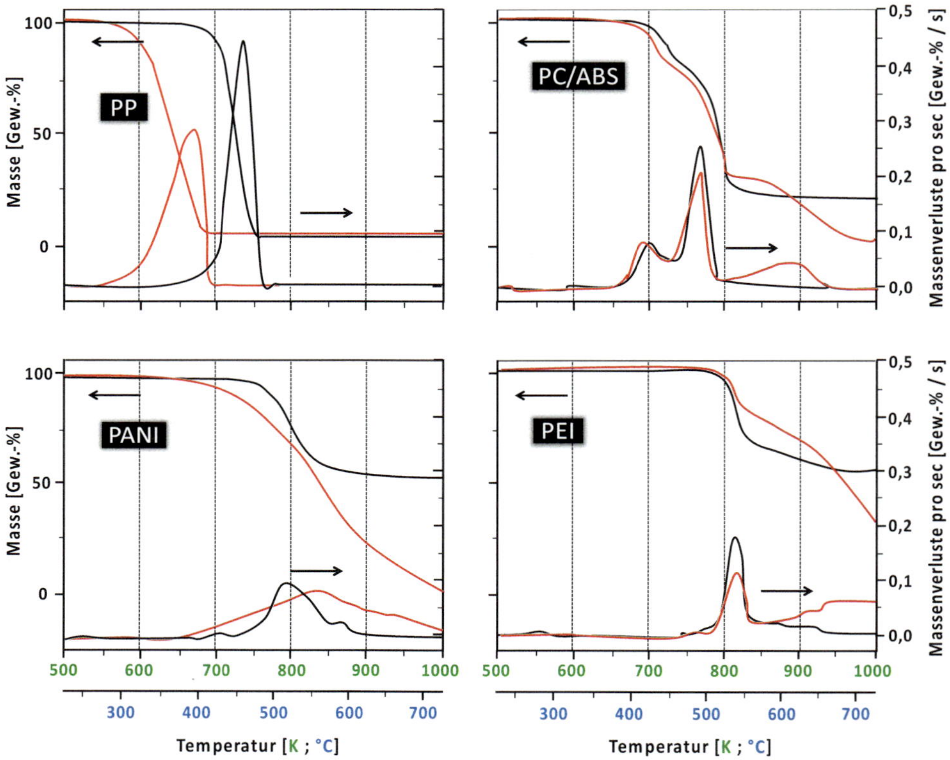

Bild 5.8 Thermogramme verschiedener Polymere unter **inerten (Stickstoff)** und **oxidativen (Luft)** Bedingungen

5.1.4.2 Schlagzähmodifikator

Ein Rohr aus PPS-GF15 versagt vorzeitig im Einsatz. Gegenüber einem Rückstellmuster zeigen sich deutliche Unterschiede in der Thermogravimetrie, Bild 5.8 und Bild 5.9. Das Rückstellmuster zeigt eine zweistufige Pyrolyse während beim Schadensteil die Pyrolyse einstufig erfolgt. Die zweite Stufe der Pyrolyse des Rückstellmusters wird durch einen Schlagzähmodifikator verursacht, der beim Schadensteil fehlt und somit ein spröderes Versagen bedingt.

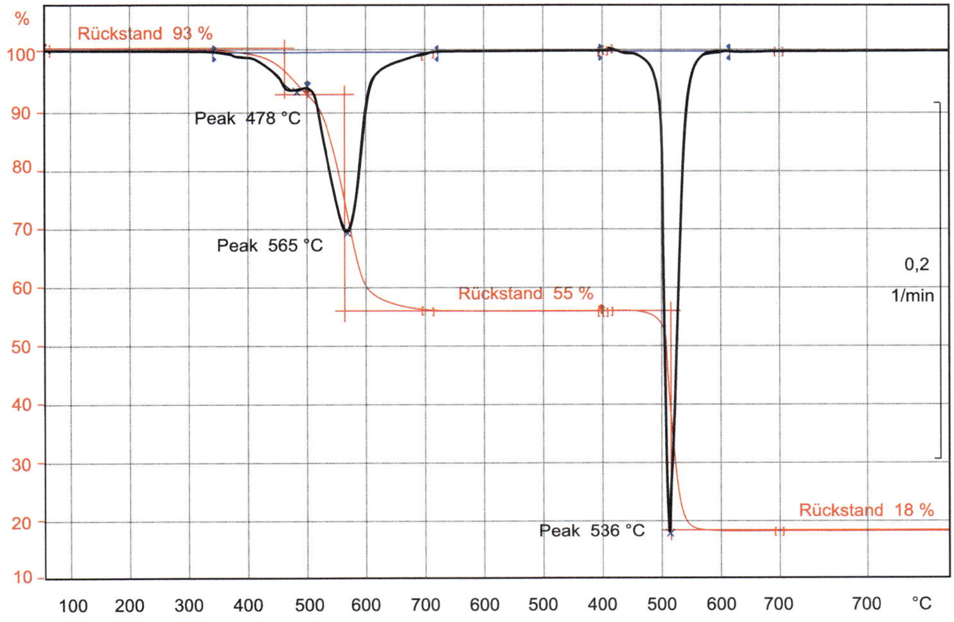

Bild 5.9 TG-Kurve vom Schadensteil eines Rohres aus PPS-GF15 (Quelle: Volkswagen AG)

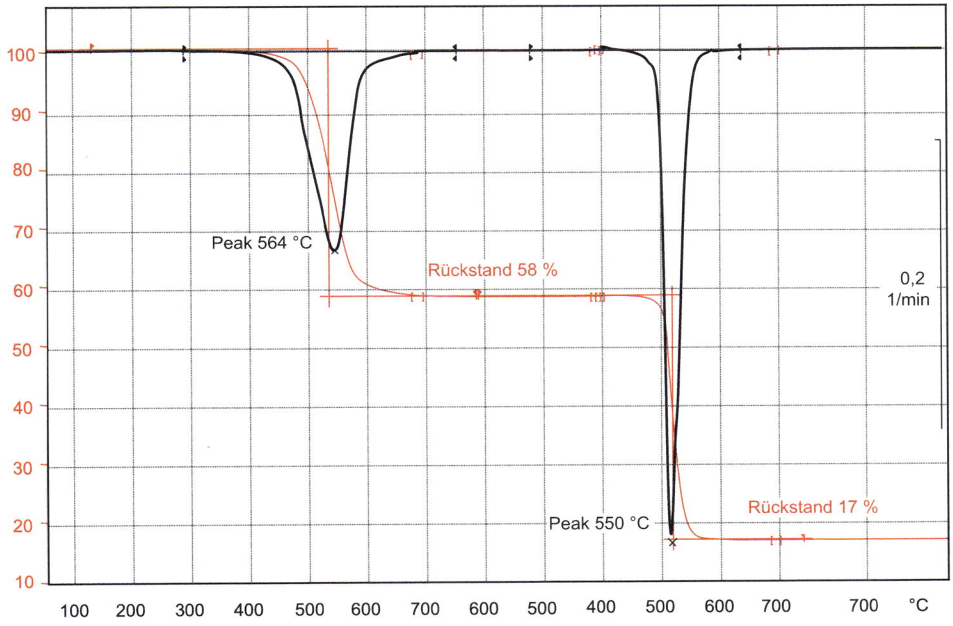

Bild 5.10 TG-Kurve vom Gutteil eines Rohres aus PPS-GF15 (Quelle: Volkswagen AG)

5.1.4.3 PC/ABS-Blend

Die Zusammensetzung von PC/ABS-Blends kann anhand des sich bildenden Pyrolyserußes gut quantifiziert werden, Bild 5.10 bis Bild 5.12, sodass eine Änderung der Zusammensetzung sehr schnell mittels Thermogravimetrie festgestellt werden kann. Während reines ABS keinen Pyrolyseruß bildet, bilden Polycarbonate Pyrolyseruss im Bereich von 10 – 22 % (im aktuellen Beispiel 22 %). Bei PC/ABS wird ein Pyrolysegehalt von 14 % detektiert, so dass in dieser Mischung ein Gehalt von ca. 35 % ABS vorliegt. Diese Methode kann aufgrund des schwankenden Gehaltes an Pyrolyseruss von Polycarbonat nur angewendet werden, wenn der Polycarbonat-Typ und dessen Pyrolyseruss-Gehalt bekannt ist.

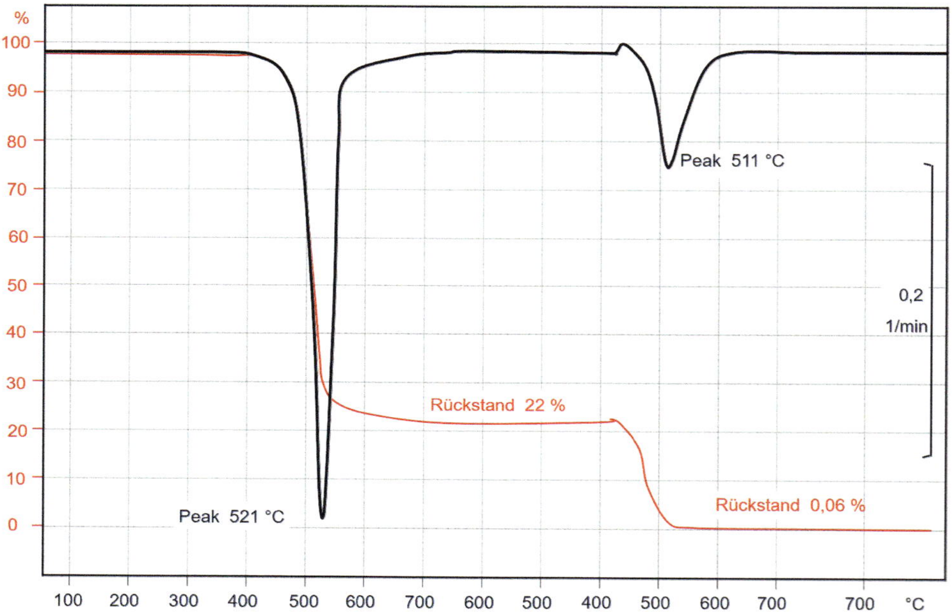

Bild 5.11 TG-Kurve vom Polycarbonat (Quelle: Volkswagen AG)

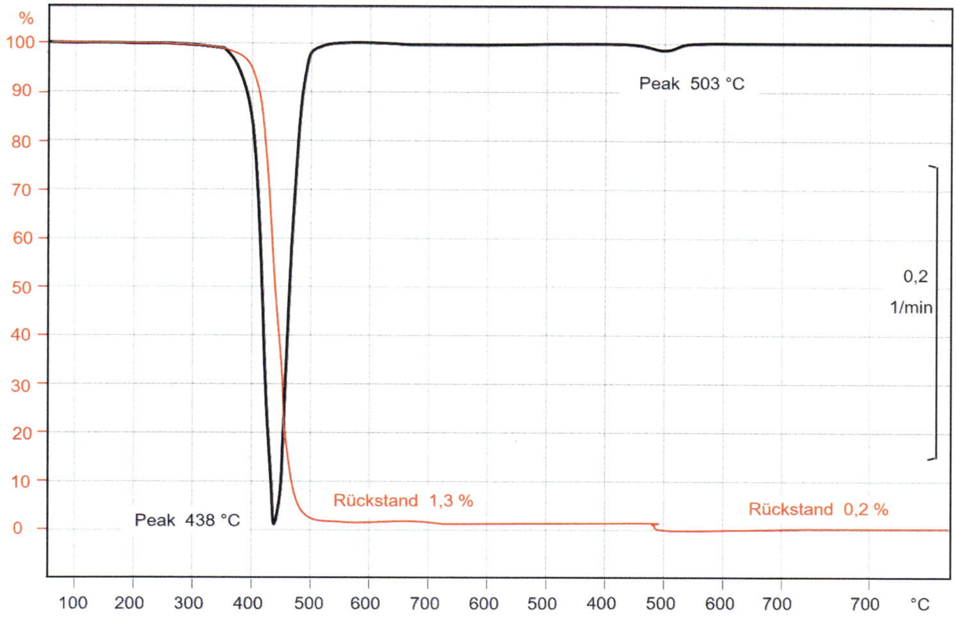

Bild 5.12 TG-Kurve von ABS (Quelle: Volkswagen AG)

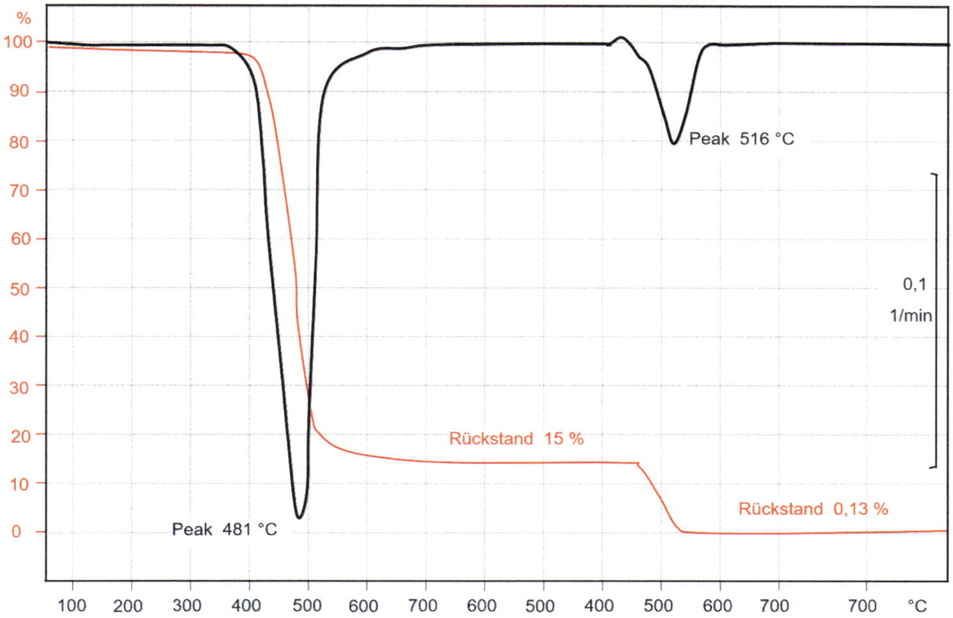

Bild 5.13 TG-Kurve von PC/ABS (Quelle: Volkswagen AG)

5.1.4.4 Silikondichtung

Eine Dichtung aus Silikon zeigt ein ungewöhnliches Verformungsverhalten. Der Druckverformungsrest ist deutlich erhöht.

Bei Elastomeren werden oftmals mittels Thermogravimetrie die leichtflüchtigen Bestandteile, die Polymeranteile, die pyrolysierbaren Bestandteile und der anorganische Rückstand ausgewertet und verglichen.

Anhand von TG-Untersuchungen an einem i.O.-Muster und einem beanstandeten Muster lassen sich eindeutige Unterschiede in der Mischungszusammensetzung festzustellen, Tabelle 1 sowie Bilder 5.13 und 5.14.

Tabelle 5.2 Ergebnisse der TG-Messungen einer Silikondichtung

	leichtflüchtige Bestandteile [%]	Polymer [%]	Pyrolysierbare Bestandteile [%]	Rückstand [%]
i. O. Muster	5	15	2	78
n. i. O. Muster	2	24	2	72

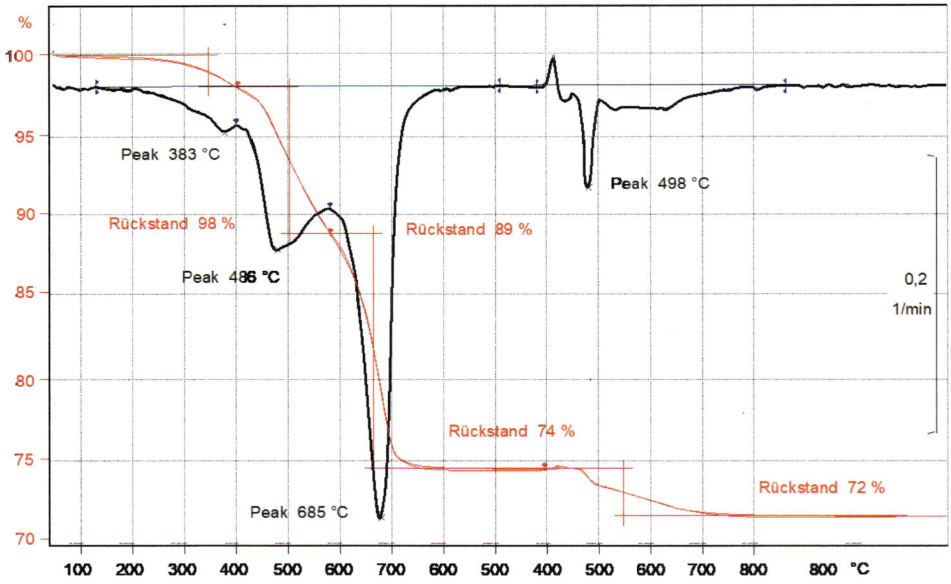

Bild 5.14 TG-Kurve einer Silikon-Dichtung (i.O.) (Quelle: Volkswagen AG)

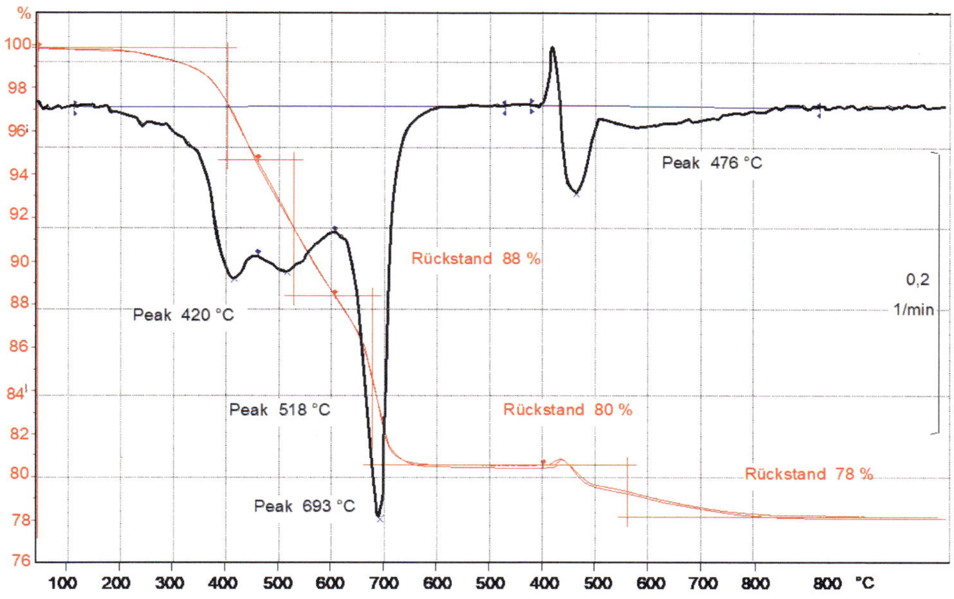

Bild 5.15 TG-Kurve einer Silikon-Dichtung (n.i.O.) (Quelle: Volkswagen AG)

Eine Gummidichtung aus Silikon zeigt ein ungewöhnliches Verformungsverhalten. Der Druckverformungsrest ist deutlich erhöht.

5.2 Normen

DIN EN ISO 11358-1 (2014)	Kunststoffe – Thermogravimetrie (TG) von Polymeren – Allgemeine Grundlagen
DIN 51006 (2005)	Thermische Analyse (TA) – Thermogravimetrie (TG) – Grundlagen
BS ISO 11358-2 (2014)	Plastics – Thermogravimetry (TG) of polymers – Part 2: Determination of activation energy
ISO 9924-1 (2016)	Kautschuk und Kautschukerzeugnisse – Bestimmung der Zusammensetzung von Vulkanisaten und unvulkanisierten Compounds durch Thermogravimetrie – Teil 1: Butadien-, Ethylen-Propylen-Copolymer- und Terpolymer-, Isobuten-Isopren-, Isopren- und Styrol-Butadien-Kautschuk

ISO 9924-2 (2016)	Kautschuk und Kautschukerzeugnisse - Bestimmung der Zusammensetzung von Vulkanisaten und unvulkanisierten Compounds durch Thermogravimetrie- Teil 2: Acrylnitril-Butadien- und Halogenbutyl-Kautschuk
ISO 9924-3 (2009)	Kautschuk und Kautschukerzeugnisse - Bestimmung der Zusammensetzung von Vulkanisaten und unvulkanisierten Compounds durch Thermogravimetrie - Teil 3 Kohlenwasserstoffelastomere, halogenierte Elastomere und Siliconkautschuk nach Extraktion
ISO 21870 (2005)	Einsatzstoffe für Kautschuk - Ruß - Bestimmung des Gewichtsverlustes durch Erhitzen mittels Thermogravimetrie
ASTM-D 3850 (2019)	Prüfung der Verminderung der Isolierwirkung von Elektroisolierstoffen unter Wärmeeinwirkung mittels Thermogravimetrie
ASTM-D 6370 (1999)	Standard Test Method for Rubber - Compositional Analysis by Thermogravimetry (TGA)
ASTM-E 1131 (2020)	Standard Test Method for Compositional Analysis by Thermogravimetry
ASTM-E 1868 (2010)	Standard Test Method for Loss-On-Drying by Thermogravimetry

5.3 Verwendete Literatur

- Cammenga, H. K.; Hemminger, W. F. — Methoden der Thermischen Analyse, Springer Verlag, Heidelberg, 1989
- Ehrenstein, G. W.; Riedel, G.; Trawiel, P. — Praxis der Thermischen Analyse von Kunststoffen Carl Hanser Verlag, München, 2003
- Bundesanstalt für Materialforschung und -prüfung (BAM) — *www.bam.de,* BAM-Fachbereich 5.3 - Mechanik der Polymerwerkstoffe, Angebotsspektrum
- Riedel, G.; Trawiel, P. — Thermische Analyse - Methodenübersicht 16. Hochschulseminar Praxis der Thermischen Analyse, LKT, Uni Erlangen, 2015

- Riesen, R. / Widmann, G. — Thermoanalyse, Hüthig Verlag, Heidelberg, 1984
- Turi, E. A. — Thermal Characterization of Polymeric Materials, Academic Press, Orlando, 1981
- Hammer, A. — Thermogravimetrie und Gasanalyse, Mettler Toledo, User Com 46, 2017

6 Bestimmung von extrahierbaren Bestandteilen

Prof. Sonja Pongratz

6.1 Einsatz der Extraktion

Extrahierbare Bestandteile von Kunststoffen können aus Monomeren, Oligomeren, Polymeren, Weichmachern, Additiven wie Stabilisatoren u. a., aber auch Verunreinigungen bestehen. Die Art und Menge an extrahierbaren Bestandteilen hat Einfluss auf die Kunststoffeigenschaften (DIN ISO 6427).

Die Extraktion ist ein Verfahren, bei dem mit Hilfe eines Extraktionsmittels (meist ein Lösungsmittel) Komponenten aus einem Feststoff, dem sogenannten Extraktionsgut, gelöst werden. Die Extraktion von flüchtigen Bestandteilen (Weichmacher und andere organische Verbindungen) wird in der Kunststoff-Schadensanalyse eingesetzt, um festzustellen,

- ob die geforderten Bestandteile (Additive) in der spezifizierten Menge sowie der Art vorhanden sind (Überprüfung der Spezifikation, meist an einem Neuteil);
- sich die geforderten, flüchtigen Bestandteile verändert haben oder entwichen sind;
- bzw. zusätzliche, flüchtige Bestandteile vom Kunststoff aufgenommen worden sind.

Die anzuwendende Extraktionsflüssigkeit richtet sich nach der Art des Kunststoffes und nach dem Ziel der Bestimmung (DIN ISO 6427), Tabelle 6.1.

Tabelle 6.1 Fragestellungen im Rahmen von Schadensanalysen (nach DIN ISO 6427)

Art des Kunststoffs	Hauptbestandteile des Extraktes	Bemerkung/Beispiel
Polyamide und Co-Polyamide	Monomere, Oligomere, Additive	ISO 599 (zurückgezogen)
Weichmacherhaltige Celluloseester	Weichmacher	
Phenolharz-Formmassen	Phenolharz, Hexamethylentetramin, Additive	

Tabelle 6.1 Fragestellungen im Rahmen von Schadensanalysen (nach DIN ISO 6427) *(Fortsetzung)*

Art des Kunststoffs	Hauptbestandteile des Extraktes	Bemerkung/Beispiel
Melamin-Formaldehyd-Harz	Formaldehyd	DIN EN ISO 4614
Polypropylen	ataktische und niedermoleklare Bestandteile, Additive	
Polyvinylchlorid, weich	Weichmacher	Slushhaut
Polyethylen	niedermolekulares PE	
vernetztes PE (PEX)	unvernetztes PE	
Elastomere	Identifikation von Elastomeren durch IR	VDA Empfehlung 675-125
Elastomere	Nachweis von Weichmachern und anderen Additiven	
Silikon	Nachweis niedermolekularer Silikone	

6.2 Durchführung

Insbesondere bei der Fragestellung, aus Polymerproben Kontaminationen oder Additive zu isolieren und nachfolgend zu untersuchen, bieten sich Extraktionsverfahren an, bei denen die Probe mit einem organischen Lösemittel so behandelt wird, dass das Polymer selbst nicht aufgelöst, sondern nur angequollen wird, aber die organischen Fremdstoffe oder Polymeradditive herausgelöst und aufkonzentriert werden (Polymer Service Merseburg).

6.2.1 Soxhlet-Extraktion und Twisselmann-Extraktion

Bei der Soxhlet-Extraktion wird typischerweise für viele Stunden, meist sogar bis zu 24 Stunden, eine Extraktion der Kunststoffproben unter Rückfluss mit Lösemittel durchgeführt. Der hierfür eingesetzte Soxhlet-Extraktor ist in DIN 12602 beschrieben.

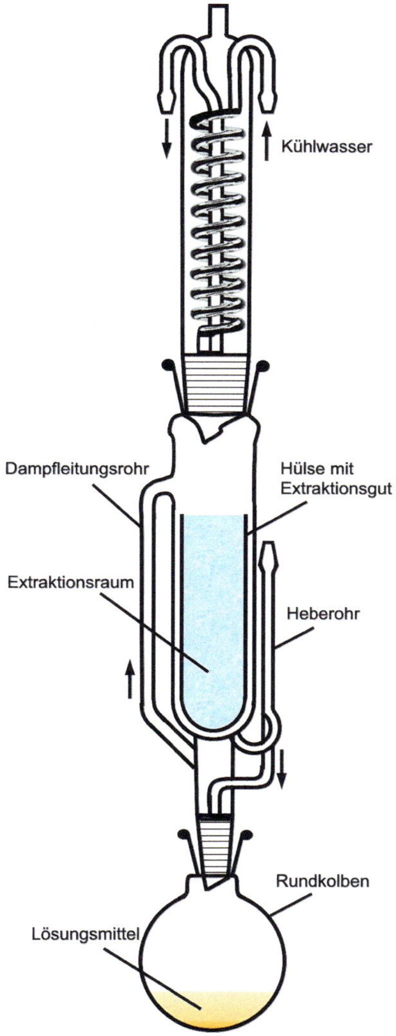

Bild 6.1
Soxhlet-Apparatur (nach Braun/Erkennen von Kunststoffen)

Der Kunststoff wird hierbei mit Hilfe einer Extraktionshülse, die sich im sogenannten Soxhlet-Aufsatz befindet, extrahiert. Die Extraktionshülse besteht meist aus Cellulose, teilweise aus Glasfasern. Im Kolben unter dem Soxhlet-Aufsatz wird das Lösungsmittel zum Sieden gebracht, dessen Dämpfe durch das Dampfrohr aufsteigen und im Rückflusskühler kondensieren. Das Lösungsmittel tropft dann wieder in die Extraktionshülse und löst dort den gewünschten Stoff aus dem Kunststoff heraus.

Durch weiter zutropfendes Lösungsmittel steigt der Flüssigkeitsspiegel im Soxhlet-Aufsatz, bis er die Höhe vom Knie des seitlichen Heberrohrs erreicht hat. Die dann auftretende Saugheberwirkung fördert den Extrakt zurück in den Kolben mit dem

Lösungsmittel. Kontinuierliches Sieden des Lösungsmittels im Kolben und Kondensieren am Kühler füllt die Extraktionskammer stets erneut – der Zyklus wiederholt sich. Durch diese ständige Sickerlaugung, auch Perkolation genannt, mit stets reinem Lösungsmittel reichert sich der im Lösungsmittel gelöste Extrakt zunehmend im Kolben an. Zur Isolation des Extraktes wird die Soxhlet-Apparatur demontiert und der Inhalt des Kolbens durch Verdampfen des Lösungsmittels (z. B. am Rotationsverdampfer) eingeengt. Als Rückstand verbleibt der Extrakt.

Üblicherweise wird je nach Problemstellung mehrere Stunden bis einige Tage extrahiert.

Der gewonnene Extrakt mit den Additiven oder Verunreinigungen wird anschließend entweder gravimetrisch ausgewertet und/oder chromatographisch analysiert.

Die Extraktion nach Twisselmann ist mit der Soxhlet-Extraktion vergleichbar, führt aber zu einer schnelleren Extraktion, wobei die Temperatur nahe dem Siedepunkt des Lösungsmittels gehalten wird. Es handelt sich daher um eine kontinuierliche Heißextraktion.

6.2.2 Beschleunigte Verfahren

Bei der beschleunigten Lösemittelextraktion (Accelerated Solvent Extraction ASE) wird unter Druck und erhöhter Temperatur eine Beschleunigung der Extraktion hervorgerufen. Als Lösemittel werden gebräuchliche organische Lösungsmittel verwendet. Es wird meist weniger Lösemittel benötigt und der Arbeitsaufwand ist geringer als bei anderen Methoden.

Eine Extraktionszelle wird mit dem zu untersuchenden Kunststoff befüllt und in einen regelbaren Ofen platziert. Nach Hinzufügen des Lösemittels, wird die Zelle bei konstantem Druck (max. 20 bar) und erhöhten Temperaturen (bis max. 200 °C) aufgeheizt und gehalten. Der Extrakt wird dann in ein Probenglas überführt. Häufig durchläuft eine Probe mehrere Extraktionszyklen.

Neben der Erhöhung von Druck und Temperatur können auch mikrowellenbeschleunigte Verfahren (Microwave Assisted Solvent Extraction, MASE) zum Einsatz kommen.

6.3 Beispiele

6.3.1 Beschädigung der Oberfläche einer Slushhaut durch Anti-Rutsch-Matte

In Kundenfahrzeugen wurden Fehlstellen auf der Instrumententafel reklamiert, Bild 6.2. Es handelt sich um eine Vertiefung in der PVC-Slushhaut.

Bild 6.2 Fehlstelle auf einer Instrumententafel, verursacht durch ein nicht zugelassenes Anti-Rutsch-Pad (Quelle: Volkswagen AG)

Die Untersuchung der extrahierbaren Bestandteile zeigte, dass sich im Bereich unter der Anti-Rutsch-Matte der Gehalt an Weichmachern deutlich verringert hat, Tabelle 6.2.

Tabelle 6.2 Extrahierbare Bestandteile einer PVC-Slushhaut einer Instrumententafel

	Extrahierbare Bestandteile [%]
Sollvorgabe	> 40 %
Bereich unterhalb des Pads	28,9 %
Bereich neben dem Pad	41,3 %

6.3.2 Rohre und Schläuche aus Polyamid

Für Rohre und Schläuche aus Polyamiden, die mit Medien in Kontakt kommen, sind die extrahierbaren Bestandteile zu minimieren, da diese bei Kontakt mit Medien aus den Kunststoffen herausgelöst werden und z. B. Düsen verstopfen können. So gibt es zum Beispiel Vorgaben für Rohre aus Polyamiden, die für Kraftstoffleitungen eingesetzt werden. Werden diese Vorgaben nicht eingehalten, verstopfen, wie in Bild 6.3 gezeigt, z. B. Einspritzdüsen.

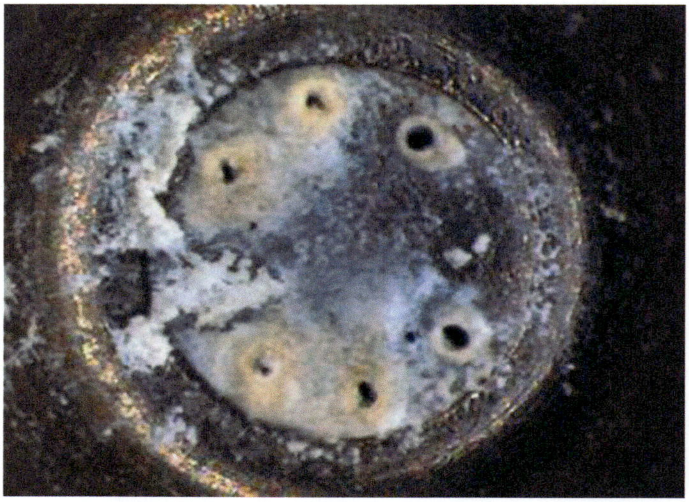

Bild 6.3 Zerstäuber einer Einspritzdüse mit Ablagerungen aus Polyamid-Oligomeren (Quelle: Volkswagen AG)

6.3.3 Aushärtegrad von Phenolharzen

Der Aushärtegrad von Phenolplasten lässt sich mit der Methode der flüchtigen Bestandteile bestimmen. Bei diesem Verfahren werden die Formteile oder ein Stück des Formteils von Phenolharz geraspelt oder auf andere Art zerkleinert und dann in einem Soxhlet-Aufsatz mit Aceton extrahiert.

Die Extraktionsflüssigkeit Aceton löst aus den Phenolspänen ungehärtetes Phenolharz, Farbstoffe, Gleitmittel, Weichmacher und andere lösliche Komponenten heraus. Der Aushärtegrad in % ergibt sich aus dem Gewichtsverhältnis $M_v = M_R / M_g$, mit dem in der Extraktorhülse verbleibenden ausgehärteten Phenolharz M_R bezogen auf den Phenolharzausgangsansatz M_g mit dem ausgehärteten und nicht ausgehärteten Phenolharz, Füllstoffen, Farbstoff, Treibmittel, Weichmacher und sonstigen Additiven. Ein typischer Versuch mit einem ausgehärteten Phenolharz ergibt 94 bis 95 % nach 6 Stunden Extraktionszeit.

6.3.4 Ummantelung Kabelstrang aus PVC

Bei der Montage einer Ummantelung eines Kabelstrangs aus PVC treten in Abhängigkeit vom Lieferanten Risse in der Ummantelung auf. Die Extraktion zeigt einen unterschiedlichen Gehalt an Weichmachern. Die Chromatographie zeigt zudem, dass unterschiedliche Weichmacher eingesetzt werden.

Tabelle 6.3 Extrahierbare Bestandteile eines Kabelstrangs aus PVC

	Extrahierbare Bestandteile [%]	Weichmacher-Typ
Sollvorgabe	> 30 %	Diethylhexyladipat
Rohr ohne Risse	31,5 %	Diethylhexyladipat
Rohr mit Rissen	27,8 %	1,2-Cyclohexandicarbonsäure-diisononylester (Hexamoll DINCH)

6.4 Normen

DIN ISO 6427
Kunststoffe - Bestimmung der extrahierbaren Bestandteile durch organische Lösemittel (Standardverfahren), 2014

DIN EN ISO 787, 1995
Plastics – Polyamide homopolymers – Determination of matter extractable by boiling methanol, 1984 (zurückgezogen)

DIN EN ISO 4614
Kunststoffe - Formteile aus Melamin-Formaldehyd-Harz - Bestimmung des extrahierbaren Formaldehyds, 2000

VDA 675-125
Elastomere-Identifikation, 2016

DIN 12602
Laborgeräte aus Glas; Extraktoren nach Soxhlet, mit Kegelschliffen, 1977

6.5 Literatur

Homepage der Polymer Service Merseburg : *https://www.polymerservice-merseburg.de/analytik/kunststoffanalytik/extraktion.html*, Abrufdatum 07.05.2020

Braun, D. : Erkennen von Kunststoffen: Qualitative Kunststoffanalyse mit einfachen Mitteln, 5. Auflage, Carl Hanser Verlag, München, 2012

Thermo Scientific: Unsurpassed Extraction Technology – Accelerated Solvent Extraction, Informationsbroschüre

Radke, Wolfgang: Extraktion unter Druck in weniger als einer Stunde, *www.git-labor.de*, 2008

7 Messunsicherheit zur Massenanalyse

Prof. Dr. Samuel Affolter, Dr. Bruno Wampfler

7.1 Erläuterungen zu den präsentierten Ringversuchsdaten

In der Praxis wird ein Labor regelmäßig mit Fragen konfrontiert:

- Stimmt die Spezifikation mit dem Messergebnis überein?
- Ist der Unterschied zwischen zwei Messergebnissen signifikant? Oder
- Stimmt das Messergebnis mit dem Referenzwert überein?

Antworten lassen sich nur mit Kenntnis der Messunsicherheit geben. Aus dem Blickwinkel der Messunsicherheit ist die Kunststoffanalytik ein Sonderfall. Im Gegensatz zu anderen Gebieten der chemischen Analytik sind viele Verfahren normiert und zunehmend mit Präzisionsdaten hinterlegt, die durch Ringversuche gewonnen werden. Dies ist sehr nützlich, denn mit Hilfe dieser Daten lässt sich die Messunsicherheit nach der Methode von ISO 21748 (1) zuverlässig ermitteln. Der andere Hauptzugang zur Messunsicherheit, die analytisch-rechnerische Methode nach ISO/IEC Guide 98-3 (GUM) (2), funktioniert nämlich nur, wenn die vorhandenen systematischen Einflüsse in einem Analyseverfahren erkannt und vernünftig quantifiziert werden können. Und das ist in der Kunststoffanalytik meist nicht gegeben. Metrologische Institute wenden ISO 21748 selbst teilweise für die Berechnung der Unsicherheit von Referenzmaterialien an. Ein Beispiel ist das Referenzmaterial 1474b [1] des National Institute of Standards and Technology der USA (NIST): die Unsicherheit der Schmelze-Massefließrate (MFR) wird nicht analytisch-rechnerisch, sondern auf Basis der linearen Interpolation zweier Werte aus Ringversuchen ermittelt.

Das vorliegende Kapitel geht nicht auf die Aspekte der Validierung und Qualitätssicherung ein. Es versucht nur, den Zugang zu Unsicherheitsdaten zu erleichtern und setzt voraus, dass die Analysemethode bis auf die Kenntnis der Messunsicherheit gebrauchstauglich ist.

Begriffserklärungen, Grundlagen zur Ermittlung der Messunsicherheit auf Basis von Ringversuchswerten und die Anwendung von Unsicherheitsdaten in der Praxis enthält Band 10 der hier vorliegenden Reihe. Die im Folgenden präsentierten Inhalte sind dem Fachbuch „Messunsicherheit in der Kunststoffanalytik“ [2] entnommen.

7.2 Begriffe der Messunsicherheit

Die im Folgenden angeführten Begriffserklärungen sind als Erläuterungen zu verstehen. Wissenschaftliche Definitionen finden sich in VIM (3) und dessen Auslegung für die Analytische Chemie (4). Im vorliegenden Kapitel werden die Symbole von DIN ISO 21748 (1) verwendet.

Ausreißer

Wert unter einer Serie von Werten, der mit den anderen Werten dieser Serie nicht verträglich ist. Ein Ausreißer ist entweder signifikant zu groß oder signifikant zu klein.

Erweiterte Unsicherheit U

Mit einem Faktor k multiplizierte kombinierte Standardunsicherheit $u(y)$. Wenn der Erweiterungsfaktor den Wert zwei hat und die Anzahl der Freiheitsgrade der dominanten Beiträge zur Unsicherheit genügend hoch ist, entspricht die erweiterte Unsicherheit einem Vertrauensbereich von ungefähr 95 %.

Erweiterungsfaktor k

Zahl, mit der die kombinierte Standardunsicherheit $u(y)$ multipliziert wird, um die erweiterte Unsicherheit U zu erhalten. k beträgt üblicherweise zwei.

Kombinierte Standardunsicherheit $u(y)$

Standardunsicherheit eines Messergebnisses. Sie wird aus den einzelnen Standardunsicherheiten $u_i(y)$ durch die Gesetze der Unsicherheitsfortpflanzung berechnet. ISO/IEC Guide 98-3 (2) verwendet für die kombinierte Standardunsicherheit das Symbol $u_c(y)$. In diesem Kapitel wird das Symbol $u(y)$ nach DIN ISO 21748 (1) verwendet.

Kritische Differenz KD

Mit $k = 2$ erweiterte Unsicherheit der Differenz zweier Werte. Ist die Differenz der beiden Werte größer als die kritische Differenz, sind die beiden Werte signifikant verschieden.

Kritischer Quotient *KQ*

KQ dient wie *KD* der Beurteilung, ob zwei Werte $y_1 > y_2 > 0$ signifikant verschieden sind. Wenn $y_1/y_2 > KQ$, ist der Unterschied der beiden Werte signifikant. *KQ* wird auf Ergebnisse mit konstanter relativer Standardunsicherheit angewendet. Normen und Richtlinien kennen den Begriff „kritischer Quotient" nicht.

MAD

Median der absoluten Abweichungen vom Median. MAD wird berechnet, indem zunächst die Abweichungen aller einzelnen Zahlen vom Median bestimmt und in absolute (positive) Zahlen umgewandelt werden. Der Median aus diesen absoluten Abweichungen entspricht dem MAD. Sind die Werte annähernd normalverteilt, erhält man durch Multiplikation des MAD mit dem Faktor 1,4825 eine robuste Schätzung der Standardabweichung.

Messergebnis *y*

Messergebnis, von dem angenommen wird, dass es nach einer geeigneten Funktion berechnet wird.

Messunsicherheit

Quantitative Angabe der Qualität eines Messergebnisses.

Median

Der Median wird bestimmt, indem zunächst alle Werte aufsteigend geordnet werden. Wenn die Anzahl der Werte ungerade ist, entspricht der Wert in der Mitte dem Median. Wenn die Anzahl der Werte gerade ist, entspricht der Mittelwert aus den beiden Werten in der Mitte dem Median.

Standardabweichung *s*

Experimentell ermitteltes Maß für die zufällige Streuung von Werten um ihren Erwartungswert.

Standardunsicherheit

Als Standardabweichung ausgedrückte Unsicherheit eines Messergebnisses.

Vergleichbedingungen

Bedingungen, bei denen voneinander unabhängige Ergebnisse erhalten werden, die mit demselben Verfahren an identischen Materialien in verschiedenen Labors von verschiedenen Personen mit verschiedener Geräteausrüstung gewonnen werden.

Vergleichgrenze R

Mit dem Faktor 2,8 multiplizierte Vergleichstandardabweichung. Ist die Differenz zweier Einzelwerte aus zwei Labors größer als die Vergleichgrenze, sind die Werte signifikant verschieden. Vertrauensniveau: 95 %.

Vergleichstandardabweichung s_R

Experimentelle Standardabweichung von Ergebnissen, die in einem Ringversuch unter Vergleichbedingungen ermittelt werden.

Vergleichstandardabweichung, Median $\tilde{s}_R$

Median von mehreren experimentellen Vergleichstandardabweichungen.

Wiederholbedingungen

Bedingungen, bei denen voneinander unabhängige Ergebnisse nach demselben Verfahren an identischen Materialien in demselben Labor von derselben Person mit derselben Geräteausrüstung innerhalb einer kurzen Zeitspanne ermittelt werden.

Wiederholgrenze r

Mit dem Faktor 2,8 multiplizierte Wiederholstandardabweichung. Ist die Differenz von zwei unter Wiederholbedingungen gemessenen Einzelwerten größer als die Widerholgrenze, sind die beiden Werte signifikant verschieden. Vertrauensniveau: 95 %.

Wiederholstandardabweichung s_r

Experimentelle Standardabweichung von Ergebnissen, die unter Wiederholbedingungen ermittelt werden.

Wiederholstandardabweichung, Median $\tilde{s}_r$

Median von mehreren experimentellen Wiederholstandardabweichungen.

Zwischenbedingungen

Bedingungen, die zwischen den Wiederhol- und Vergleichbedingungen liegen.

7.3 Erläuterungen zu den präsentierten Ringversuchsdaten

Die Ringversuchsdaten stammen zu einem großen Teil von Ringversuchen, die von der Empa (Eidgenössische Materialprüfungs- und Forschungsanstalt) und der Interstaatlichen Hochschule für Technik Buchs (NTB) in Anlehnung an ISO/IEC Guide 43 (5) organisiert und ausgewertet wurden. Es nahmen jeweils Labors aus der Privatwirtschaft und staatlichen Institutionen teil. Weitere Ringversuchsdaten wurden aus Normen oder anderen Veröffentlichungen herangezogen. Dabei wurden nur Ringversuche ausgewählt, die dem Proficiency-Testing oder der Methodenvalidierung dienten und genügend dokumentiert waren. An den berücksichtigten Ringversuchen nahmen mit wenigen Ausnahmen mehr als zehn Labors teil.

Die Ringversuchsdaten sind nach Charakterisierungsmethoden geordnet und tabellarisch hinterlegt. Die Tabellen enthalten jedoch nicht die Einzelwerte, sondern deren Median mit MAD (Median der absoluten Abweichungen vom Median). Median und MAD zeigen in erster Linie die Lage der Ringversuchsparameter (Standardabweichungen) über einen bestimmten Bereich der Messgröße auf, und zwar ohne statistische Einschränkungen wie z. B. Homogenität der Varianzen. Sie ermöglichen so der Fachperson, einen geeigneten Satz an Ringversuchswerten direkt auszulesen und für die Ermittlung der Messunsicherheit zu verwenden. Die Fachperson ist gehalten, kritisch zu hinterfragen, ob der Ringversuchswert, den sie auswählt, für ihre Fragestellung zumindest einigermaßen repräsentativ ist.

Median und MAD wurden gewählt, weil sie gegenüber Ausreißern sehr robust sind. Liegen annähernd normalverteilte Werte vor, erhält man durch Multiplikation des MAD mit 1,4825 eine robuste Schätzung der Standardabweichung [3]. Standardabweichungen werden üblicherweise quadratisch gemittelt. Bei Verwendung des Medians führt die hier angewendete, lineare Mittelung mit wenigen Ausnahmen zum gleichen Ergebnis (vgl. Band 10).

Mit Hilfe der Wiederholstandardabweichung s_r und der Standardabweichung zwischen den Labors s_L lässt sich die kombinierte Standardunsicherheit berechnen, Formel 7.1 (1).

$$u(y) = \sqrt{s_L^2 + \frac{s_r^2}{n_w} + \sum u_i^2(y)} \tag{7.1}$$

y Messergebnis
$u(y)$ kombinierte Standardunsicherheit von y
s_L experimentelle Standardabweichung zwischen den Labors (aus Ringversuch)
s_r experimentelle Wiederholstandardabweichung (aus Ringversuch)
n_w Anzahl der wiederholten Messungen zur Bestimmung von y
$u_i(y)$ i-ter zusätzlicher Unsicherheitsbeitrag

Formel 7.1 ist für Punktmessungen am Material oder für homogenes Probenmaterial anwendbar. Soll die Heterogenität einer Probe in die kombinierte Standardunsicherheit mit einfließen, muss s_r durch die laboreigene Standardabweichung s_w ersetzt werden. Andere zusätzliche Unsicherheitsbeiträge, die in der Formel 7.1 mit $u_i(y)$ bezeichnet sind, ergeben sich zum Beispiel durch die Umrechnung der Schmelzenthalpie in die Kristallinität einer Probe oder durch die Korrektur von systematischen Einflüssen mit Hilfe eines Referenzmaterials. Hier leisten der Umrechnungsfaktor bzw. der Korrekturfaktor einen Beitrag zur Unsicherheit.

In der Schadensanalytik ist oft die Differenz bestimmter Messgrößen zwischen einer einwandfreien und einer beanstandeten Probe gefragt. Solche Vergleiche sollten unter Wiederholbedingungen durchgeführt werden, denn die kritische Differenz der Resultate der beiden Proben wird dadurch erheblich kleiner und kann durch eine geeignete Wahl von n_w zusätzlich erniedrigt werden. Auf diese Weise können auch kleinere Unterschiede zwischen Proben sichtbar gemacht werden. Bei Angabe des Resultats ist zu beachten, dass die Messunsicherheit mit zunehmender Wertedifferenz größer werden kann (siehe Band 10).

> Materialvergleiche sollten unter Wiederholbedingungen durchgeführt werden.

Wie oben bereits erwähnt, kann der analytisch-rechnerische Ansatz nach ISO/IEC Guide 98-3 (GUM) (2) für die meisten Methoden der Kunststoffcharakterisierung nicht empfohlen werden. In diesem Fachgebiet führt eine grobe Schätzung der Messunsicherheit mit Hilfe von Ringversuchen meistens zu sinnvolleren Ergebnissen.

Schätzen erlaubt!

Sind für die gewünschte Kombination Werkstoff/Normverfahren keine Ringversuchsdaten zugänglich, lässt sich die Standardunsicherheit anhand anderer Ringversuchsdaten unter Verwendung von Formel 7.1 grob schätzen. s_L gewinnt man im Idealfall als Median von Ringversuchsdaten, die aus demselben Normverfahren, aber von anderen, möglichst ähnlichen Werkstoffen stammen. s_r wird durch s_w aus laborinternen Messungen ersetzt (siehe Beispiel 6.4.2 in [2]).

Als Quelle für eine Schätzung der Standardunsicherheit von quantitativen Analyseresultaten wird hin und wieder die Horwitz-Funktion herangezogen [4]. Diese beschreibt den Zusammenhang zwischen dem Massenanteil w eines Analyten in seiner Matrix und der relativen Vergleichstandardabweichung s_R/w. Die Funktion wurde aufgrund von Hunderten von Ringversuchsdaten aus der Lebensmittelanalytik aufgestellt. Ihre Anwendung ergibt für Analysen an Kunststoffen aber deutlich zu geringe Vergleichstandardabweichungen. Sie kann deshalb als Basis für eine Schätzung der Messunsicherheit nicht empfohlen werden [5].

7.4 Thermogravimetrie

Die thermogravimetrische Analyse (TGA) eignet sich zur Bestimmung von einzelnen Komponenten in Kunststoff-Verbunden. Je nach chemischer Zusammensetzung lassen sich niedermolekulare Additive, organischer Polymeranteil, Ruß und Füllstoffe im Prozentbereich quantifizieren [6].

7.4.1 Erläuterungen zu den Ringversuchen

Die im Abschnitt 7.4.5 enthaltenen Werte für die Standardabweichungen s_r, s_L und s_R basieren auf deutlich voneinander getrennten Abbaustufen in der thermogravimetrischen Kurve (vgl. Bild 7.1). Werden überlappende Abbaustufen ausgewertet, ist die dadurch erhöhte Unsicherheit der Quantifizierung in die Messunsicherheit einzurechnen. Manchmal führt die thermische Zersetzung zu Produkten, die eine einfache Interpretation der thermogravimetrischen Kurve unmöglich machen. Das wohl bekannteste Beispiel ist die Carbonisierung von Polymeren mit hohem Gehalt an Hetero-Atomen (z. B. B, N, O, Cl, F), die zu Mehrbefunden beim Rußgehalt führt. Derartige Einflüsse sollten in der Validierung erkannt und wenn möglich durch eine Korrektur des Resultats neutralisiert werden. Die Unsicherheit der Korrektur fließt als zusätzliche Komponente in die Messunsicherheit ein, Formel 7.1.

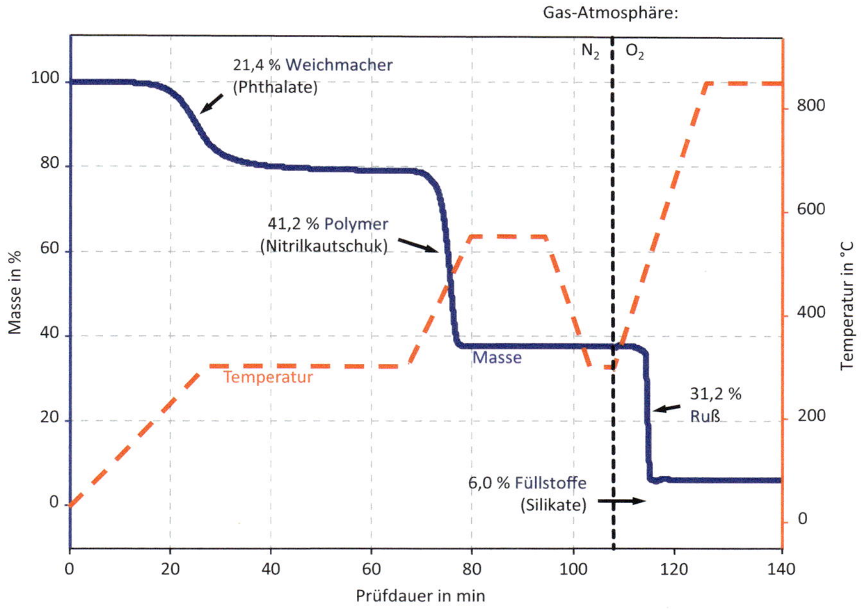

Bild 7.1 Kurvenbeispiel TGA: Reduktion der Masse als Funktion von Temperatur und Zeit (blaue Linie); Temperaturprogramm in Anlehnung an ISO 9924-2 (6) (rote, gestrichelte Linie)

Die Ringversuche wurden an kommerziell erhältlichen Thermoplasten und Elastomeren (z. B. Granulaten, Beschichtungen, Vulkanisaten) durchgeführt.

7.4.2 Weichmachergehalt

Weichmacher dienen häufig der Flexibilisierung oder Erhöhung der Schlagfestigkeit von polymeren Werkstoffen wie Polyvinylchlorid (PVC), Polyamid (PA) oder Elastomeren. In den hier besprochenen Ringversuchen wurden durchwegs Werkstoffe eingesetzt, deren Abbaustufen sich gegenseitig nicht überlappen, Bild 7.1. Dies ist in der Regel bei der Anwesenheit von äußeren niedermolekularen Weichmachern gegeben, nicht aber bei PVC als Matrix. Der Grund liegt in der thermischen Instabilität von PVC, dessen Zersetzungsprozess schon deutlich unterhalb 300 °C beginnt. Eine Überlappung der Abbaustufen tritt auch bei anderen Werkstoffen oberhalb 300 °C auf, wenn innere oder hochmolekulare äußere Weichmacher vorhanden sind. Solche Weichmacher entziehen sich ebenfalls der thermogravimetrischen Bestimmung.

Die in Tabelle 7.1 deklarierten Standardabweichungen wurden in sieben Ringversuchen an folgenden weichgemachten Werkstoffen ermittelt: EPDM, NBR, PA 12-P und SBR. Als Analysemethoden dienten ISO 9924-1 (7) und ISO 9924-2 (6).

7.4.3 Rußgehalt

Ruß wird oft zur Stabilisierung des Materials gegen ultraviolette Strahlung oder zur Kaschierung der Eigenfarbe eines Werkstoffes eingesetzt. Dazu reicht ein Gehalt von 2 g/100 g. Höhere Gehalte werden verwendet, wenn ein Werkstoff verstärkt oder die Leitfähigkeit verbessert werden soll.

Die Ringversuchswerte in Tabelle 7.1 basieren auf zwölf Ringversuchen, die an verschiedenen Thermoplasten und Elastomeren (EPDM, IIR, NBR, PA 6 mit CF, PE-HD, PE-LD, SBR/BR/NR-Blend, TPE (EPR), TPE (EPM)) in Anlehnung an die Normen ISO 9924-1 (7) ISO 9924-2 (6) und ISO 11358 (8) durchgeführt wurden.

7.4.4 Glührückstand

Additive, die zum Glührückstand beitragen, sind Füllstoffe oder Verstärkungshilfsmittel (z. B. Metallcarbonate, Metallsilikate und Metalloxide, Glasfasern). In geringerer Dosierung werden Pigmente zugesetzt (z. B. Titandioxid).

Die in Tabelle 7.1 ausgewiesenen Ringversuchswerte wurden in neun Ringversuchen an verschiedenen Thermoplasten und Elastomeren (EPDM, NBR, NR, PA 6 mit CF, PE mit ATH, PS, PVC) entweder in Anlehnung an ISO 9924-1 (7) und ISO 9924-2 (6) oder nach spezifischen Vorgaben bestimmt.

7.4.5 Ringversuchswerte

Ein erster Blick auf die Tabelle 7.1 zeigt, dass die Vergleichstandardabweichung schwerpunktmäßig über alle Versuche hinweg zwischen 0,6 und 0,7 g/100 g liegt. 0,7 g/100 g stellt somit eine erste gute Schätzung für die Standardunsicherheit von thermogravimetrisch ermittelten Daten dar.

Die Standardunsicherheit von thermogravimetrisch an Kunststoffen ermittelten Resultaten beträgt rund 0,7 g/100 g.

s_r, s_L und s_R sind über den gemessenen Gehaltsbereich konstant. Nur Ruß bildet eine Ausnahme: Gehalte von 2 bis 3 g/100 g streuen deutlich geringer als Gehalte über 30 g/100 g. Dazwischen kann linear interpoliert werden.

Vergleiche zwischen thermogravimetrisch und nasschemisch ermittelten Ruß- und Weichmacheranteilen sind in [2] zu finden.

Tabelle 7.1 Thermogravimetrisch an Kunststoffen und Elastomeren ermittelte Ringversuchsresultate, spezifiziert als Median mit MAD

Komponente	Anzahl RV	Gehalt [g/100 g]	$\tilde{s}_r$ ± MAD [g/100 g]	$\tilde{s}_L$ ± MAD [g/100 g]	$\tilde{s}_R$ ± MAD [g/100 g]	Referenzen
Weichmacher	7	10 -25	0,20 ± 0,02	0,65 ± 0,04	0,67 ± 0,03	[2] [7] [8]
Polymer	6	23 - 70	0,22 ± 0,06	0,53 ± 0,20	0,73 ± 0,21	[2]
Ruß	7	2 - 3	0,11 ± 0,03	0,21 ± 0,07	0,26 ± 0,03	[2] [7] [8] [9]
	5	30 - 45	0,17 ± 0,04	0,54 ± 0,12	0,59 ± 0,15	
Glührückstand	9	1 - 50	0,25 ± 0,04	0,52 ± 0,06	0,55 ± 0,07	[2] [7] [8] [9]

Die Verarbeitung von Rohprodukten kann zu einer merklichen Homogenisierung des Materials führen. Durch die Erniedrigung der Inhomogenität wird die Messunsicherheit kleiner. So halbierte sich s_R in Ringversuchen zur Bestimmung von ca. 2,5 % Ruß in 2 PE-LD-Granulaten nach Regranulation [7]; s_r verringerte sich gar auf ein Viertel. Analoge Versuche mit einem thermoplastischen Elastomer auf Basis von EPR führten hingegen nur zu einer sehr geringen Reduktion der Ringversuchswerte. Bei der Herstellung von Formstücken ohne Zumischung weiterer Komponenten kann das Material im Plastifizierzylinder also zusätzlich homogenisiert werden. Messungen an den Formstücken führen dann zu Resultaten mit geringerer Messunsicherheit. Entmischung während der Verarbeitung bewirkt das Gegenteil. In beiden Fällen empfiehlt es sich, die laboreigene Standardabweichung s_w unter Wiederholbedingungen zu ermitteln und anstelle von s_r in Formel 7.1 einzusetzen (1).

7.5 Haupt- und Nebenbestandteile

Abschnitt 7.5 behandelt die Messunsicherheit von Analytgehalten, die größer als 0,1 g/100 g sind und nicht thermogravimetrisch ermittelt werden. Beispiele zur praktischen Anwendung der Unsicherheitsdaten sind in [2] enthalten.

7.5.1 Elemente

Die Elementanalytik an polymeren Werkstoffen im Prozentbereich dient meistens der Vorhersage oder Kontrolle von Eigenschaften des Polymers. So korrelieren z. B. der Vernetzungsgrad und damit die Eigenschaften von schwefelvernetztem Kautschuk mit dem Gehalt an Schwefel. Über den Gehalt an Elementen können aber auch Rückschlüsse auf den Gehalt an Inhaltsstoffen, die diese Elemente enthalten, oder auf die Zusammensetzung von Copolymeren gezogen werden. Beispiele sind Brom aus bromierten Flammschutzmitteln oder Stickstoff aus Acrylnitril in SAN oder ABS.

Die quantitative Elementbestimmung beinhaltet häufig zwei Schritte. Zuerst muss das Material nasschemisch vorbereitet werden, damit der Analyt anschließend mit einem geeigneten Analyseverfahren quantifiziert werden kann. Daneben gibt es je nach Element auch einzelne zerstörende oder zerstörungsfreie Direktverfahren. Eine Übersicht zu quantitativen analytischen Verfahren gibt Crompton [10].

7.5.1.1 Halogene

Verschiedene Werkstoffe wie Polyvinylchlorid oder Epichlorhydrinkautschuk enthalten Chlor in der Polymerkette. Bauteilen wie Kabelisolationen oder Computergehäusen werden oft bromierte Flammschutzmittel beigemischt, um die Brennbarkeit zu hemmen. Die Bestimmung von kovalent gebundenen Halogenen erfolgt üblicherweise titrimetrisch oder ionenchromatographisch nach Aufschluss der Probe.

Die hier tabellierten Ringversuchsdaten stammen aus vier Ringversuchen an vier unterschiedlichen Werkstoffen [2]:

- nichtvulkanisierter Chlorbutylkautschuk (CIIR),
- vulkanisierter Epichlorhydrinkautschuk (ECO),

- ABS mit bromhaltigem Flammschutzmittel sowie
- thermoplastisches Elastomer (TPE) mit bromhaltigem Flammschutzmittel.

An den Ringversuchen nahmen je dreizehn Labors teil. Neben hauseigenen Methoden wurden DIN EN ISO 1158, Methoden A und B (9), ISO 7725 (10) und DIN 53474 (11) eingesetzt, und zwar in allen Fällen ohne vorgängige Extraktion der Proben mit Lösemitteln. Sieben der dreizehn Labors wählten den Schöniger-Aufschluss. Elf Labors bestimmten die Halogene titrimetrisch.

Die Resultate sind aus Tabelle 7.2 ersichtlich. Zu beachten sind die hohen Werte für $s_{r,rel}$ von 3,2 % und $s_{R,rel}$ von 14 % bei geringem Chlorgehalt (0,8 g/100 g). Erwartungsgemäß nehmen die absoluten Werte s_r und s_R mit kleiner werdenden Gehalten nicht beliebig ab, sondern gehen asymptotisch in einen konstanten Wert über. Dies führt naturgemäß zu hohen prozentualen Werten. Im vorliegenden Fall wurde der tiefe Chlorgehalt an Chlorbutylkautschuk (CIIR) gemessen. Die absoluten Werte betrugen 0,03 g/100 g (s_r) und 0,11 g/100 g (s_R).

Tabelle 7.2 Resultate aus Ringversuchen zur Bestimmung von Chlor und Brom in polymeren Werkstoffen [2], spezifiziert als Median mit MAD. Die Resultate basieren auf „erweiterten Vergleichbedingungen" (ohne Vorgabe der Analysemethoden).

Analyt	Anzahl RV	Gehalt [g/100 g]	$\tilde{s}_{r,rel}$ ± MAD [%]	$\tilde{s}_{L,rel}$ ± MAD [%]	$\tilde{s}_{R,rel}$ ± MAD [%]
Cl	1	0,8	3,2	14	14
Cl, Br	3	8 - 11	1,4 ± 0,2	2,6 ± 0,4	3.0 ± 0,3

7.5.1.2 Schwefel

Die wohl bekannteste Anwendung von Schwefel in polymeren Werkstoffen ist die Vernetzung von Kautschuk. Eine weitmaschige Vernetzung mit Schwefelgehalten von ein bis zwei Prozent führt zu elastischen Werkstoffen. Wird engmaschig vernetzt, entstehen harte Werkstoffe mit Schwefelgehalten von 20 bis 30 %. Verschiedene Hochleistungsthermoplaste enthalten Schwefel in der Polymerkette. Beispiele sind Polyphenylensulfid (PPS) oder Polysulfon (PSU). In Polyamiden finden zudem Sulfonamide als Weichmacher Anwendung.

Die Quantifizierung von kovalent gebundenem Schwefel führt in der Regel über einen Aufschluss der Probe. Dabei wird Schwefel in Sulfat oder katalytisch in Schwefeldioxid überführt. Sulfat wird titriert, gravimetrisch als Bariumsulfat oder ionenchromatographisch erfasst. Schwefeldioxid wird infrarotspektrometrisch quantifiziert [10].

Die hier tabellierten Präzisionsdaten stammen aus vier Ringversuchen an vier verschiedenen polymeren Werkstoffen [2]:

- schwefelvernetzter NR-Hart- und NR-Weichgummi,

- PPS glasfaserverstärkt sowie
- PA 12 mit N-(n-butyl)-benzol-sulfonamid (BBSA) weichgemacht.

Vier der sieben teilnehmenden Labors führten die Analysen nach ISO 6528-1 (12) durch, während die restlichen drei Labors hauseigene Methoden anwendeten. Die Resultate sind in Tabelle 7.3 zusammengestellt. Tendenziell lagen die relativen Vergleichstandardabweichungen von tiefen Schwefelgehalten am oberen MAD-Intervall (ca. 6 %) und die von hohen Schwefelgehalten am unteren MAD-Intervall (ca. 5 %).

Tabelle 7.3 Resultate aus Ringversuchen zur Bestimmung von Schwefel in polymeren Werkstoffen [2], spezifiziert als Median mit MAD. Die Resultate basieren auf „erweiterten Vergleichbedingungen" (ohne Vorgabe der Analysemethoden).

Analyt	Anzahl RV	Gehalt [g/100 g]	$\tilde{s}_{r,rel} \pm$ MAD [%]	$\tilde{s}_{L,rel} \pm$ MAD [%]	$\tilde{s}_{R,rel} \pm$ MAD [%]
S	4	1,5 - 25	0,9 ± 0,1	5,5 ± 0,4	5,6 ± 0,4

7.5.1.3 Stickstoff

Via Stickstoff können stickstoffhaltige Komponenten in Kunststoffen quantifiziert werden. Darunter fallen Antioxidantien und Lichtschutzmittel oder auch Bausteine in einer Polymerkette wie Acrylnitril in ABS oder SAN. Die wohl bekannteste Analysemethode ist das Verfahren nach Kjeldahl. Alternativ kann die Verbrennungsanalyse (Elementaranalyse) eingesetzt werden [10] [11].

An den in Tabelle 7.4 auf der oberen Zeile angeführten Ringversuchen nahmen zwölf Labors teil, die alle das Kjeldahl-Verfahren nach ISO 1656 (13) anwendeten. Die an Kautschukproben mit tiefen Stickstoffgehalten (0,2 bis 0,7 g/100 g) durchgeführten Versuche führten nicht zu konstanten relativen, sondern zu konstanten absoluten Werten (vergleiche Fußnoten zu Tabelle 7.4).

Die Ringversuche auf der unteren Zeile wurden ohne Vorgabe der Methode durchgeführt. Fünf der sieben beteiligten Labors wählten ebenfalls das Kjeldahl-Verfahren, zogen aber teilweise DIN 53621-3 (14) oder DIN 53625 (15) anstelle von ISO 1656 bei. Die restlichen zwei Labors wählten die Verbrennungsanalyse. Die vier Ringversuche wurden an je zwei verschiedenen SAN-Copolymeren und NBR-Kautschuken mit Stickstoffgehalten zwischen 6 und 9 g/100 g durchgeführt. Sie resultierten in konstanten relativen Ringversuchswerten, Tabelle 7.4.

Tabelle 7.4 Resultate aus Ringversuchen zur Bestimmung von Stickstoff in polymeren Werkstoffen, spezifiziert als Richtwerte beziehungsweise als Median mit MAD. Die Resultate der Referenz [2] basieren auf „erweiterten Vergleichbedingungen“ (ohne Vorgabe der Analysemethoden).

[a] *In diesem Gehaltsbereich wurden konstante absolute Ringversuchswerte erhalten:*
$\tilde{s}_r \pm MAD = (0{,}0086 \pm 0{,}0005)\ g/100\ g$;
$\tilde{s}_L \pm MAD = (0{,}029 \pm 0{,}003)\ g/100\ g$;
$\tilde{s}_R \pm MAD = (0{,}030 \pm 0{,}003)\ g/100\ g$;

Analyt	Anzahl RV	Gehalt [g/100 g]	$\tilde{s}_{r,rel}$ ± MAD [%]	$\tilde{s}_{L,rel}$ ± MAD [%]	$\tilde{s}_{R,rel}$ ± MAD [%]	Referenzen
N	4	0,2 - 0,7	1,3 - 3,9[a]	6 - 12[a]	6 - 12[a]	(13)
N	4	6 - 9	1,0 ± 0,4	3,1 ± 0,4	3,3 ± 0,4	[2]

Ein Blick zurück auf Tabelle 7.2 bis Tabelle 7.4 zeigt, dass die relative Standardabweichung zwischen den Labors, $s_{L,rel}$, drei bis sechs Prozent beträgt. Somit kommt auch die minimale relative Standardunsicherheit auf drei bis sechs Prozent zu liegen.

Werden Heteroatome via Aufschlussverfahren quantifiziert, beträgt die Standardunsicherheit drei bis sechs Prozent des Messwertes.

7.5.2 Verbindungen

Die hier behandelten Inhaltsstoffe können teilweise auch durch TGA bestimmt werden, Abschnitt 7.4.2 (Weichmachergehalt) und Abschnitt 7.4.4 (Glührückstand). Klassische Verfahren sind in der Regel aufwendiger als TGA, lassen aber größere Probeeinwaagen zu. Das kann bei der Untersuchung von inhomogenen Werkstoffen ein Vorteil sein. Eine Gegenüberstellung der Messunsicherheit von klassisch und instrumentell-thermogravimetrisch ermittelten Resultaten ist in [2] enthalten.

7.5.2.1 Weichmacher

Wie in Abschnitt 7.4.2 erwähnt, dienen Weichmacher häufig der Erhöhung der Schlagfestigkeit oder der Flexibilisierung von Thermoplasten und Elastomeren. Für die quantitative Analyse werden sie aus dem Polymer durch Extraktion mit einem geeigneten Lösemittel isoliert. Probenvorbereitung, Lösemittel und Extraktionsdauer hängen von der Kombination Polymer/Weichmacher ab und sind in den Normen ISO 1407 (16) und ISO 6427 (17) spezifiziert. Die Quantifizierung erfolgt durch Wägung des Extrakts oder Differenzwägung des Polymers.

75 % der Labors, die an den acht in Tabelle 7.5 aufgeführten Ringversuchen (obere Zeile) beteiligt waren, extrahierten die Proben mit einer konventionellen Soxhlet-Apparatur, teilweise jedoch unter Verwendung eines Heißextraktors. Weitere 15 %

verwendeten Accelerated-Solvent-Extraction (ASE) [12] [13]. Die restlichen Labors bedienten sich einer Hausmethode. Die fünf Ringversuche der unteren Zeile wurden nach ISO 1407 (16) Methode A oder Methode B durchgeführt.

In Tabelle 7.5 fällt auf, dass die Ringversuchswerte in der unteren Zeile etwa dreimal kleiner sind als die in der oberen Zeile. Der Grund liegt in den unterschiedlichen Bedingungen, an die sich die teilnehmenden Labors halten mussten. Während der Median $\tilde{s}_R$ = 1,3 g/100 g auf acht Ringversuchen an unterschiedlichen Werkstoffen (EPDM, NBR, SBR, PA 12-P, PVC-P) ohne Vorgabe der Verfahren basiert, wurde das Verfahren bei den tiefen Ringversuchswerten ($\tilde{s}_R$ = 0,4 g/100 g) für jeden einzelnen Werkstoff (EPDM, NBR, SBR) detailliert nach ISO 1407 (16) vorgegeben. Dies erklärt die geringere Variation der Ergebnisse. Trotzdem sind die doch sehr tiefen Werte kritisch zu beurteilen, weil im Durchschnitt über sämtliche Ringversuche jedes fünfte Laborresultat als Ausreißer eliminiert wurde. Eine hohe Ausreißerrate führt in der Regel zur Unterschätzung der Vergleichstandardabweichung und damit der Messunsicherheit.

Tabelle 7.5 Resultate aus Ringversuchen zur Bestimmung von nasschemisch quantifizierbaren Weichmachern, spezifiziert als Median mit MAD

[a] *Ringversuche mit unterschiedlichen Verfahren durchgeführt*

[b] *Ringversuche nach ISO 1407; nur Ringversuche mit mindestens sieben bewerteten Labors berücksichtigt; mögliche Unterschätzung von s_R, da durchschnittlich 20 % der Werte als Ausreißer eliminiert*

Analyt	Anzahl RV	Gehalt [g/100 g]	$\tilde{s}_r$ ± MAD [g/100 g]	$\tilde{s}_L$ ± MAD [g/100 g]	$\tilde{s}_R$ ± MAD [g/100 g]	Referenzen
Weichmacher	8	12 – 40	0,2 ± 0,02	1,2[a] ± 0,3	1,3[a] ± 0,3	[2] [7] [8]
	5	7 – 45	0,15 ± 0,07	0,4[b] ± 0,2	0,4[b] ± 0,2	(16)

Ein klassisch bestimmter Weichmachergehalt hat eine Standardunsicherheit von mindestens 0,4 g/100 g.

Ein Teil der Proben der oberen Zeile von Tabelle 7.5 wurde in den Ringversuchen zusätzlich durch TGA analysiert [7]. Dabei wurden tendenziell geringere, aber nicht signifikant tiefere Gehalte erhalten. Trotz geringerer Probeneinwaage ergaben die Versuche mit TGA mehrheitlich auch etwas kleinere Vergleichstandardabweichungen. Der Vergleich der beiden Datensätze ist in [2] publiziert.

7.5.2.2 Vinylacetatgehalt in Ethylen-Vinylacetat-Copolymeren

Die Eigenschaften von Ethylen-Vinylacetat-Copolymeren (E/VA) variieren stark in Abhängigkeit vom Anteil an Vinylacetat (VA). Das Spektrum reicht vom gummielastischen Werkstoff mit hohem VA-Anteil bis zum Thermoplast mit geringem VA-Anteil. Deshalb ist die Kenntnis des VA-Anteils von hoher Bedeutung.

Es gibt viele verschiedene Methoden zur Bestimmung des Vinylacetatgehalts. In den hier beschriebenen acht Ringversuchen wurden Hydrolyse mit anschließender Rücktitration, IR-Spektrometrie nach ISO 8985 (18) und bei unvernetzten Proben auch DDK und TGA eingesetzt [8]. Während die DDK-Methode auf der Korrelation von Schmelzpunkt und Schmelzenthalpie mit dem Vinylacetatgehalt basiert [14], wird in der TGA die Abbaustufe im Bereich zwischen 200 und 400 °C gemessen [15]. Die drei instrumentellen Methoden setzen eine Kalibration mit Referenzmaterialien bekannten VA-Gehalts voraus. Die Ringversuche wurden übergreifend unter Einbezug der Resultate aller Methoden ausgewertet. Wie aus Tabelle 7.6 hervorgeht, sind die Ringversuchswerte geringfügig vom Vinylacetatgehalt abhängig.

Tabelle 7.6 Resultate aus Ringversuchen zur Bestimmung von Vinylacetat (VA) in Ethylen-Vinylacetat-Copolymeren (E/VA) [8], spezifiziert als Median mit MAD. In den Ringversuchen wurden unterschiedliche Verfahren angewendet.

Analyt	Anzahl RV	Gehalt [g/100 g]	$\tilde{s}_r$ ± MAD [g/100 g]	$\tilde{s}_L$ ± MAD [g/100 g]	$\tilde{s}_R$ ± MAD [g/100 g]
VA in E/VA	3	8 - 13	0,4 ± 0,1	0,8 ± 0,1	0,9 ± 0,1
	3	28 - 33	0,5 ± 0,1	1,2 ± 0,1	1,3 ± 0,1
	2	48 - 70	0,6 ± 0,3	2,1 ± 0,1	2,2 ± 0,1

7.5.2.3 Wasser

Wasser kann die Eigenschaften von hygroskopischen Werkstoffen erheblich beeinflussen [16]. Deshalb ist der Gehalt an Wasser unter enger Kontrolle zu halten, wenn die Verarbeitung von PET- und PA-Granulat zu Bauteilen, Flaschen oder Fasern erfolgreich sein soll.

ISO 15512 (19) beschreibt vier Verfahren zur Bestimmung von Wasser in polymeren Werkstoffen:

Verfahren A: Extraktionsverfahren mit wasserfreiem Methanol und anschließender Titration des Wassers nach dem Karl-Fischer-Verfahren (für alle Kunststoffe geeignet).

Verfahren B1: Das in der Probe enthaltene Wasser wird in einem Rohrofen verdampft und durch trockene Luft oder Stickstoff als Trägergas in die Titrationszelle überführt. Das gesammelte Wasser wird anschließend durch das Karl-Fischer-Verfahren coulometrisch bestimmt (für alle Kunststoffe geeignet).

Verfahren B2: Das in der Probe enthaltene Wasser wird in einem erhitzten Probefläschchen verdampft und durch trockene Luft oder Stickstoff als Trägergas in die Titrationszelle überführt. Das gesammelte Wasser wird anschließend durch das Karl-Fischer-Verfahren coulometrisch bestimmt (für alle Kunststoffe geeignet).

Verfahren C: Der Wassergehalt wird manometrisch aus dem Druckanstieg nach dem Verdampfen des Wassers unter Vakuum bestimmt (nur für Kunststoffe anwendbar, die keine anderen flüchtigen Anteile in störenden Mengen enthalten).

Präzisionsdaten wurden in vier Ringversuchen an drei PA 6-Proben und einer PET-Probe ermittelt [2]. Eine der PA-Proben mussten die Teilnehmer vor der Wasserbestimmung während 72 h bei 80 °C selbst trocknen. Die drei restlichen Proben wurden durch die Organisatorin konditioniert, in gasdichte Aluminiumsäckchen eingeschweißt und an die Teilnehmer verschickt. Sieben von zehn Labors analysierten den Wassergehalt nach den oben beschriebenen Verfahren A (nur PA), B1 oder B2. Drei Labors wählten alternative Methoden: I) Ausheizen unter Vakuum in Anlehnung an ASTM D4019 (20) und coulometrische Wasserbestimmung durch Reaktion mit P_2O_5, II) Aquatrac-Verfahren [17] sowie III) Ausheizen mit anschließender Bestimmung des Wassers durch das Karl-Fischer-Verfahren mit visueller Endpunktbestimmung nach Hausmethode.

Die Resultate sind in Tabelle 7.7 zusammengestellt. Auffällig ist die hohe relative Standardabweichung zwischen den Labors. Dafür verantwortlich sind hauptsächlich die unterschiedlichen Temperaturen, die zum Ausheizen des Wassers gewählt wurden. Ausheizen bei 200 bis 220 °C führte durchwegs zu höheren Resultaten als Ausheizen bei 160 bis 175 °C oder die Anwendung von alternativen Methoden. Mögliche Gründe für die Unterschiede sind unvollständige Isolation des Wassers bei tieferen Ausheiztemperaturen oder durch Extraktion. Wahrscheinlicher ist aber eine Nachkondensation der Polymerketten bei Temperaturen über 200 °C. Bei der Nachkondensation entsteht zusätzliches Wasser. DIN EN ISO 15512 (19) empfiehlt denn auch, den Wassergehalt bei mehreren Temperaturen zwischen 120 und 220 °C zu bestimmen, um eine experimentelle Funktion $w_{H2O}(T_{Aufheiz})$ zu erhalten. Diese Funktion bildet normalerweise im Mittelteil ein Plateau, in dessen Bereich die optimale Aufheiztemperatur liegt. Ein zusätzlich erhöhter Wert für $s_{L,rel}$ wurde zudem bei der Probe beobachtet, die durch die Labors selbst konditioniert wurde. Offensichtlich waren nicht alle Trockenschränke unter genügender Temperaturkontrolle.

Tabelle 7.7 Resultate aus Ringversuchen zur Bestimmung von Wasser in PA und PET [2] Zur Isolation und Bestimmung des Wassers wurden unterschiedliche Verfahren angewandt.
[a] *mindestens 0,006 g/100 g*;
[b] *mindestens 0,03 g/100 g*

Analyt	Anzahl RV	Gehalt [g/100 g]	$s_{r,rel}$ [%]	$s_{L,rel}$ [%]	$s_{R,rel}$ [%]
Wasser	4	0,04 – 2	ca. 2[a]	ca. 13[b]	ca. 13[b]

> Bei der Bestimmung von Wasser in Polykondensaten führt eine zu hohe Ausheiztemperatur zur Freisetzung von Wasser infolge Nachkondensation des Polymers.

7.5.2.4 Glührückstand

Der Glührückstand umfasst die Summe aller anorganischen Additive, die bei der gewählten Veraschungstemperatur kein weiteres gasförmiges Zerfallsprodukt abgeben.

In Tabelle 7.8 sind Präzisionsdaten zur klassischen Bestimmung des Glührückstands aufgelistet. Ein Teil davon stammt aus DIN EN ISO 3451-1 (21) und ist nach dieser Norm erarbeitet worden. In den übrigen Ringversuchen [7] konnten die teilnehmenden Labors das Normverfahren frei wählen (z. B. ISO 247 [22], DIN 53468-1 [23] oder DIN EN ISO 3451-1). Eine Verfahrensfreigabe führt notgedrungen zu einer etwas höheren Standardabweichung zwischen den Labors. Gemäß Tabelle 7.8 korrelieren die Präzisionsdaten über größere Gehaltsbereiche hinweg mit dem Gehalt des Glührückstands. Sie lassen aber keine Aussage über konstante relative Werte zu. Auffällig sind die äußerst geringen Unterschiede zwischen den Wiederholstandardabweichungen s_r und den Vergleichstandardabweichungen s_R bei den in DIN EN ISO 3451-1 angegebenen Präzisionsdaten. Gründe dafür werden in der Norm nicht genannt.

Tabelle 7.8 Resultate aus Ringversuchen (RV) zur nasschemischen Bestimmung des Glührückstandes, spezifiziert als Median mit MAD

Werkstoff	RV	Gehalt [g/100 g]	$\tilde{s}_r$ ± MAD [g/100 g]	$\tilde{s}_L$ ± MAD [g/100 g]	$\tilde{s}_R$ ± MAD [g/100 g]	Referenzen
Weich-PVC, PS	2	2 - 3	0,03 ± 0,01	0,12 ± 0,06	0,13 ± 0,06	[7]
EPDM, NR-Hartgummi	2	40 - 50	0,14 ± 0,03	0,42 ± 0,28	0,45 ± 0,28	[7]
PE-HD, PE-LD + Antiblock-Add	4	0,015 - 1	0,005 ± 0,001		0,006 ± 0,001	(21)
PET + SiO_2, PET + TiO_2	2	3 - 13	0,046 ± 0,001		0,049 ± 0,004	(21)
PA + Glas PET + TiO_2	2	33 - 45	0,32 ± 0,05		0,34 ± 0,06	(21)

Ein Vergleich der Methoden TGA und klassische Veraschung wird im Abschnitt 7.3.2 sowie im Beispiel 7.4.1 von [2] behandelt. Daraus geht hervor, dass beide Methoden bei hohen Glührückständen zu vergleichbaren Ringversuchswerten führen. Bei tiefen Glührückständen hingegen ist die nasschemische Veraschung der TGA deutlich überlegen.

7.6 Spurenbestandteile

Auch Elemente und Verbindungen, deren Gehalte kleiner als 1 g/100 g (< 10^4 mg/kg) sind, können ein Produkt entscheidend beeinflussen. So ist ein Kunststofferzeugnis für Lebewesen oder die Umwelt möglicherweise toxisch, wenn es gewisse Schwermetalle oder Restlösemittel in Spuren enthält. Ein anderes Beispiel sind Antioxidantien und Lichtschutzmittel, die das Material im höheren Spurenbereich gegen unerwünschten Abbau wirkungsvoll schützen. Deshalb ist der Kunststoffbereich auf zuverlässige spurenanalytische Verfahren angewiesen.

Beispiele zur praktischen Anwendung der hier diskutierten Unsicherheitsdaten sind in [2] enthalten.

7.6.1 Elemente: Halbmetalle, Schwermetalle, Brom

Viele Schwermetalle sind toxisch und deshalb in Kunststoffen unerwünscht. So dürfen Produkte aus neuen Rohstoffen in der EU nur auf den Markt gebracht werden, wenn deren Cadmium-Gehalt 100 mg/kg nicht überschreitet. Ein anderes Beispiel ist die ChemRR-Verordnung der Schweiz, wonach die Summe von Pb, Hg, Cd und Cr(VI) in Verpackungen maximal 100 mg/kg betragen darf. Um die Rohstoffe und Kunststofferzeugnisse im Rahmen der Qualitätssicherung und Marktüberwachung auf diese Schwermetalle zu prüfen, werden hinreichend zuverlässige Analysemethoden benötigt. DIN EN 62321 (24) enthält Verfahren zur Bestimmung von Pb, Hg, Cd und Cr(VI) in elektrotechnischen Produkten inklusive Kunststoffkomponenten. ASTM F2617 (25) beschreibt die Analyse von Pb, Hg, Cd, Cr und Br mittels energiedispersiver Röntgenfluoreszenzspektrometrie an Kunststoffgranulaten und -presslingen. Andere Normen beziehen sich nur auf einzelne Metalle, so ISO 6101-2 (26) und ein Standard der Consumer Product Safety Commission der USA (27) auf Pb oder die Norm DIN EN 1122 (28) auf Cd. Eine detaillierte Beschreibung von Aufschluss- und spektrometrischen Quantifizierungsmethoden ist unter anderem in [18] beziehungsweise [10] zu finden.

In Tabelle 7.9 sind Ringversuchsergebnisse zur Bestimmung von Leicht-, Halb- und Schwermetallen aufgelistet. Die Ringversuchsproben wurden durch Zugabe von Metallverbindungen mit anschließender Homogenisierung des Gemischs präpariert. Den Teilnehmern wurde die Wahl der Analyseverfahren freigestellt. Die meisten Labors verwendeten hauseigene Methoden mit Nassaufschluss und Quantifizierung der Metalle durch optische Emissionsspektrometrie im induktiv gekoppelten Plasma (ICP-OES) oder durch Atomabsorptionsspektrometrie (AAS).

Tabelle 7.9 Resultate aus Ringversuchen zur Bestimmung von Metallen im Spurenbereich, spezifiziert als Median mit MAD. Analysemethode: vorwiegend ICP-OES und AAS an Aufschlusslösungen. *n. d.: nicht deklariert*

Analyt	Matrix	Anzahl RV	Bereich [mg/kg]	$\tilde{s}_{r,rel}$ ± MAD [%]	$\tilde{s}_{L,rel}$ ± MAD [%]	$\tilde{s}_{R,rel}$ ± MAD [%]	Referenzen
Al	PA 12	1	13300	0,7	9,5	9,5	[2]
As	PE	1	4	7,1	27	28	[2]
	PE	1	31	3,9	13	14	
Cd	PE	5	20 - 140	1,5 ± 0,5	13 ± 1	13 ± 1	[2] [19]
	PU	1	44	2,1	21	21	[20]
	PVC	1	50	1,6	4,9	5,1	
	n. d.	13	25 - 250	n. d.	n. d.	9 ± 1	
Cr	PE	1	18	3,7	15	15	[2] [19]
	PE	1	115	2,5	8,0	8,4	[20]
	PU	1	67	2,8	23	24	
	n. d.	10	25 - 250	n. d.	n. d.	9 - 23	
Hg	PE	2	3 - 21	1,0 ± 0,2	50 ± 7	50 ± 7	[2] [19]
	n. d.	6	5 - 125	n. d.	n. d.	14 - 46	
Pb	PE, PU	6	13 - 111	2,4 ± 0,2	14 ± 2	14 ± 2	[2] [19]
	PVC	1	99	1,8	4,0	4,4	[20]
	n. d.	11	50 - 500	n. d.	n. d.	9 ± 1	
Zn	PA 12	1	3100	0,7	14	14	[2]

Die aus den Ringversuchen erhaltenen relativen Vergleichstandardabweichungen $s_{R,rel}$ sind sowohl von der Matrix als auch vom Metallgehalt abhängig, Tabelle 7.9. Die besten Resultate wurden mit PVC erzielt; $s_{R,rel}$ kam für Cadmium und Blei zwischen 4,4 und 5,1 % zu liegen. Für Cd, Cr und Pb in Polyethylen (PE) betrug $s_{R,rel}$ je nach Metallgehalt acht bis fünfzehn Prozent. Schwieriger einzuordnen sind die Resultate des ISS [19], weil die Matrix nicht deklariert ist. Erwartungsgemäß ergaben sich mit Cr und Hg die größten relativen Vergleichstandardabweichungen. Quecksilber und seine Verbindungen sind sehr mobil, was deren Kontamination, Verflüchtigung, Migration und Adsorption stark begünstigt und zu erheblichen Streuungen in der Analytik führen kann [21]. Bei Cr werden je nach Oxidationszahl, Verbindung, Matrix und Aufschlussvariante oft hohe Minderbefunde beobachtet. Besonders ausgeprägt kann dies bei Cr in Stäuben beobachtet werden [22]. Im Zusammenhang mit Kunststoffen ist zu beachten, dass Cr_2O_3 anwesend sein kann. Cr_2O_3 ist in konzentrierter Säure unlöslich und entzieht sich einem üblichen Aufschluss. Deshalb empfiehlt es sich, der Aufschlusslösung Perchlorsäure zuzusetzen. Dadurch wird Cr(III) zu Cr(VI) oxidiert, das je nach pH-Wert als Chromat oder Polychromat löslich ist.

In Tabelle 7.10 sind Kennwerte von Ringversuchen aufgelistet, die durch energiedispersive Röntgenfluoreszenzspektrometrie an Granulaten und Presslingen nach ASTM F2617 (25) erarbeitet wurden. Eine Präparation der Granulate zu Presslingen brachte lediglich bei Chrom eine signifikante Erniedrigung der Ringversuchsparameter. Die Werte stammen von Tischgeräten. In ASTM F2617 sind auch Ringversuchswerte von Handgeräten publiziert.

Tabelle 7.10 Resultate aus Ringversuchen zur Bestimmung von Schwermetallen und Brom im Spurenbereich, spezifiziert als Median mit MAD. Analysemethode: energiedispersive Röntgenfluoreszenzspektrometrie an Granulaten und Presslingen (Disks) nach ASTM F2617 (25).

Analyt	Form	Anzahl RV	Bereich [mg/kg]	$\tilde{s}_{r,rel}$ ± MAD [%]	$\tilde{s}_{L,rel}$ ± MAD [%]	$\tilde{s}_{R,rel}$ ± MAD [%]
Br	Granulat/ Disk	6	240 - 530	1,5 ± 0,7	7,1 ± 0,4	7,3 ± 0,6
Cd	Granulat/ Disk	2 4	18 - 20 140 - 180	9.2 ± 0,2 4,2 ± 2,7	34 ± 2 6,0 ± 1,3	36 ± 2 8,4 ± 1,2
Cr	Granulat	3	380 - 620	13 ± 2	17 ± 1	22 ± 1
Cr	Disk	3	360 - 590	1,9 ± 0,4	10 ± 1	11 ± 1
Hg	Granulat/ Disk	6	120 - 260	3,5 ± 1,2	8,5 ± 1,5	9,5 ± 1
Pb	Granulat/ Disk	2 4	70 - 75 600 - 730	2,4 ± 0,6 1.4 ± 0,4	9.7 ± 0,2 6,3 ± 0.1	10 ± 0,1 6,6 ± 0,2

Der Vergleich mit Tabelle 7.9 zeigt, dass die Röntgenfluoreszenzanalyse von Elementen mit höherer Ordnungszahl (Cd, Hg, Pb) gegenüber Verfahren mit Nassaufschluss im höheren Spurenbereich zumindest konkurrenzfähig ist. Wenn der Analyseaufwand mit einbezogen wird, ist sie aus Sicht der Messunsicherheit als überlegen zu bewerten. Im tiefen Spurenbereich sind hingegen Methoden mit Nassaufschluss zu bevorzugen.

Metalle höherer Ordnungszahl (z. B. Cd, Hg, Pb), deren Gehalt über 100 mg/kg liegt, werden bevorzugt durch direkte Röntgenfluoreszenzanalyse am Polymer analysiert.

7.6.2 Stabilisatoren

Kunststoffe ohne stabilisierende Zusätze altern schnell. Dafür verantwortlich sind thermooxidative Reaktionen, die unter Einfluss von Wärme und Sauerstoff ablaufen und zur Spaltung der Makromoleküle unter Bildung von niedermolekularen Abbauprodukten führen. In seltenen Fällen kann auch Vernetzung auftreten. Im

Außenbereich trägt die ultraviolette Strahlung durch Initiierung von photooxidativen Reaktionen zu ähnlichen Alterungserscheinungen bei. Infolge von thermo- und photooxidativen Reaktionen ändern sich Farbe, Oberflächenstruktur und physikalische Eigenschaften eines Erzeugnisses, was dessen Gebrauchswert in kurzer Zeit in Frage stellt. Um diese Alterung zu verhindern oder zumindest zu verzögern, werden den Kunststoffen Antioxidantien und Lichtstabilisatoren zugesetzt. Die Konzentrationen bewegen sich im Bereich von 0,02 bis 1,5 %. Während Antioxidantien eine Inhibierung des thermooxidativen Abbaus bewirken, gewähren Lichtstabilisatoren weitgehend Schutz gegen die schädliche UV-Strahlung. Das Fachbuch „Beständigkeit von Kunststoffen“ [23] gibt eine Übersicht über die Stabilisierung und Alterung von Kunststoffen.

Im vorliegenden Abschnitt konzentrieren sich die Ringversuche auf die Antioxidantien Irganox 1010 und Irgafos 168, Bild 7.2.

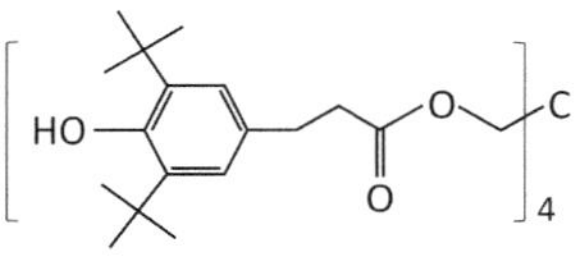

Irganox® 1010

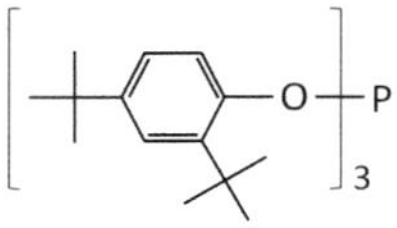

Irgafos® 168

Bild 7.2
Chemische Struktur von Irganox 1010 und Irgafos 168

Für die Bestimmung von Antioxidantien in Thermoplasten stehen nur wenige Normen zur Verfügung. Eine auf das Jahr 1975 zurückgehende britische Norm (29) basiert auf der Reduktion von Fe(III) zu Fe(II) durch die zu bestimmenden Antioxidantien, worauf Fe(II) kolorimetrisch quantifiziert wird. Das Ergebnis ist ein Summenparameter für die Antioxidantien. Zwei neuere ASTM-Normen beschreiben je ein Verfahren, wie phenolische Antioxidantien aus PP (30) und aus PE (31) extrahiert und flüssigchromatographisch bestimmt werden.

An den in Tabelle 7.11 ausgewiesenen Ringversuchen [2] [24] nahmen je sechs bis vierzehn Labors teil, die durchwegs ihre hauseigenen Vorschriften anwendeten. Häufig wurde die Probe in Toluol oder Xylol gelöst und das Polymer anschließend durch Zugabe von Methanol gefällt. Auch die Soxhlet-Extraktion wurde oft eingesetzt. Als Extraktionsmittel kamen Methylenchlorid, Chloroform, Ethylacetat, Chloroform/Trifluorethanol im Volumenverhältnis 2:3 oder Methylenchlorid/Ethylacetat im Volumenverhältnis 3:1 zum Einsatz. In beiden Fällen wurden die Analyten durch HPLC quantifiziert.

Die Ergebnisse mit Irganox 1010 zeigen, dass Resultate aus verschiedenen Labors unter den gewählten Bedingungen kaum sinnvoll verglichen werden können, denn die relative Standardabweichung zwischen den Labors $s_{L,rel}$ beträgt 24 % (Median aus sechs Ringversuchen), Tabelle 7.11. Der kritische Quotient *KQ* beträgt demnach mindestens 2,1 (vgl. Unterschrift zu Bild 7.4). Ein signifikanter Unterschied zwischen y_1 und y_2 ist also erst gegeben, wenn y_1 mindestens 2,1 Mal größer ist als y_2. Bedeutend kleiner ist der Wert von $s_{L,rel}$ bei höheren Konzentrationen von Irgafos 168, er beträgt aber immer noch 14 %. Diese unbefriedigende Streuung dürfte vor allem auf die Vielfalt der angewandten Methoden zur Isolierung der Analyten zurückzuführen sein. In [2] wird aufgezeigt, dass eine Vorgabe der Isolierungsmethode die Vergleichstandardabweichung und damit die Standardabweichung zwischen den Labors deutlich verringern würde.

Die Art und Weise der Isolierung von Stabilisatoren beeinflusst deren Analyseresultat erheblich.

Tabelle 7.11 Kennwerte aus Ringversuchen zur Bestimmung von Antioxidantien in Polyolefinen ohne Vorgabe der Analysemethode [2] [24] (siehe auch Anwendungsbeispiel 8.4.2 in [2]).

Analyt/Matrices	RV	Bereich [mg/kg]	$\tilde{s}_{r,rel}$ ± MAD [%]	$\tilde{s}_{L,rel}$ ± MAD [%]	$\tilde{s}_{R,rel}$ ± MAD [%]
Irganox 1010 in PP, LLDPE, PP mit 10 % PE	6	150 - 2050	2,7 ± 0,5	24 ± 5	25 ± 5
Irgafos 168 in PP, LLDPE	2	400 - 450	2,7 ± 1,4	28 ± 2	28 ± 1
Irgafos 168 in PP, PP mit 10 % PE	4	740 - 2750	1,5 ± 0,2	14 ± 1	14 ± 1

7.6.3 Restlösemittel

Restliche Lösemittel in Kunststoffen aus dem Herstellungsprozess sind vor allem in Lebensmittelverpackungen unerwünscht, weil sie Geruch und Geschmack des Lebensmittels beeinträchtigen können. Über die Analytik von Restlösemittel existieren verschiedene Normen: DIN EN 13628-1 (32), DIN EN 13628-2 (33) und DIN EN 14479 (34). Diese enthalten keine Angaben zur Messunsicherheit.

In Ringversuchen zu Restlösemittel muss eine genügende Langzeitstabilität der Proben gewährleistet sein. Die Labors erhielten die Proben messfertig zugeschnitten und in Probefläschchen verpackt. Kappe, Septum und Zusatzbarriere der Probefläschchen wurden durch die Organisatorin speziell für diese Versuche entwickelt und auf Langzeitstabilität der Proben überprüft. Die meisten der acht bis zehn Labors wählten statische Headspace-GC-FID als Analysemethode unter Anwendung einer Temperierung der Probe bei 120 °C über 30 Minuten.

Wie aus Tabelle 7.12 hervorgeht, bewegen sich die ermittelten relativen Standardabweichungen zwischen 27 % und Werten über 50 %. Der Vergleich von Messergebnissen mit einer Spezifikation oder einem Grenzwert ist also nur für Ethanol und nur bei bescheidenen Anforderungen an die Präzision sinnvoll. Erfolgversprechend ist aber der Vergleich von beanstandeten Proben mit nicht beanstandeten Proben unter Wiederholbedingungen. Der analytische Bericht beschränkt sich dann auf die Aussage, ob eine signifikante Differenz vorhanden ist oder nicht.

Die Restlösemittelanalytik lässt unter Wiederholbedingungen qualitative Resultate zu.

Tabelle 7.12 Resultate aus Ringversuchen zur Bestimmung von Restlösemitteln in Verbunden ohne Vorgabe der Analysemethode [2].
*keine Normalverteilung
Verbund A: Mehrfach lackierte Aluminiumfolie, bedruckt mit Tiefdruckfarben
Verbund B: Leimkaschierter Verbund aus Papier und Aluminium, beschichtet mit PE-LD und einseitig lackiert

Analyt	Matrix	Anzahl RV	Bereich [mg/m²]	Standardabweichung ± MAD		
				$\tilde{s}_{r,rel}$ [%]	$\tilde{s}_{L,rel}$ [%]	$\tilde{s}_{R,rel}$ [%]
Ethanol	Verbund A	1	6,3	10	25	27
Ethylacetat	Verbund A	1	0,37	18	40	44
Toluol Xylol	Verbund B Verbund B	2 2	1,2 - 1,8 4 - 9	12 ± 3	> 50	> 50
Butylacetat	Verbund B	1	56	3,5	50	50
Benzol 2-Butanon	Verbund B Verbund A	2 1	1,3 - 2 0,3	17 ± 2	> 50*	> 50*

7.7 Zusammenfassung

Wie aus Bild 7.3 ersichtlich ist, führt die Analyse von Hauptbestandteilen zu Resultaten mit geringer Messunsicherheit und damit hoher Aussagekraft. Die kritische Differenz übersteigt nur beim Vinylacetat 4 g/100 g. Aufgrund der geringen Messunsicherheit können sinnvolle quantitative Aussagen zum Unterschied zweier Proben oder zum Vergleich von Proben mit spezifizierten Werten gemacht werden.

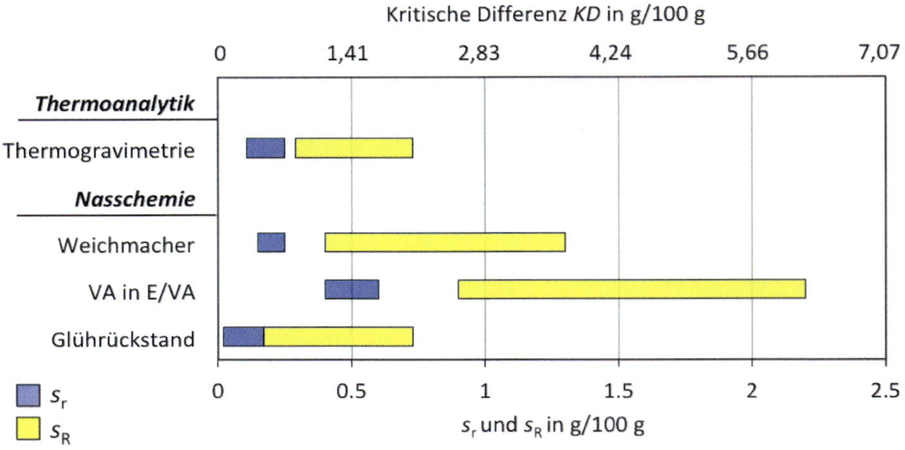

Bild 7.3 Wiederholstandardabweichung s_r, Vergleichstandardabweichung s_R und kritische Differenz *KD* in Abhängigkeit von Verfahren zur Bestimmung der Masse. Die Histogramme beziehen sich auf Mediane, die in Abschnitt 7.4 und Abschnitt 7.5 tabelliert sind. Annahmen für die Berechnung von *KD*: y_1 und y_2 sind Ergebnisse aus zwei verschiedenen Labors, $u(y_1) = u(y_2) = s_R$. Wenn $|y_1 - y_2| > KD$, ist der Unterschied zwischen y_1 und y_2 signifikant.

Im Gegensatz zu Bild 7.3 enthält Bild 7.4 Standardabweichungen, die vom Wert der Messgröße linear abhängig sind. Deshalb sind ihre relativen Werte $s_{\mathrm{r,rel}}$ und $s_{\mathrm{R,rel}}$ aufgetragen, die über den untersuchten Bereich der Massenanteile konstant bleiben. Sehr unsicher sind Gehalte von Restlösemitteln. Aufgrund der bis heute bekannten Ringversuchsdaten sollte sich die Restlösemittelanalytik auf Arbeiten unter Wiederholbedingungen mit einer genügend hohen Anzahl an Wiederholungen n_w beschränken. In vielen Fällen dürften nur qualitative oder bestenfalls halbquantitative Aussagen sinnvoll sein. Metallbestimmung und Stabilisatoranalytik führen je nach Analyt und Werkstoff ebenfalls zu Resultaten mit hoher Streuung. Wenn bei Metallbestimmungen eine geringe Messunsicherheit erforderlich ist, sollte abgewogen werden, ob für die zu lösende Fragestellung ein Aufschlussverfahren in Kombination mit Atomspektrometrie oder Röntgenfluoreszenz-Messungen (RFA) die bessere Wahl ist.

Zu beachten ist auch der kritische Quotient *KQ* in Bild 7.4. *KQ* ist nützlich, wenn beurteilt werden soll, ob zwei Messwerte signifikant verschieden sind (siehe Unterschrift zu Bild 7.4 und Buch 10 “Organische Schadensanalyse“).

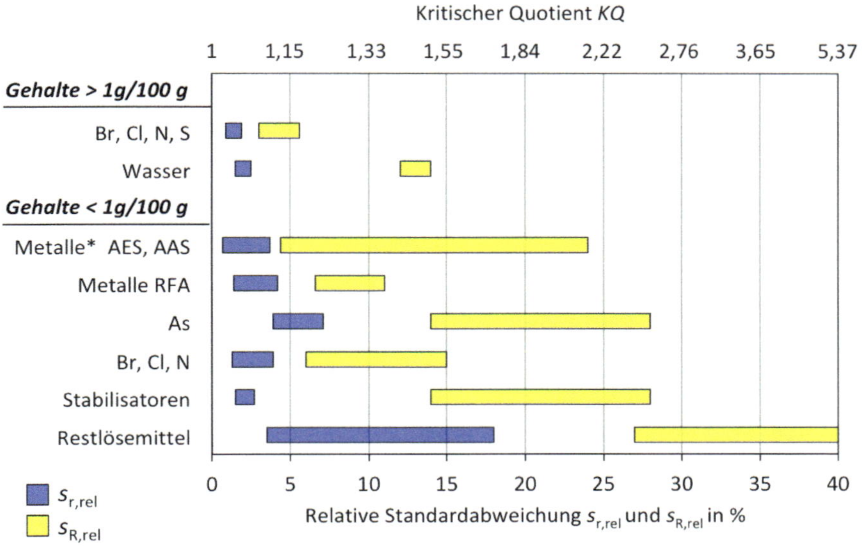

Bild 7.4 Relative Standardabweichungen $s_{r,rel}$ und $s_{R,rel}$ sowie kritischer Quotient *KQ* in Abhängigkeit von Verfahren zur Bestimmung der Masse. Die Histogramme beziehen sich auf Mediane, die in Abschnitt 7.5 und Abschnitt 7.6 tabelliert sind. Annahmen für die Berechnung von *KQ*: y_1 und y_2 sind Ergebnisse aus zwei verschiedenen Labors, $y_1 > y_2$, $u(y_1)/y_1 = u(y_2)/y_2 = s_{R,rel}$, $n_w = 1$. Wenn $y_1/y_2 > KQ$, ist der Unterschied zwischen y_1 und y_2 signifikant. *ohne Quecksilber

7.8 Normen

[1] DIN ISO 21748 — Leitfaden zur Verwendung der Schätzwerte der Wiederholpräzision, der Vergleichpräzision und der Richtigkeit beim Schätzen der Messunsicherheit. 2017

[2] ISO/IEC Guide 98-3 — Uncertainty of Measurement - Part 3: Guide to the Expression of Uncertainty in Measurement (GUM: 1995). 2008

[3] VIM — International Vocabulary of Metrology - Basic and General Concepts and Associated Terms (VIM). 3rd Edition, Joint Committee for Guides in Metrology (JCGM) 2012. *www.bipm.org*

[4] Eurachem Guide Terminologie bei Analytischen Messungen – Eine Einführung in den VIM 3. 2011. *www.eurachem.org*

[5] ISO/IEC Guide 43 Proficiency Testing by Interlaboratory Comparisons. 1997. (abgelöst durch ISO/IEC 17043:2010)

[6] ISO 9924-2 Rubber and Rubber Products – Determination of the Composition of Vulcanizates and Uncured Compounds by Thermogravimetry – Part 2: Acrylonitrile-butadiene and Halobutyl Rubbers. 2000

[7] ISO 9924-1 Rubber and Rubber Products – Determination of the Composition of Vulcanizates and Uncured Compounds by Thermogravimetry–Part 1: Butadiene, Ethylene-propylene Copolymer and Terpolymer, Isobutene-isoprene, Isoprene and Styrene-butadiene Rubbers. 2000

[8] ISO 11358 Plastics – Thermogravimetry (TG) of Polymers – General Principles. 1997. (in Ringversuchen verwendet, neueste Ausgabe: DIN EN ISO 11358-1, Kunststoffe – Thermogravimetrie (TG) von Polymeren – Teil 1: Allgemeine Grundsätze. 2014)

[9] DIN EN ISO 1158 Kunststoffe – Vinylchloridhomopolymere und Copolymere – Bestimmung des Chlorgehaltes. 1998

[10] ISO 7725 Kautschuk und Kautschukerzeugnisse – Bestimmung des Gehaltes an Brom und Chlor – Verfahren mit der Sauerstoffbombe. 1991

[11] DIN 53474 Prüfung von Kunststoffen, Kautschuk und Elastomeren – Bestimmung des Chlorgehaltes (Aufschluss nach Wickbold). 1998. (zurückgezogen)

[12] ISO 6528-1 Rubber – Determination of Total Sulfur Content – Part 1: Oxygen Combustion Flask Method. 1992

[13] ISO 1656 Rubber, Raw Natural, and Rubber Latex, Natural – Determination of Nitrogen Content. 2014

[14] DIN 53621-3 Prüfung von Kautschuk und Elastomeren – Quantitative Bestimmung von Polymeren – Bestimmung des Acrylnitril-Gehaltes und Berechnung des Gehaltes an Acrylnitril-Butadien-Copolymer. 1976. (zurückgezogen)

[15] DIN 53625 Prüfung von Kautschuk und Elastomeren – Bestimmung des Gesamtstickstoffgehaltes – Verfahren nach Kjeldahl. 1984. (zurückgezogen)

[16]	ISO 1407	Rubber – Determination of Solvent Extract. 2011
[17]	DIN EN ISO 6427	Kunststoffe – Bestimmung der extrahierbaren Bestandteile durch organische Lösemittel (Standardverfahren). 2014
[18]	ISO 8985	Plastics – Ethylene/Vinyl Acetate Copolymer (EVAC) Thermoplastics – Determination of Vinyl Acetate Content. 1989. (in Ringversuchen verwendet, neueste Ausgabe: 1998)
[19]	DIN EN ISO 15512	Kunststoffe – Bestimmung des Wassergehalts. 2014
[20]	ASTM D4019	Standard Test Method for Moisture in Plastics by Coulometric Regeneration of Phosphorus Pentoxide. 1994. (zurückgezogen)
[21]	DIN EN ISO 3451-1	Kunststoffe – Bestimmung der Asche – Teil 1: Allgemeine Grundlagen. 2008
[22]	ISO 247	Rubber – Determination of Ash. 1990. (in Ringversuch verwendet, neueste Ausgabe 2006)
[23]	DIN 53468-1	Prüfung von Kunststoffen, Kautschuk und Elastomeren – Bestimmung des Glührückstandes ohne chemische Vorbehandlung der Probe. 1974. (zurückgezogen)
[24]	DIN EN 62321	Verfahren zur Bestimmung von bestimmten Substanzen in Produkten der Elektrotechnik. 2014. (in 7 Teilnormen gestückelt)
[25]	ASTM F2617	Standard Test Method for Identification and Quantification of Chromium, Bromine, Cadmium, Mercury, and Lead in Polymeric Material Using Dispersive X-ray Spectrometry. 2015
[26]	ISO 6101-2	Rubber – Determination of Metal Content by Atomic Absorption Spectrometry – Part 2: Determination of Lead Content. 1997
[27]	CPSC-CH-E1002-08.2	Standard Operating Procedure for Determining Total Lead (Pb) in Non-Metal Children‘s Products, Revision April, 2012. 2012. United States Consumer Product Safety Commission
[28]	DIN EN 1122	Kunststoffe – Bestimmung von Cadmium – Nassaufschlussverfahren. 2002
[29]	BS 2782-4	Method 434D, Methods of Testing Plastics – Chemical Properties – Determination of Antioxidants in Polyolefin Compounds by a Spectrophotometric Method. 1975

[30]	ASTM D6042	Standard Test Method for Determination of Phenolic Antioxidants and Erucamide Slip Additives in Polypropylene Homopolymer Formulations Using Liquid Chromatography (LC). 2009
[31]	ASTM D6953	Standard Test Method for Determination of Antioxidants and Erucamide Slip Additives in Polyethylene Using Liquid Chromatography. 2011
[32]	DIN EN 13628-1	Verpackung; Flexible Packstoffe – Bestimmung der Restlösemittel durch statische Dampfraumanalyse mittels Gaschromatographie – Teil 1: Absolute Verfahren. 2003
[33]	DIN EN 13628-2	Verpackung; Flexible Packstoffe – Bestimmung der Restlösemittel durch statische Dampfraumanalyse mittels Gaschromatographie – Teil 2: Industrielle Verfahren. 2003
[34]	DIN EN 14479	Verpackung, Flexible Packstoffe – Bestimmung der Restlösemittel durch dynamische Dampfraumanalyse mittels Gaschromatographie – Absolutes Verfahren. 2004

■ 7.9 Verwendete Literatur

[1]	NIST	Certificate of Analysis. Standard Reference Material 1474b: Polyethylene Resin. s.l. : National Institute of Standards NIST, 2016.
[2]	Wampfler, B. Affolter, S. Ritter, A. Schmid, M.	Messunsicherheit in der Kunststoffanalytik – Ermittlung mit Ringversuchsdaten. München: Carl Hanser Verlag, 2017
[3]	Thompson, M. Lowthian, P. J.	Notes on Statistics and Data Quality for Analytical Chemists. London: Imperial College Press, 2011. p. 136.
[4]	Horwitz, W. Kamps, L.R. Boyer, K.W.	Quality Assurance in the Analysis of Foods for Trace Constituents. J. Assoc. Off. Anal. Chem. 1980, Vol. 63, pp. 1344 – 1354.
[5]	Ritter, A. Meyer, V.R.	The Horwitz Curve is Too Optimistic for Analyses in Plastics. Polymer Testing. 2005, Vol. 24, pp. 988 – 993.

[6]	Ehrenstein, G.W. Riedel, G. Trawiel, P	Praxis der Thermischen Analyse von Kunststoffen, 2. Aufl. Carl Hanser Verlag, München, 2003
[7]	Affolter, S. Schmid, M.	Interlaboratory Studies in Thermal Analysis. [Ed.] Markus Schubnell. Validation in Thermal Analysis. s.l.: METTLER TOLEDO Collected Applications, 2008, pp. 120 - 133
[8]	Affolter, S. Schmid, M. Wampfler, B.	Ringversuche an polymeren Werkstoffen: Thermoanalytische Verfahren KGK Kautschuk Gummi Kunststoffe. 1999, Vol. 52, 7 - 8, pp. 519 - 528
[9]	Affolter, S. Schmid, M.	Interlaboratory Tests on Polymers: Thermal Analysis. Int. J. Polym. Anal. Charact. 2000, Vol. 6, pp. 35 - 57
[10]	Crompton, T.R.	Characterisation of Polymers. Shawbury: Smithers Rapra Technology Ltd., 2008. Band 1
[11]	Bock, R.	Handbuch der analytisch-chemischen Aufschlussmethoden. Weinheim: Wiley-VCH Verlag, 2001
[12]	Gey, M. H.	Instrumentelle Analytik und Bioanalytik. Weinheim: Springer-Verlag, 2008.pp. 65 - 66
[13]	Vandenburg, H. J. et al.	A Simple Solvent Selection Method for Accelerated Solvent Extraction of Additives from Polymers. Analyst. 1999, Vol. 124, pp. 1707 - 1710
[14]	DuPont	Thermal Properties of Elvax® Measured by Differential Scanning Calorimeter (DSC). DuPont Elvax® Eva Resins Product Information K-27274. 2013.
[15]	Weber, W.	Bestimmung des Vinylacetatgehalts mittels Thermogravimetrie. Mettler UserCom. 1997, 5, pp. 13 - 14
[16]	Song, J. Ehrenstein, G.W.	Einfluss der Wasseraufnahme auf die Eigenschaften von Polyamid. Kunststoffe. 1990, Vol. 80, p. 519
[17]	Frick, A. Stern, C.	Praktische Kunststoffprüfung. München: Hanser-Verlag, 2011. pp. 442 - 444
[18]	Kläntschi, N. Richner, P. Lienemann, P. Vonmont, H.	Elementanalytik. Instrumenteller Nachweis und Bestimmung von Elementen und deren Verbindungen. Heidelberg: Spektrum Akademischer Verlag, 1996

[19]	Starink, R.J.	Results of Proficiency Test – Metals in Plastics, Report iis14P05. Institute for Interlaboratory Studies. Spijkenisse NL: s.n., 2014. *www.iisnl.com*
[20]	Ritter, A. Michel, E. Schmid, M. Affolter, S.	Interlaboratory test on polymers: determination of heavy metals in polymer metrices. Polymer Testing. 2004, Vol. 23, pp. 467 – 474
[21]	Welz, B.	Atomabsorptionsspektrometrie. 3. Auflage. Weinheim: Verlag Chemie, 1983. pp. 259 – 264
[22]	Lumpp, R, et al.	Vergleich verschiedener Aufschlussverfahren zur Elementbestimmung in Schwebestaub und Staubniederschlag. Gefahrstoffe – Reinhaltung der Luft. 2012, Vol. 72, 1/2, pp. 64 – 71
[23]	Ehrenstein, G. W. Pongratz, S.	Beständigkeit von Kunststoffen. München: Carl Hanser Verlag, 2007. pp. 257 – 310
[24]	Ritter, A. Michel, E. Schmid, M. Affolter, S.	Interlaboratory Test on Polymers: Determination of Antioxidants in Polyolefins. Polymer Testing. 2005, Vol. 24, pp. 498 – 506

8 Anhang

8.1 Saechtling-Bestimmungstafel zum Erkennen von Kunststoffen

Die in Tabelle 8.1 zusammengestellten Kriterien lassen sich meist auch ohne spezielle Kenntnis der Kunststoffchemie bestimmen. Es werden Methoden beschrieben, die ohne oder mit einfachsten Laborhilfsmitteln angewendet werden können. Nach einiger Erfahrung ist das Verhalten der Kunststoffe beim Erhitzen in einem Glasröhrchen oder in der Flamme sehr aufschlussreich. Man verwendet stets nur kleine Mengen und eine ganz kleine Flamme (Sparflamme eines Bunsenbrenners oder Streichholz). Zur Bestimmung der Reaktion der Schwaden, die aus dem Röhrchen aufsteigen, verwendet man die gängigen Indikatoren zur pH-Wert-Bestimmung.

Tabelle 8.1 Bestimmung der Kunststoffe

Physikalische Kenndaten: Gruppe und Stoff / Kurzzeichen	Spez. Gewicht ungefüllt g/cm³	Spez. Gewicht gefüllt bis g/cm³	Übliche Erscheinungsformen: transparente dünne Folie	massive Werkstücke: glasklar	massive Werkstücke: trüb bis opak	massive Werkstücke: meist gefüllt	Elastisches Verhalten: leder- oder gummiweich	schmiegsam, federnd	hart	In Lösemittel, bei ca. 20 °C (l = löslich, q = quellbar, u = unlöslich): Benzin	Benzol	Methylenchlorid	Diethylether	Aceton	Ethylacetat	Ethylalkohol	Wasser
PE weich	0,92							+		u/q	q	u	u/q	u/q	u/q	u	u
bis hart			+		+												
	0,96							+	+	u	u/q	u/q	u	u	u	u	u
PP	0,905	1,3*	+		+				+	u/q	u/q	u/q	u	u	u	u	u
PB	0,915				+			+	+	q	u/q	u	u/q	u	u/q	u	u
PIB	(0,93)	1,7				+	+			l	l	l	q	u	u	u	u
PMP	0,83			+					+	q	q	u	u	u	q	u	u
PS	1,05		+	+					+	q/l	l	l	u/q	l	l	u	u
SB	1,05			+	+			+	+	q/l	l	l	l	l	l	u	u
SAN	1,08	1,4*		+					+	u	l	l	l	l	l	u	u
										Lösungsgeschw. typabhängig							
ABS	1,06				+			+	+	q	l	l	l	l	l	q	u
ASA	1,07				+				+	q	l	l	q	l	l	q	u
PVC	1,39		+	+					+	u	u/q	q/l	u/l	u/q	u/q	u	u
	1,35									Cop. leichter q/l als PVC							
PVC-C	ca. 1,5		+	(+)					+	u	u/q	u	u	u/q	u	u	u
PVC-HI																	
PVCEVA	1,2 - 1,35		+		+		+	+	+	u/q	u/q	q/l	u/q	q	u/q	u	u
PVCPEC	1,3 - 1,35		+		+			+	+	u	q	q	u	u	u	u	u
PE-C	1,1 - 1,3			+			+	+		q	zwischen PE u. PVC je nach Cl-Gehalt						
PVC-P	1,2 - 1,35	1,6	+	+	+		+			u	q	q	q	q	q	q	u
										Weichm. (meist) mit Diethyleither herauslösbar							
PTFE																	
FEP	2,0 - 2,3				+			+		u	u	u	u	u	u	u	u
PFA										PFA, ETFE, q in heißen CCl^4 u. ä.							
ETFE	1,70																
PCTFE	2,1			+	+			+	+	u	u	u	u	u	u	u	u
PVDF	1,7 - 1,8	–	+	(+)	+				+	u	u	q	u/q	q	u	u	u

Tabelle 8.1 Bestimmung der Kunststoffe *(Fortsetzung)*

Pyrolyse und Einzelnachweis					
Langsames Erhitzen im Röhrchen s = schmilzt z = zersetzt sich a = alkalisch n = neutral s = sauer ss = stark sauer	Reaktion der Schwaden	Anzünden mit kleiner Flamme 0 = kaum anzündbar I = brennt in der Flamme, erlischt außerhalb II = brennt nach Anzünden weiter III = brennt heftig, verpufft	Art und Farbe der Flamme	Geruch der Schwaden beim Erhitzen im Röhrchen oder nach Anzünden und Ablöschen	Weitere Hinweise Nachweis von Leitelementen (N, Cl, F, S, Si)
					Unterschiedliche Schmelzbereiche
					105 – 120 °C
wird klar, s, z wenig sichtbare Dämpfe	n	II	gelb mit blauem Kern, tropft brennend ab	schwach paraffinartig, PP u. PB mit Beigeruch	125 – 130 °C 165 – 170 °C 130 – 140 °C
s, vergast, Gase entzündbar	n	II	gelb, ruhig brennend	paraffin- und gummiartig	
s, z, vergast, etw. weißer Rauch	n	II	belb mit blauem Kern, tropf ab	schwach paraffinartig	245 °C
					Bei Bruch von Hand:
schmilzt u. vergast	n	II	flackernd, gelb leuchtend, stark rußend	typisch leuchtgas artig	Sprödbruch
s, gelblich, z	n	II		wie PS + Gummi	Weißbruch
s, gelb, z	a	II		ähnlich PS, kratzend	N, Sprödbruch
z, wird schwarz	n	II		wie PS + zimtartig	N, Weißbruch
s, z, schwarzer Rückstand	s	II		wie PS + pfefferartig	
	ss	I	gelb rußend unterer Flammensaum ein wenig grün gefärbt	Salzsäure (CHI) und brenzlicher Beigeruch	Cl, Unterscheidungs merkmal Cl-Gehalt und Erweichungstemperatur
erweicht, z wird braun schwarz	ss	I			
	ss, s	I/II			
	ss	I			
s, wird braun	ss	I/II	gelb, leuchtend, rußend	HCl + Paraffin	
ähnlich PVC	ss	I/II	leuchtend vom Weichm.	HCl + Weichmacher	versteift beim Herauslösen des Weichmachers
wird klar, s nicht z bei Rotglut	ss	0	brennt nicht, blaugrüner Flammensaum, verkohlt nicht	bei Rotglut stechend: HF	F PFEP, PFA schmelzen bei 300 °C ETFE bei 270 °C
s, z bei Rotglut	ss	0	wie PTFE sprühend	Salzsäure + Flusssäure	F, Cl
s, z bei hoher Temperatur	ss	0/I	kaum entflammbar	stechend (HF)	F

Tabelle 8.1 Bestimmung der Kunststoffe *(Fortsetzung)*

Physikalische Kenndaten																	
Gruppe und Stoff	Spez. Gewicht		Übliche Erscheinungsformen				Elastisches Verhalten			In Lösemittel, bei ca. 20 °C l = löslich, q = quellbar u = unlöslich							
Kurzzeichen	ungefüllt g/cm³	gefüllt bis g/cm³	transparente dünne Folie	massive Werkstücke: glasklar	trüb bis opak	meist gefüllt	leder- oder gummiweich	schmiegsam, federnd	hart	Benzin	Benzol	Methylenchlorid	Diethylether	Aceton	Ethylacetat	Ethylalkohol	Wasser
PVAC	1,18		Dispersions-Grundstoff				+	+		u	l	l	q	l	l	l	u
PVAL	1,2 - 1,3		+				+	+		u	u	u	u	u	u	u	l[1)]
												[1)] acetylgruppenfrei auch heiß					
PVB	1,1 - 1,2		Sicherheitsglasfolie				+			u	q	q/l	u	q/l	q/l	l	u
PAE	1,1 - 1,2		Dispersions-Grundstoffe				+	+		u/l	l	l	u	l	l	l	u[1)]
													[1)] Polyacrylsäure löslich				
PMMA	1,18			+					+	u	l	l	u	l	l	u	u
AMMA	1,17			+ gelb					+	u	u	q	u	q	u	u	u
POM	1,41	1,6*			+				+	u	u	u	u	u	u	u	u
PA	1,14 / 1,02	1,4*	+		+			+	+	u	u	u	u	u	u	u	u
	1,12			+					+	u	u	q	u	q	u	u	u
PC	1,20	1,4*	+	+					+	u	q	l	q	q	q	u	u
PBT	1,35																
PET	1,41	1,5*	+	+	+			+	+	u	u	q	u	u/q	q	u	u
PPS					+				+	u	u	u	u	u	u	u	u
PSU	1,24	1,5*		(+)	+			+	+	u	l	l	u	q	u/q	u	u
PPE		1,3*			+				+	u	l	l	u	u	u	u	u
PI	ca. 1,4		+ gelb		+				+	u	u	u	u	u	u	u	u
CA	1,3		+	+				+	+	u	u	q/l[1)]	u	q/l[1)]	q/l[1)]	u	u
											[1)] je nach Acetylierungsgrad						
CAB	1,2		+	+					+	u	q	l	u	l	l	q	u
CP	1,2			+					+	u	u	q	u	l	l	q	u
CN	1,35 - 1,4		+	+				+	+	u	u	u	q	l	l	u	u
CH	1,45		+					+		u	u	u	u	u	u	u	u[1)]
												[1)] erweicht					
VF	1,2 - 1,3				+			+	+	u	u	u	u	u	u	u	u

Tabelle 8.1 Bestimmung der Kunststoffe *(Fortsetzung)*

Pyrolyse und Einzelnachweis					
Langsames Erhitzen im Röhrchen s = schmilzt z = zersetzt sich a = alkalisch n = neutral s = sauer ss = stark sauer	Reaktion der Schwaden	Anzünden mit kleiner Flamme 0 = kaum anzündbar I = brennt in der Flamme, erlischt außerhalb II = brennt nach Anzünden weiter III = brennt heftig, verpufft	Art und Farbe der Flamme	Geruch der Schwaden beim Erhitzen im Röhrchen oder nach Anzünden und Ablöschen	Weitere Hinweise Nachweis von Leitelementen (N, Cl, F, S, Si)
s, braun, vergast	s	II	leuchtend, rußend	Essigsäure und Beigeruch	
s, z, brauner Rückstand	n	I/II	leuchtend	kratzend	
s, z, schäumt	s	II	blau mit gelbem Rand	ranzige Butter	
s, vergast	n	II	leuchtend, etwas rußend	typisch scharf	
erweicht, z. unter Aufblähen und Knistern, wenig Rückstand	n	II	brennt knisternd, tropft ab, leuchtend	typisch fruchtartig	gegossenes Acryglas erweicht kaum
braun, dann s, z schwarz	a	II	rußend, etwas sprühend	erst scharf, dann kratzend	N
s, z, vergast	n(s)	II	blau, fast farblos	Formaldehyd	
wird klar, s	(a)	I/II	schwer anzündbar, bläulich gelber Rand, knisternd abtropfend, fadenziehend	typisch verbranntem Horn ähnlich	N, Schmelztemperatur °C: PA46 295, PA66 255, PA6 220, PA11 185, PA12 175
z, braun					
s, zäh, farblos, z. braun	(s)	I	leuchtend, rußend, blasig, verkohlt	zunächst schwach, dann Phenol	Phenolnachweis
s, z. dunkelbraun weißer Beschlag oben	s	I/II	leuchtend, knisternd, tropft ab, rußt	süßlich kratzend	PETP schmilzt 255 °C PBTP schmilzt 255 °C
wird klar, s dann braun	s	I	stark rußend	nach H_2S	
s blasig, Dämpfe nicht sichtbar, braun	ss	II	brennt schwer an, gelb, rußend verkohlt	zunächst wenig, im Röhrchen schließl. H_2S	
wird schwarz, s, z, braune Dämpfe	a	II	brennt schwer an, dann hell, rußend	zunächst gering, dann Phenol	
s nicht, bei starkem Erhitzen braun, glüht auf	a	0	glüht auf	bei starkem Erhitzen Phenol	
s, z, schwarz	s	II	schmilzt u. tropft, gelbgrün mit Funken	Essigsäure + verbranntes Papier	
s, z, schwarz	s	II	gelbleuchtend, brennend abtropfend	Essigsäure, Buttersäure, verbr. Papier	
s, z, schwarz	s	II	wie CAB	Propionsäure, verbr. Papier	
z heftig	ss	II	hell, heftig, braune Dämpfe	Stickoxide (Kampfer)	N
z, verkohlt	n	II	wie Papier	verbranntes Papier	
z, verkohlt	n	I/II	brennt langsam	verbranntes Papier	

Tabelle 8.1 Bestimmung der Kunststoffe *(Fortsetzung)*

Physikalische Kenndaten																	
Gruppe und Stoff	Spez. Gewicht		Übliche Erscheinungsformen				Elastisches Verhalten			In Lösemittel, bei ca. 20 °C l = löslich, q = quellbar u = unlöslich							
Kurzzeichen	ungefüllt g/cm³	gefüllt bis g/cm³	transparente dünne Folie	massive Werkstücke: glasklar	trüb bis opak	meist gefüllt	leder- oder gummiweich	schmiegsam, federnd	hart	Benzin	Benzol	Methylenchlorid	Diethylether	Aceton	Ethylacetat	Ethylalkohol	Wasser
2)	1,25		technische Harze							u	u	u	u	l	u	l	(l)
PF	bis																
3)	1,3			(+)					+								
PF 4)		1,8 - 2				+			+								
PF 5)		1,4				+			+								
										u	u	u	u	u	u	u	u
Hp 6)																	
		1,3 - 1,4				+			+								
Hgw 7)																	
Hgw 8)		1,8				+			+								
UF/MF			Leimharze							u	u	u	u	u	u	u	l
UF/MF 9)		1,5				+			+								
MF 10)		2,0				+			+								
										u	u	u	u	u	u	u	u
MF+PF 11)		1,5				+			+								
Hgw 12)		1,8				+			+								
UP	ca. 1.2			+					+								
13)	1.3									u	u	q	u	q	q	u	u
UP 14)		1,4 - 2			+	+			+								
EP	ca. 1,2			+					+								
EP 15)		1,7 - 2				+			+	u	u	q	u	q	q	u	u
PUR 16)	1,26				+		+	+	+	u	u	q	u	q	q	u	u
17)	1,17 - 1,22		+		+		+			u	q	q	u	q	q	u	u
18)	>>1				+		+	+	+	u	q	q	u	q	q	u	u
SI 19)	1,25					+	+			q	q	q	u	u	u	u	u

1) mit Glasfaser (o. ä.) verstärkt, steif
2) nicht gehärtet
3) Press- oder Gießharz
4) Typen 11 - 16: Pressstoffe, min. gef.
5) Typen 30 - 84: Prestoffe, org. gef.
6) Hartpapier, ähnl. Pressschlitzholz
7) Hartgewebe mit Baumwolle
8) mit Asbest- oder Baumwolle
9) Typen 131, 152 - 154; org. gef. Pressstoffe
10) Typen 155 - 157, min. gef. Pressstoffe
11) Typen 180 - 182, org. gef. Pressstoffe
12) 2272: MF + Glasseidengewebe
13) selbstlöschend eingestellt
14) typ. (Schicht-)Pressstoffe, min. gef. Glasfaser-Laminate
15) typ. (Schicht-)Pressstoffe, GF-Laminate
16) vernetzt
17) linear gummielastisch
18) Schaum
19) vorwiegend Silikonkautschuk

Tabelle 8.1 Bestimmung der Kunststoffe *(Fortsetzung)*

Pyrolyse und Einzelnachweis					
Langsames Erhitzen im Röhrchen s = schmilzt z = zersetzt sich a = alkalisch n = neutral s = sauer ss = stark sauer	Reaktion der Schwaden	Anzünden mit kleiner Flamme 0 = kaum anzündbar I = brennt in der Flamme, erlischt außerhalb II = brennt nach Anzünden weiter III = brennt heftig, verpufft	Art und Farbe der Flamme	Geruch der Schwaden beim Erhitzen im Röhrchen oder nach Anzünden und Ablöschen	Weitere Hinweise Nachweis von Leitelementen (N, Cl, F, S, Si)
s, z					
	n	I	brennt schwer an, hell, rußend	Phenol, Formaldehyd	
z, springt		0/I	hell, rußend	Phenol, Formaldehyd, ev. Ammoniak	
z, springt	n(a)	I/II	verkohlt		
z, Schichtentrennung	n	II	hell, rußend	wie oben + verbr. Papier	
z, springt	n	0/I	Gerüst bleibt	Phenol. Formaldehyd	
z, springt, Dunkelfärbung	a	0/I	kaum anzündbar, Flamme leicht gelb, Stoff verkohlt mit weißen Kanten Gerüst bleibt	Ammoniak, Amine, widerlicher fischiger Beigeruch (vor allem bei Thioharnstoff), Formaldehyd	N, bei Thioharnstoff auch S
wird dunkel, s springt, z ev. weißer Beschlag	n(s)	II (I)	leuchtend gelb rußend ungefüllt unter Erweichen, sonst knackend, verkohlt, Glasfaser-Rückstand	Styrol und scharfer Beigerung	Anzündbarkeit hängt auch von Füllung und Pigmentierung ab
Dunkelfärbung vom Rand, z. springt ev. weißer Beschlag (unvernetzt)	n oder a (s)	II I/II	schwer anzündbar, brennt mit kleiner gelber Flamme, rußt	je nach Härter esterartig oder Amine (ähnlich PA), später Phenol	N bei Aminhärter oder Spezialharzen
s bei kräftigem Erhitzen, dann z	n	II	schwer anzündbar, gelb leuchtend	typisch unangenehm stechend (Isocyanat)	N
s z	s a	II	schäumt, tropft ab		
Nur bei starkem Erhitzen z, weißes Pulver	n	0	allenfalls Glimmen in der Flamme	Weißer Rauch, zerklüfteter weißer SiO_2-Rückstand	SI

Index

B

C

D

K

L

M

Q

R

S

U

V

W

Z